CW00825746

Jan Weiler

KÜHN HAT ÄRGER

Jan Weiler

KÜHN HAT ÄRGER

Roman

PIPER

Mehr über unsere Autoren und Bücher:
www.piper.de/literatur

Von Jan Weiler liegen im Piper Verlag vor:
Und ewig schläft das Pubertier
Kühn hat Ärger

MIX
Papier aus verantwortungsvollen Quellen
FSC® C014496

ISBN 978-3-492-05757-8

Satz: Satz für Satz, Wangen im Allgäu
Gesetzt aus der Arno Pro
Druck und Bindung: GGP Media GmbH, Pößneck
Printed in Germany

MITTWOCHMORGEN

Der Polizist Martin Kühn stand vor dem Badezimmerspiegel und versuchte, sich objektiv zu betrachten. So, wie man jemanden auf einem Foto ansieht. Das Gesicht auf einem Foto schaut nicht zurück. Es lässt den Blick über sich ergehen, blinzelt nicht, schämt sich nicht, verbirgt nichts hinter einer schützenden Mimik. Es wehrt sich nicht. Je länger Kühn sich ansah, desto leichter fiel es ihm, sich zu ertragen.

Normalerweise nutzte er den Spiegel nur, um zu überprüfen, ob er noch Zahnpasta am Mund hatte oder ein überlanges Haar in der Nase. Nun stand er da und sah sich ausdruckslos und möglichst unverwandt ins Gesicht. Kühn versuchte, sich nicht durch Augenzwinkern oder eine Bewegung des Mundwinkels aus dem Gleichgewicht zu bringen, und fragte sich: Wer bist du? Wie geht es dir? Stimmt alles?

Er hatte erst vor Kurzem damit begonnen, sich selbst zu betrachten. Vor diesem Sommer hatte er eine eher funktionale Beziehung zu seinem bald 45 Jahre alten Körper gepflegt. Er hatte ihn – wenn überhaupt – als weitgehend wartungsfreie Lebensmaschine wahrgenommen. Er war nie ernsthaft krank gewesen, hatte jedoch auch nicht über die

Maßen gesund gelebt. Er hatte sich nichts zugemutet, war aber auch niemals vor Anstrengungen zurückgewichen.

Dann war die Krise über ihn gekommen, samt Zweifeln, Schwachheiten und schließlich dem Zusammenbruch, der ihn in ein Reha-Zentrum für Beamte und dort an einen Vierertisch mit einem drogensüchtigen Grenzschützer, einem ausgebrannten Mitarbeiter der Stadtverwaltung von Donauwörth und einem Nürnberger Steuerfahnder gebracht hatte. Der Steuerfahnder litt unter einer krankhaften Überidentifikation mit seiner Tätigkeit, die ihn an den Rand des Irrsinns getrieben hatte. Und Kühn?

Der hatte sich auch reingesteigert in die abwegigsten Grübeleien, in ein nicht mehr zu stoppendes Gedankengetöse, in dem aktuelle Fälle, seine dahinsiechende Karriere, seine erstarrte Ehe, die sich lösenden Bindungen zu seinen Kindern, dazu Kindheitserinnerungen und finanzielle Probleme vor sich hinsausten wie leere Körbe in einem Kettenkarussell. Am Ende fiel er härter als andere, denn er war groß und stark, und wenn solche Leute fallen, ist die Wucht des Aufschlags immer größer.

Aber Kühn war wieder aufgestanden, und nun betrachtete er sich im Spiegel wie einen Fremden. Man hatte ihn vor wenigen Minuten angerufen und zu einem Tatort bestellt. Er rechnete aus, dass er mit den Öffentlichen ungefähr eine Dreiviertelstunde brauchen würde. Dann würde er vor einem Leichnam stehen, den sein Kollege Steierer am Telefon als »furchtbar zugerichtet« bezeichnet hatte.

Sobald man wusste, wer die Leiche war, würde man damit beginnen, ihre letzten Tage und Stunden zu rekonstruieren. Kühn dachte oft, dass man viele Verbrechen verhindern könnte, wenn die Opfer schon vor der Tat identifiziert würden. Wenn man sich vorher schon mit ihnen beschäftigen würde und nicht erst hinterher. Er war überzeugt davon, dass es nicht nur bestimmte Dispositionen gab, die Täter zu Tätern machte, sondern dass auch Opfer in gewisser Weise zum Opfersein bestimmt waren. Er betrachtete sich im Spiegel und sann darüber nach, ob er in seinem Leben eher Opfer oder Täter war. Dann klingelte sein innerer Wecker, er putzte sich die Zähne, spuckte aus und ließ Spucke und Zahnpasta im Waschbecken, weil er keine Zeit mehr hatte, es sauber zu machen. Er musste ja los und zur Arbeit fahren.

1. DAS FEUERZEUG

Amir wusste nicht, was Liebe war, bis er Julia begegnete. Er hatte keine Ahnung davon gehabt, wie es sich anfühlte, wenn einem so ein Mädchen schon Sekunden nach dem Abschied fehlt. Er fühlte sich jedes Mal, als würde ihm ein Körperteil amputiert, wenn sie sich zum Abschied küssten. Dann stieg er ein, die Tür der Straßenbahn schloss sich mühsam und wie gegen ihren Willen. Julia winkte ihm sanft zu aus ihrer Welt, die Amir dann ruckelnd verließ, um in seine zurückzufahren.

Obwohl er bereits siebzehn Jahre alt war, kannte Amir derartige Gefühle nicht. Etwas zumindest ähnlich Betäubendes hatte er bis zu diesem Sommer höchstens erlebt, wenn er mit seinen Freunden Lösungsmittel einatmete oder kleine Beutezüge unternahm. Ladendiebstahl, manchmal nur so, zum Spaß. Kindern das Handy wegnehmen. Passanten um Zigaretten anschnorren und dann die ganze Packung von ihnen verlangen. Und das Feuerzeug dazu. Sich an deren Angst zu freuen und lachend weiterzuziehen verschaffte ihm Augenblicke des Hochgefühls, für die er sich nicht schämte, die ihm nicht einmal besonders vorkamen.

Mädchen hatten ihn bis zu diesem Sommer nie sonderlich beschäftigt. Wie seine Freunde war er der Meinung, dass Frauen im Allgemeinen, seine Mutter einmal ausgenommen, nur störten. Gleichzeitig hatte er jedoch die angeberischen Erzählungen seiner Freunde über die Eroberungen und reihenweisen Flachlegungen irgendwelcher willfährigen und meistens besoffenen Mädchen mit einem gewissen Unwohlsein verfolgt. Denn erstens war ihm so etwas bisher nicht gelungen, und zweitens hätte er gar nicht gewusst, wie man dieses Flachlegen hätte anstellen sollen, und drittens wusste er auch nicht, wofür es gut sein sollte. Er war nicht einmal auf Pornoseiten im Internet unterwegs, denn die offensive Körperlichkeit der Frauen in den Clips, die sich seine Kumpels gegenseitig aufs Handy schickten, verunsicherte ihn mehr, als dass sie ihn erregte. Bei aller Stärke und männlicher Wucht, die er in der Schule und in der Nachbarschaft zum Schrecken von Lehrern, Hausmeistern und wehrlosen Geschäftsinhabern ausstrahlte, war er sich dieser Schwäche bewusst.

Es war ihm zwar ohne jede Regung möglich, einem Jugendlichen in der U-Bahn die Jacke abzunehmen oder vor der Schule MDMA an Jüngere zu verkaufen. Aber ein Mädchen gernzuhaben oder noch irritierender: von ihm gemocht zu werden, sich gegen seine Brust zu lehnen, seinen Herzschlag zu spüren und sich dabei den Kopf streicheln zu lassen erschien ihm so unmöglich, dass er diese Vorstellung gar nicht erst zuließ.

Und so war Amir eine siebzehnjährige Jungfrau, aufgewachsen in Neuperlach, der Satellitenstadt im Südosten Münchens, die in ihrer Größe und Betonhaftigkeit einschüchternd und befremdlich auf Besucher wirkte, aber für Amir und seine Freunde ein Biotop darstellte, in welchem sie im Gegensatz zur Polizei jeden Winkel und jeden Meter der unendlich weiten Fuß- und Versorgungswege zwischen den riesigen Wohnblöcken kannten und sich ihrer sicher waren, solange sie einfach dort blieben. Tatsächlich verließ Amir sein Viertel ungern. Die Innenstadt sagte ihm nicht viel, er konnte sich dort nicht bewegen, fühlte sich wie ein Außerirdischer, beobachtet und bedroht von einem Leben, das ihm fremd war.

Wenn er in den großen Einkaufsstraßen der Stadt umherging, sah er Menschen, die einfach so dort einkauften, große Tüten aus Kaufhäusern heraustrugen oder in Cafés saßen, in denen ein Milchkaffee leicht fünf Euro kosten konnte.

Falls er überhaupt einmal Kaffee trank, dann in der Bäckerei des Perlacher Einkaufsparadieses. Für eins dreißig bekam man eine Rosinenschnecke dazu. Der Haarschnitt dort machte neun Euro, und wenn sein Freund Cem Lust hatte, rasierte er Amir noch einen Blitz von der Schläfe bis hinters Ohr. Für Amir bestand die Welt aus Neuperlach, und alles, was darüber hinausging, war Weltraum. Und dann landete, quasi aus dem All, Julia in seinem Leben.

Eigentlich landete dort zuerst ihre Mutter. Sie baute eines Tages im Jugendzentrum einen langen Tisch auf, auf den sie allerhand Broschüren schichtete. Außerdem spielte sie einen Film über einen Laptop ab. Der Sozialarbeiter Ulrich hatte vorher einen Aushang gemacht sowie auf Facebook und WhatsApp darüber informiert, dass der »Münchner Sternenhimmel« nach Neuperlach komme. Weil sich darunter niemand etwas vorstellen konnte, hängte er einige Links an seine Mitteilung, die aber von den wenigsten

Jugendlichen geöffnet wurden. Sonst hätten sie sich darüber informieren können, was der »Münchner Sternenhimmel« war.

Es handelte sich dabei um einen Verein, der von Münchner Bürgern Anfang der Neunzigerjahre gegründet worden war, nachdem fremdenfeindliche Übergriffe in der Stadt zugenommen hatten. Die Sorge um gesellschaftliche Werte und die Empörung über fehlende Konsequenzen seitens der Politik hatten zunächst zu Bürgerprotesten und schließlich zu einer Versammlung geführt, in deren Verlauf der »Münchner Sternenhimmel« aufging.

Die Haupttätigkeit des Vereins bestand darin, Kindern und Jugendlichen mit Migrationshintergrund die Integration in die Gesellschaft zu erleichtern oder überhaupt erst zu ermöglichen. Der Gedanke dahinter war ehrenwert und sympathisch naiv: Wenn man die jungen Leute besser unterrichtete, ihnen Deutsch beibrachte und viele, auch kulturelle Angebote machte, konnten sie bessere Schulabschlüsse erzielen, schneller in Ausbildungen gelangen und würden insgesamt weniger stören, weil sie nicht mehr auf der Straße herumhingen. Auf diese Weise, so die Annahme der Vereinsgründer, würde jeder Ausländerfeindlichkeit auf Dauer der Nährboden entzogen.

Seit Jahren engagierten sich mehr oder weniger wohlhabende Münchner beim Sternenhimmel, und tatsächlich hatte man mit diversen Projekten viel Aufsehen erregt. Es hatte Breakdance- und Graffiti-Kurse gegeben, ein HipHop-Projekt und zahlreiche Workshops, bei denen die ehrenamtlich tätigen Mitglieder den Jugendlichen zum Beispiel deutsche Lyrik des Biedermeiers oder die Feinheiten der bayerischen Küche nahegebracht hatten. Diese Kurse waren nicht direkt von Teilnehmern überrannt worden, besonders nicht jener mit dem Titel: »Schweinebraten leicht gemacht«, aber sie hatten trotzdem Gutes bewirkt – und zwar an den Vereinsmitgliedern. Das waren mehrheitlich wohlsituierte Münchner Bürger mit Sendungsbewusstsein, die gerne ihr Wissen über alle möglichen wichtigen Bereiche des Lebens teilten und vorzugsweise über Leinenbettwäsche, die authentische Zubereitung von Espresso und den perfekten Ort für eine neue Konzerthalle debattierten. Indem sie sich nun für das Wohl ausländischer oder zumindest ausländisch aussehender Jugendlicher einsetzten, gaben sie ihrem Leben einen neuen Sinn, gewissermaßen einen Bonus-Sinn, der sie zudem sozial weit über jene Bekannten und Freunde stellte, die lediglich spendeten. Was ja jeder konnte.

Die Mitgliedschaft im »Münchner Sternenhimmel« galt als erstrebenswert, und sie hatte einen hohen Preis. Schon der Jahresbeitrag sorgte dafür, dass der Kreis der »Botschafter«, wie sich die Mitglieder selber nannten, überschaubar blieb. Daran war den teilnehmenden Prominenten aus der Medienszene, Gastronomie und Wirtschaft sehr gelegen. Man wollte unter sich bleiben. Aufnahmeanträge wurden ausführlich diskutiert, jede Anwärterin und jeder Anwärter musste sich detailliert bewerben und seine aktive Hilfe garantieren. War man einmal drin im »Münchner Sternenhimmel«, konnte man sich der Bewunderung anderer sicher sein. Der Verein pflegte Kontakte in die Chefredaktionen und Vorstandsetagen, zu den Geschäftsführungen großer Kaufhäuser und zu den wichtigen Schauspielagenten. Wenn der »Sternenhimmel« eine Gala veranstaltete oder einen Theaterabend mit einheimischen

Stars oder ein Dinner, kamen ganz sicher alle wichtigen Persönlichkeiten der Stadt und viel Geld zusammen.

Die einzigen, die regelmäßig bei Liederabenden oder Cocktail-Events fehlten, waren die Kinder, für die die Veranstaltungen organisiert wurden. Das machte aber nichts, denn im Verein herrschte die Auffassung, dass es dafür viel zu früh sei. Wenn nämlich ein persischstämmiger Jugendlicher aus Moosach etwas mit Robert Schumann anfangen könne, habe der Verein seine Ziele erreicht und könne sich auflösen. Insofern war man bei der Vereinsleitung beinahe dankbar dafür, wenn die vernachlässigten und in sozial prekären Verhältnissen lebenden Jungen und Mädchen nicht auftauchten.

Niemand konnte bestreiten, dass der »Münchner Sternenhimmel« sehr zum Segen benachteiligter Jugendlicher wirkte. Die Öffentlichkeit nahm nun viel häufiger Notiz von deren Problemen, zumal auch diverse Filmemacher und Fernsehredakteure auf den visuellen Reiz des gefährlichen und gefährdeten Lebens am Rande der Großstadt aufmerksam geworden waren. Und tatsächlich hatten mehr Lehrstellen vermittelt werden können. Das Engagement des »Münchner Sternenhimmels« trug dazu bei, dass die Kriminalität wenigstens in einigen Altersgruppen leicht zurückging und mehr Abiturzeugnisse überreicht werden konnten.

Das Problem mit der Ausländerfeindlichkeit hatte sich durch die Arbeit des Vereins dann jedoch nicht lösen lassen, weil die Grundidee zwar gut, aber womöglich zu eng gefasst gewesen war. Es half nicht viel, wenn lediglich die Ausländerkinder besser Deutsch konnten, bessere Schulabschlüsse machten und schneller in Ausbildungen kamen, solange latent ausländerfeindliche Jugendliche ohne Migrationshintergrund viel schlechter Deutsch sprachen, noch langsamer in der Schule waren und erst recht keine Jobs fanden.

Zu den engagiertesten der über vierhundert Botschafter des »Münchner Sternenhimmels« gehörten Damen der Gesellschaft aus den Stadtteilen Schwabing, Nymphenburg, Solln, Harlaching und Bogenhausen sowie aus Pullach und Grünwald, die dafür viel Zeit hatten und aufbrachten, weil sie nicht direkt im Erwerbsleben standen. Ihre eigenen Kinder waren nicht mehr ständig auf sie angewiesen, ihre Männer kamen spät nach Hause und befanden sich ohnehin oft auf Reisen, das Haus war wie der Garten in fabelhaftem Zustand, die Theater-Abos in jahrzehntelanger Fron abgesessen. Nachdem also sämtliche Aufgaben inklusive der Erlangung von Platzreife und Bridge-Meisterschaft erledigt waren, wuchs bei vielen dieser Frauen die Erkenntnis, dass es nun, rund um den fünfzigsten Geburtstag, an der Zeit war, endlich einmal etwas zurückzugeben. Der Gesellschaft.

Anstatt sich also an die völlige Umgestaltung des Heimes zu machen, bewarben sie sich beim »Sternenhimmel«, zumal die Umgestaltung des Heimes gerade erst drei oder vier Jahre her und ja auch im Grunde genommen niemals völlig abgeschlossen war.

Der »Sternenhimmel« eröffnete ihnen viele neue Perspektiven und bot ein soziales Upgrade wie sonst nur kostspielige Operationen oder der Erwerb eines Ferienhauses auf Mauritius. Zudem ermöglichte die Arbeit mit problematischen Jugendlichen aus Stadtteilen, die man sonst nur vom Hörensagen kannte, einen gruseligen, aber spannenden Abwärtsvergleich, in dem man immer gewann. Und schließlich ließen sich brachliegende Kompetenzen aus vorehelichen Studiengängen in Fremdsprachen oder Geisteswissenschaften hervorragend einsetzen. Die Mitarbeit im »Münchner Sternenhimmel« schuf also eine Win-win-Situation, wie Elfie van Hauten immer wieder betonte, wenn sie ihren Freundinnen davon erzählte, wie sie in den Problemvierteln aus verstockten und aggressiven Jünglingen smarte Deutschschüler formte.

Von ihrem Haus in Grünwald aus organisierte sie nicht nur Sprachkurse, sondern auch kulturelle Lehrgänge für Flüchtlingskinder und Sport-Workshops, an denen sich die größeren Fußballvereine der Stadt beteiligten, weil sie die Hoffnung hegten, mit einem minimalen Investment auf ein Talent aufmerksam zu werden. Über die Jahre war Elfie van Hauten für den Verein unverzichtbar geworden. Sie saß unabwählbar im Vorstand und galt als zähe Verhandlerin, wenn ein Autokonzern dem Verein keinen neuen Lieferwagen spenden wollte oder ein Getränkelieferant nicht den gewünschten Weißwein für das jährliche Sommerfest zu schenken beabsichtigte. An ihr kam niemand vorbei. Und das galt auch für die jugendliche Zielgruppe, die von ihr regelrecht gekobert wurde.

Dafür baute sie einmal in der Woche ihren Stand in einer Schule, einer kirchlichen Einrichtung, einem Wohnheim oder einem Jugendzentrum auf. Nachdem sie in früheren Zeiten noch auf Kundschaft gewartet hatte, war sie irgendwann dazu übergegangen, die Kinder direkt anzusprechen. Großmäuler quatschte sie kleinlaut, die Mädchen mit den dicken Lippen schnurrten bei ihr zu willfährigen Kätzchen zusammen. Ihr Erfolg bestand in ihrer Direktheit. Und in ihrer Ausstrahlung.

Normalerweise wäre Amir an jenem Mittwoch Ende Mai nicht im Jugendzentrum gewesen. Erstens hielt er den dort tätigen Sozialarbeiter Ulrich Bernstein für »einen Homo«, weil er den Jungen manchmal die Hand auf die Schulter legte und beim Tischfußball Geräusche machte wie beim Sex (oder so wie sich Amir Geräusche beim Sex vorstellte). Und zweitens mied er Orte, an denen er sich an Regeln halten musste. Im Jugendzentrum durfte man keine Kraftausdrücke verwenden, nicht einmal »Homo« durfte man sagen. Man durfte nicht rauchen oder andere Drogen nehmen, und man durfte die Musik in seinem Handy nicht über Lautsprecher laufen lassen. Wenn das alle machten, würde Ulrich wahnsinnig, hatte er mal gesagt. Na wennschon. Der war doch sowieso wahnsinnig. Der Homo. Fand Amir.

Amir war unterwegs nach Hause, wo er sich auf einen Nachmittag vor der Glotze freute und auf eine Tiefkühlpizza. Seine Mutter kochte selten und brachte nur dann und wann Sachen aus dem Supermarkt mit, meistens abgelaufene Joghurts oder beschädigte Ware. Gestern hatte sie ein paar Pizzen dabeigehabt, und darauf hatte Amir Appetit. Als es anfing zu regnen, bog er dann aber doch ins Jugendzentrum ab, um seine Frisur zu retten.

Im Foyer war eine Frau dabei, einen Tapeziertisch auszuklappen, und er sah sofort, dass sie sich absichtlich dumm dabei anstellte. Es wunderte ihn daher nicht, dass sie ihn um Hilfe bat. Er kannte diese Tricks, denn er war Dutzenden von Sozialtherapeuten, Lehrern, Trainern und Jugendpflegern begegnet. Immer dasselbe. Sie wollten unbedingt mit einem ins Gespräch kommen, machten stundenlang auf dufte, und am Ende fand man sich in einem Stuhlkreis mit Blödmännern wieder und sollte erzählen, was mit Papa war. Bei Amir ging das schnell: Papa war weg. Ende.

Die Frau bat ihn, Kartons mit Broschüren aus ihrem Auto zu holen und gab ihm den Schlüssel. Ganz schön mutig, dachte Amir. Ein BMW X5. Damit jetzt eine Runde zu fahren war verlockend. Oder wäre verlockend gewesen. Aber Amir konnte nicht Auto fahren. Und irgendwie hatte er keine Lust, in der Mittelkonsole oder im Handschuhfach nach interessanten Dingen zu suchen. Ihm war gar nicht klar, dass er der Frau längst auf den Leim ging. Er holte die Kartons aus dem Kofferraum und half ihr, den Inhalt auf dem Tisch zu drapieren. Sie stellte sich vor und sagte: »Ich heiße übrigens Elfie van Hauten. Wie die Schokolade, nur mit ›au‹.« Amir konnte mit dieser Information zwar nichts anfangen, war aber von sich selber verblüfft, weil er ihr die Hand gab. Sie roch gut. Er sagte: »Ich bin Amir.« Und sie sagte: »Hallo Amir.«

Damit war sein Pulver verschossen, und er stand vor dem Klapptisch wie ein angepisster Baum. Oder wie ein Siebzehnjähriger, der nicht weiß, wie er mit einer erwachsenen Frau umgehen soll. Ihm war so, als müsste er nun sagen, dass sie schöne Haare habe, was absolut zutraf. Erst am Vormittag war Elfie van Hauten bei ihrem Friseur gewesen, der nicht weniger als eine Dreiviertelstunde lang eine Art pneumatisches Meisterwerk an ihr aufgeföhnt hatte. Aber Amir fragte stattdessen, ob sie noch Hilfe brauche. Er fühlte sich verantwortlich für die Frau. Er musste sie beschützen, falls irgendeiner seiner Kumpel vorbeikam und die Broschüren vom Tisch fegen oder die Frau beleidigen würde.

Elfie van Hauten kannte diese Sorte Jungs. Oft massiv vorbestraft, aber im Grunde Kinder. Und in diesem Fall ein hübsches Kind dazu. Sie nahm eine Broschüre und sagte: »Ich glaube, in dir steckt viel mehr, als man dir ansehen kann. Und ich glaube, dass wir rausfinden sollten, was das ist.« Amir bekam auf der Stelle Angst, denn er war sein ganzes Leben hindurch der Meinung gewesen, für rein gar nichts gut zu sein. Er konnte lügen, klauen und ein paar schnelle Körpertäuschungen und Schläge, die er sich aus Martial-Arts-Filmen abgeschaut hatte. Des Weiteren konnte er Rahmspinat auftauen und seinen linken Mittelfinger auf geradezu absurde Weise nach hinten biegen. Und damit hatte es sich schon. Reflexhaft antwortete er: »Ich kann alles.«

»Das ist schön«, sagte Elfie van Hauten. »Und was willst du damit später mal machen? Gehst du zur Schule?«

»Klar«, log er. Er war das letzte Mal Anfang der vergangenen Woche da gewesen, aber es hatte ihm nicht gefallen. Zu hohe Anforderungen. Langweilig. Zu viele Regeln. Er hatte nicht vor, wieder hinzugehen. Und es vermisste ihn auch niemand.

»Ich mache KFZ-Mechatroniker, nach der Schule«, fügte er hinzu. Tatsächlich hatte ihm ein Berufsberater empfohlen, sich auf eine entsprechende Stelle zu bewerben, was aber nichts mit Amir zu tun hatte, sondern damit, dass da noch nicht alle Lehrstellen besetzt waren. Hatte er aber nicht getan.

»Na, das klingt doch gut«, sagte die Frau und schaute über ihn hinweg in den Raum. Sie suchte bereits nach weiteren Kunden. Dieser hier schien keinen Bedarf zu haben. In diesem Moment öffnete sich hinter der Frau die Tür, und ein Mädchen kam herein. Es passte so überhaupt nicht hierher, dass Amir sofort wusste, dass es die Tochter der Frau war. Sie trug zwei Flaschen Mineralwasser und lächelte Amir auf eine Art an, die ihn schlagartig wehrlos machte. Wenn er einen schmutzigen Gedanken gehabt hätte, wäre dieser auf der Stelle reingewaschen worden durch dieses Lächeln. Er hatte aber keinen Gedanken, denn er konnte gerade nicht denken.

»Das ist meine Tochter Julia. Julia, das ist Amir. Er will Autos reparieren, ist das nicht toll?«

Das Mädchen kam auf ihn zu und streckte ihre Hand aus. Er hatte noch nie so gerade und weiße Zähne gesehen. Alles an ihr beschämte ihn. Sie trug Sneakers und Jeans, ein T-Shirt und darüber ein fliederfarbenes Hemdchen, an ihren schmalen Handgelenken hingen dünne Lederbändchen. Ihre blonden Haare waren zu einem Zopf nach hinten gebunden, und sie hatte die hohe Stirn ihrer Mutter. Das Mädchen war so schön, dass Amir augenblicklich eine Ausbildung zum Mechatroniker gemacht hätte, wenn er ihr damit einen Gefallen hätte tun können. Für sie würde er sich nackt in die Berufsschule setzen. Oder sogar eine Lehre als Leichenwäscher oder Biogärtner anfangen.

»Hi«, sagte Julia, und Amir nahm ihre Hand, auf der keine Brandspuren, keine Kratzer und nicht einmal Muttermale waren. Er schaute lange auf diese Hand, und Julia fragte: »Alles gut?« Er sah verlegen in ihr Gesicht. Er wollte nicht, dass sie das Gefühl bekam, er würde sie anstarren. Dann sagte er: »Hallo, ich bin Amir.«

»Ich weiß«, sagte sie und nahm ihre Hand zurück.

»Leider ist Amir schon versorgt, wir werden uns um seine Freunde bemühen müssen«, sagte die Botschafterin Elfie van Hauten und schob die Unterlippe vor, als bedauere sie diesen Umstand tiefer als nötig.

»Also nicht unbedingt. Es ist noch nicht ganz sicher, dass ich die Stelle auch kriege. Bis dahin habe ich noch nichts, eigentlich.« Amir musste jetzt einfach alles tun, um noch wenigstens fünf Minuten mit diesem Geschöpf zu verbringen. »Eigentlich habe ich nichts, jetzt gerade. Und zur Schule gehe ich eher nicht so. Momentan.« Und da war mit einem Mal die ganze Wahrheit raus.

Wenige Minuten später war Amir von der Vorstellung, Trampolin zu springen, Theater zu spielen oder Tai-Chi zu versuchen, so angetan, dass er sich widerstandslos über das System der »Sternschnuppen« aufklären ließ. Für jede Stunde, die er in einem Kurs des »Sternenhimmels« verbrachte, wurde ihm eine Sternschnuppe gutgeschrieben. Wenn er ehrenamtlich mithalf und andere Jugendliche davon überzeugte, eine Aktivität des »Sternenhimmels« zu besuchen, erhielt er ebenfalls Sternschnuppen. Für zwanzig Sternschnuppen gab es Geschenke oder den Zugang zu weiterführenden Kursen. Im Grunde ganz ähnlich wie bei den Herzen, die seine Mutter an der Supermarktkasse abzählte und die sich ihre Kunden in kleine Heftchen klebten, um günstiger an Bratpfannen oder Kartoffelmesser zu kommen. Amir stellte sich vor, dass er für hundert Sternschnuppen kein Topfset, sondern dieses Mädchen bekam. Zum Heiraten.

Amir blieb den ganzen Nachmittag. Er stand einfach neben dem Mädchen und sah es an. Zwischendurch machte er Faxen, zeigte seinen Handstand und den Moonwalk. Er wollte Julia zum Lachen bringen. Und das gelang ihm. Sie strahlte ihn an, und einmal schubste sie ihn und rief: »Du bist ja blöd.« Alleine für diese winzige Berührung hatte sich der Tag schon gelohnt, fand Amir. In seiner Welt hätte er zurückgeschubst, aber er befand sich, obwohl sie in Neuperlach waren, in ihrer Welt. Überall, wo Julia war, war ihre Welt. So ist das mit den Mächtigen. Sie sind überall zu Hause. Die Schwachen müssen sich eine Zuflucht suchen.

Es war schon fast halb sieben, als Elfie van Hauten ihren Stand abbaute. Sie hatte einige Broschüren verteilt und eine kaugummischmatzende Gruppe von jungen Frauen für Cheerleading und Keramikarbeiten interessiert. Es war nicht unbedingt sicher, dass eines der Mädchen ein Angebot annehmen würde. Aber Elfie hatte es zumindest versucht. Und sie würde es wieder versuchen. Es war im Grunde auch nicht viel anders, als Soufflés zu backen. Außerdem hatte sie zumindest einen Erfolg erzielt. Der stand neben ihrer Tochter, die nur ausnahmsweise mitgekommen war.

Amir sah dem drohenden Abschied entgegen, und er wusste, dass er handeln musste, wenn er Julia wiedersehen wollte. Wobei ihm die Aussicht völlig unrealistisch und jedes Wünschen vergeblich schien. Aber wenn er jetzt nichts tat, würde diese Erscheinung, dieses Bonus-Level unter den Mädchen dieser Erde, einfach verschwinden. Und da schob er, der bis vor wenigen Stunden jede Vorstellung von Romantik als »schwule Scheiße« bezeichnet hätte, seinen ganzen Mut auf einen winzigen Haufen zusammen und machte etwas derart Ungeheuerliches, dass er sich hinterher nicht mehr daran erinnern konnte. Jedenfalls behauptete er später immer, sie habe *ihn* gefragt, aber das stimmte nicht: Amir fragte nach Julias Handynummer. »Wir können ja mal schreiben oder so«, schob er nach.

Zu seiner größten Überraschung lächelte Julia wieder und fragte ihn nach seiner Nummer. Er diktierte sie, Julia tippte sie in ihren Messenger und drückte auf »Senden«. In seinem Handy, das gar nicht ihm gehörte, erklang innerhalb einer Sekunde ein Ton, und damit hatte er ihre Nummer. Er sagte: »Cool.«

Zu Hause machte er sich eine Pizza und legte sich dann auf sein Bett. Er starrte auf das leere Display seines Smartphones. Was sollte er jetzt schreiben? Sollte er überhaupt etwas schreiben? Oder lieber gar nichts. Oder morgen. Dann hatte sie ihn aber sicher schon vergessen. Er rechnete damit, dass sie einen Freund hatte. Oder mehrere. Jungen, die besser zu ihr passten als er. Mit Müttern in riesigen SUVs. Was sollte er so einem Mädchen schreiben? »Hier ist Amir. Ich sitze hier in dem Zimmer, das ich mir mit meinem kleinen Bruder teile. Ich habe noch eine Ecstasy-Pille und vielleicht noch irgendwo Speed, aber ich weiß nicht, wo. Mehr Spaß hätte ich nicht zu bieten, aber wir können ja mal einen McRib essen gehen. Ich lade dich ein. Mit Cola.« Er schrieb lieber nichts als solchen Unsinn. Je länger er auf das leere Display starrte, desto alberner kam es ihm vor, diese Julia für sich gewinnen zu wollen. Was sollte das? Die Bitch. Kam in seine Gegend und lächelte wie die Winkekatze vom China-Imbiss. Amir legte sich das Handy auf den Bauch und schlief ein. Als er wieder aufwachte, kontrollierte er, ob Julia ihm geschrieben hatte. Er war enttäuscht, als keine Nachricht im Eingang war.

Er ging spazieren, traf aber niemand Bekannten. Er sortierte Wäsche, aß eine Orange, befahl seinem Bruder, die

Zähne zu putzen, wartete auf seine Mutter, telefonierte mit Cem, erzählte ihm aber nichts von seiner Begegnung und legte sich wieder aufs Bett. Es war nach Mitternacht, als er beschloss, das Heft des Handelns in die Hand zu nehmen und wie ein richtiger Mann seinen Standpunkt zu vertreten, eine Duftmarke zu setzen, sein Revier zu markieren. Nach einer weiteren Stunde hatte er sich für einen Text entschieden. Entschlossen und mit schnellen Fingern tippte er seine Nachricht ins Handy. Um 1:24 Uhr erhielt Julia die erste Nachricht von Amir. Sie lautete: »Hallo.« Julia hatte stundenlang darauf gewartet.

Von dort bis zu ihrem ersten Kuss dauerte es vier Tage, in denen Amir und Julia mehrere Hundert Textnachrichten austauschten, manche davon waren kurz und bestanden nur aus einem Smiley oder Kussmund, andere waren lang und besonders für Amir viel Arbeit, weil er sich seiner Rechtschreibung schämte und ewig an den kurzen Briefen feilte, sodass Julia aus Ungeduld eine schnarchende Säge schickte oder ein Männchen, das sich am Kopf kratzte. Sie erzählten sich Banales und Ernsthaftes, und Amir hatte das Gefühl, noch nie einem so gescheiten Menschen begegnet zu sein wie Julia, die ein Jahr jünger war als er, aber schon zwei feste Freunde gehabt hatte. Im Moment war sie solo, genau wie er, der vorgab, schon jede Menge Beziehungen hinter sich zu haben. Sie seien vor allem daran gescheitert, dass er zu anspruchsvoll gewesen sei. Und dass er nun aber den Eindruck habe, kürzlich der Richtigen begegnet zu sein. Wer das sei, wollte Julia wissen, und darauf schickte er ein großes pochendes Herz.

Wenn sie sich schrieben, gab es keine Unterschiede zwischen ihnen. Dann waren sie nur Buchstaben und Zeichen, dann begegneten sie sich in einer universellen Welt, in der es keine Schichten gab. Amir und Julia lebten in einem Zeichenhimmel, in dem alles gleich weit weg ist und Entfernungen keine Rolle spielen.

Am Samstag fragte Julia, ob sie ihn sehen könne, und er dachte sich eine Ausrede aus, weil er sich nicht traute, ihr zu begegnen. Dann eben am Sonntag, beharrte sie. Aber wo? In der Stadt? Das erschien ihm möglich. In Neuperlach wollte er sie nicht treffen, denn dort waren seine Freunde. Er schämte sich ihrer nicht direkt, aber wenn sie dabei waren, würde er sich anders geben müssen, dann konnte er nicht so weich sein, wie er es jetzt schon manchmal an sich bemerkte, wenn sie sich schrieben. Es tat ihm gut, so weich zu sein. Er spürte, wie sich seine Muskeln entspannten, wenn er ihre Briefe las. Das wollte er nicht aufs Spiel setzen.

Sie fragte, ob er nach Grünwald raus wollte. Er suchte dieses Grünwald in seinem Handy und stellte fest, dass zwischen ihm und ihr nur wenige Kilometer lagen. Man konnte theoretisch zu Fuß hingehen, durch den Perlacher Forst. Man wäre höchstens eineinhalb Stunden unterwegs. Dennoch hatte er von diesem Grünwald noch nie gehört. Hinter dem Karl-Marx-Ring war bei ihm die Welt zu Ende. Dann kam für ihn Österreich. Der Gedanke, einfach so mit der Straßenbahn in ihre Gegend zu fahren, gefiel ihm nicht. Wer wusste schon, was dort auf ihn wartete an Gefahren. Er schlug also vor, sich in der Innenstadt zu treffen, ein akzeptabler Kompromiss, wie er fand. Außerdem gab es am Stachus Palmen. Es war ansonsten ein Ort ohne Bedeutung für ihn und für beide leicht erreichbar.

Am Samstag lieh er sich einen Stapel Kleidung von Cem, den er bis zu diesem Tag für seinen ausgezeichneten Geschmack bewundert hatte. Nun aber kam er sich in dessen Hosen und engen Satinhemden vor wie verkleidet. Er legte breite Halsketten an und streifte sich Cems Siegelring über. Aber der Ring rutschte von seinem Ringfinger, und der Halsschmuck sah an ihm aus wie eine goldene Schneekette an einem Tretroller. Cems Trainingsjacken standen ihm gut, aber sie waren mit einem Code versehen, den Amir entschlüsseln konnte, Julia aber nicht. Sie würde sich abgestoßen fühlen, auch von den riesigen Sneakers, die Amir zu Cems Hosen kombinierte. Er versuchte, sich vorzustellen, in welchem Outfit er möglichst nahe an den Geschmack von Julia und ihren Leuten herankam, zog sich wieder und wieder um, bis er einen Schreianfall bekam und Cems Sachen durch die Wohnung schleuderte. Am Ende zog er seinen Jogginganzug an und lief ein paar Kilometer durch die Siedlung, um sich abzureagieren.

Am Sonntag duschte er eine halbe Stunde, cremte sich ein, wimmelte mehrere Freunde ab, die mit ihm an der U-Bahn-Haltestelle abhängen wollten, und entschied sich für schwarze Jeans, Sneakers und ein Sweatshirt mit Pfeilen in alle Richtungen. Er setzte sich seine Sonnenbrille auf, dann die Basecap. Er drehte den Schirm nach hinten, dann zur Seite. Schließlich warf er die Mütze aufs Bett. Er war sicher, dass Julia Basecaps nicht mochte.

Und dann musste er sehr lachen, als sie mit einer Kappe der New York Mets auf einem der Steine vor dem Brunnen am Stachus saß.

Erst waren sie einander ein wenig fremd, denn es besteht ein großer Unterschied zwischen dem Schreiben von Briefen und einem richtigen Gespräch. Obwohl sie sich schon einiges anvertraut und sich in den wenigen Tagen seit ihrer ersten Begegnung besser kennengelernt hatten, lag deshalb eine gewisse Befangenheit über den ersten zwanzig Minuten, die erst wich, nachdem Amir für Julia ein Eis gekauft und sich beim Probieren eine ganze Kugel aufs Sweatshirt gekleckert hatte. Er wurde sofort rot, und Julia erzählte, wie ihre Mutter früher ein Taschentuch angeleckt und sie sauber geputzt hatte, was sie immer eklig gefunden habe. Amir entgegnete, dass er sich so viel Nähe von seiner Mutter immer gewünscht habe, und beide wurden für einen Moment ganz still. Julia entschuldigte sich für ihre Plumpheit, und Amir sagte, sie habe doch nicht wissen können, dass es ihn so berührte. Sie umarmte ihn, und er roch ihr Shampoo und verlor sich in ihren Haaren und drückte sie etwas zu fest, er küsste ihre Schläfe und ihre Wange, sie lehnte sich an ihn, er spürte, wie eine beinahe schon unanständig fordernde Erektion in seiner Hose heranwuchs. Dann vergrub Julia sich tiefer in seinem vollgekleckerten Sweatshirt, er streichelte ihren Rücken, erst unbeholfen und etwas zu schnell, dann langsam, und er trat von einem Fuß auf den anderen, weil er nicht wusste, wie er sich hinstellen sollte, plötzlich hob sie den Kopf, und für einen Moment sahen sie sich in die Augen, bevor sich ihre Lippen zum ersten, mit geschlossenem Mund, aber sehr langen und innigen Kuss trafen.

Sie küssten sich noch einmal und noch einmal kurz, dann länger, dann küsste er nur ihre Unterlippe, dann sie seine, und dann öffnete sich ganz langsam und nur einen winzigen Spalt ihr Mund, und er küsste etwas Feuchtes, das darin war und sich bewegte, stellte mit großem Erschrecken und gleichzeitigem Verzücken fest, dass es ihre Zunge war, schob ihr vorsichtig seine eigene entgegen und erfuhr mit siebzehn Jahren und dreiundachtzig Tagen, dass es auf der Welt keinen größeren Genuss gab als so einen richtigen Kuss. Und plötzlich war er ganz sicher, dass sämtliche seiner Freunde Jungfrauen waren. Denn wenn sie sich wirklich ausgekannt hätten, dann hätten sie ihm nicht irgendwelchen Stuss übers Flachlegen erzählt, sondern davon. Vom Küssen. Von dem ersten Kuss, den man niemals vergisst.

Amir und Julia verliebten sich so krachend, so scheiße krass, wie Amir fand, dass er sein bisheriges Leben innerhalb weniger Tage hinter sich ließ. Es kam ihm dämlich vor, mit den Jungs im Viertel herumzuhängen. Die Nachmittage im Einkaufszentrum erschienen ihm als völlige Zeitverschwendung. Er hatte Julia erzählt, dass er mit Drogen dealte und auch welche nahm, wenn es sich anbot. Er hatte ihr von den Verhandlungen erzählt, von den nachsichtigen Richtern und den betroffenen Sozialarbeitern, die sich für ihn, den hoffnungslosen Fall, eingesetzt hatten. Er hatte ihr gestanden, dass er andere geschlagen und getreten hatte. Wie normal die Gewalt in seiner Umgebung war und wie sehr er sich dafür schämte, vor ihr als Kleinverbrecher zu stehen. Sie hörte sich alles an und nahm ihn in den Arm. Dafür streichelte er sie stundenlang, kraulte ihren Nacken und sang leise für sie. Er konnte nur drei Lieder, allesamt libanesische Schlaflieder, deren Texte er lautmalerisch wiedergab, so wie er sie in Erinnerung hatte aus der Zeit, in der seine Mutter noch für ihn gesungen hatte. Das war ewig her, und er wusste nicht, ob das Kauderwelsch, das er Julia ins Ohr sang, überhaupt einen Sinn ergab. Als sie ihn fragte, wovon er da singe, erfand er eine Geschichte mit einer Prinzessin und einem Löwen in einer kalten Nacht in der Wüste.

Sie schrieben sich weiter, außer am Vormittag, denn da waren beide in der Schule, auch Amir.

Nachdem er begriffen hatte, dass sie seine Nachrichten zwischen acht Uhr und vierzehn Uhr nicht beantwortete, weil sie da im Gymnasium saß, sah er keinen Sinn mehr darin, nicht in die Schule zu gehen. Er wusste schlicht mit seiner Zeit nichts Besseres mehr anzufangen. Außerdem lag ihm plötzlich daran, nicht als völliger Idiot von der Schule zu gehen. Bisher hatte er sich auf der Realschule gehalten. Neunte Klasse. Mit siebzehn. Der Zug war für ihn noch nicht abgefahren. Wenn es ihm in einem Jahr gelang, die Mittlere Reife zu bestehen, konnte er sogar aufs Gymnasium wechseln, eine Aussicht, die ihm noch vor wenigen Wochen als völlig sinnlos erschienen wäre, weil dort nur Schwuchteln und Bücherwürmer hingingen.

Doch nun tauchte er zur Überraschung seiner Lehrer jeden Tag pünktlich auf und blieb bis zum Unterrichtsschluss. Noch mehr erstaunte das Kollegium, dass Amir Bilal Interesse zeigte, nicht störte, Regeln ein- und sich aus Streitereien heraushielt. Plötzlich war er da, saß auf seinem Platz und hörte zu, anstatt wie sonst ostentativ zu gähnen, Lehrer zu provozieren oder Mitschüler zu drangsalieren. Er benahm sich derart unauffällig, dass sich sowohl seine Freunde als auch die Lehrer fast schon Sorgen machten.

Innerhalb von drei Wochen verwandelte sich Amir in eine Art Musterschüler. Zuerst war es nur wegen Julia. Doch mit der Zeit erkannte Amir einen Sinn in der Schule, er begann, sich für sich selber verantwortlich zu fühlen. Und das war, ganz abgesehen von der Freude, die er Julia damit bereitete, gut. Er fühlte sich stark, erwachsen, großartig. Und schlau. Es war eine andere Intelligenz als jene, die es ihm ermöglichte, auf dem Kinderspielplatz ein Tütchen Trips vor der Polizei zu verstecken. Als seine Deutschlehrerin ihn fragte, wieso er plötzlich korrekte Sätze formte, sagte er: »Ich bin ja nicht blöd.« Seine Zeichensetzung blieb katastrophal, aber damit konnte er leben.

Wenn sie sich nicht sehen konnten, weil Julia Hockey-Training hatte oder Pantomime oder Cellostunde, langweilte Amir sich oder nahm an Kursen des »Sternenhimmels« teil. Er brachte derart viel Sinn in sein Leben, dass es ihn manchmal überforderte. Dann bekam er es mit der Angst zu tun. Er fürchtete sich davor, dass Julia ihn verließ und er wieder zurück in sein altes Leben musste. Ohne sie war seine Seele jederzeit einsturzgefährdet, das wusste er ganz genau.

Julia und Amir trafen sich weiterhin nur in der Stadt. Manchmal legten sie sich auf die Wiese hinter dem Rathaus oder liefen bis zum Englischen Garten, wo sie den Surfern auf der Eisbachwelle zusahen oder über die nackten Menschen auf der Monopteroswiese lachten. Allmählich verlor Amir seine Scheu vor der Stadt. Dennoch verließ ihn nie das Gefühl, nicht zu den Studenten und Erwachsenen und, ja: Deutschen zu gehören. Dabei war er einer, geboren in München sogar. Aber es hatte sich nie so angefühlt. Man bleibe unter sich, hatte seine Mutter ihm einmal gesagt, als er vor Jahren in den Fußballverein wollte. Und sie sprachen nie wieder darüber.

Am Anfang hatte das Thema zwischen ihm und ihr noch eine Rolle gespielt. Es war viel von »euch« und »uns« die Rede. Doch irgendwann hatte das »Wir« gewonnen, und sie kamen auf andere Ideen. Dass sie noch nicht miteinander geschlafen hatten, war für beide kein Problem. Er war viel zu schüchtern, um sie darum zu bitten. Außerdem wusste er nicht, wo sie es hätten machen können, jedenfalls nicht in einem Gebüsch im Park. Und bei ihm zu Hause erst recht nicht. Amir vermied es, über sein Viertel zu reden, und er wäre im Traum nicht auf die Idee gekommen, sie mit in sein Zuhause zu nehmen. Sie bat ihn auch nicht darum.

Eines Tages, das war Ende Juni, lud sie ihn zu sich ein. Es war an einem Freitag. Sie sagte, dass ihr Bruder seinen achtzehnten Geburtstag feiere, es gebe ein Grillfest. Mit allen Freunden. Sie habe ihn gefragt, ob sie jemanden mitbringen dürfe, und ihr Bruder habe es ihr erlaubt. Mehr noch: Florin freue sich darauf, ihn endlich kennenzulernen. Sie habe ihm natürlich von Amir erzählt. Überhaupt sei Amir zu Hause immer wieder ein Thema, weil ihre Mutter so begeistert von ihm sei. Und nun sei es auch an der Zeit, Grenzen zu überwinden.

Sofort sagte Amir, dass er abends etwas vorhabe, eine dringende Sache, die er nicht aufschieben könne. Aber er log so ungeschickt und hastig, dass sie lachte und ihn zehnmal küsste. Da konnte er gar nicht anders und sagte, dass er gerne mitkomme. Dann suchten sie nach einem Geschenk, das er sich leisten konnte, und kauften ein Frühstücksbrettchen, auf dem stand: »Der frühe Vogel kann mich mal.« Julia war sicher, dass es für ihren Bruder passte, weil er so ein furchtbarer Morgenmuffel war. Sie ließen das Brettchen als Geschenk verpacken, fuhren mit der S-Bahn zum Rosenheimer Platz und stiegen dort in die 25er Tram um.

Amir war aufgeregter, als er zugeben wollte. Auf der

Fahrt sprach er wenig, kontrollierte einmal heimlich an der Fensterscheibe, ob sein Atem unproblematisch war, und bekam feuchte Handflächen. Vor Julias Mutter hatte er keine Angst, die kannte er ja schon. Aber der Bruder konnte eine Gefahr darstellen, seine Freunde würden sich möglicherweise über ihn lustig machen. Seine Hauptsorge aber galt Julias Vater. Sie hatte von ihm erzählt. Dass er für sein Alter gut dastehe, was immer das bedeuten sollte. Und dass er eine der größten Kanzleien für Patentrecht habe. Mit über vierzig Anwälten. Und er sei deren Chef. Ein einziger angestellter Anwalt flößte Amir bereits Respekt ein. Und der Mann besaß gleich vierzig davon. Wie eine Armee stellte er sich die Kanzlei van Hauten, Storch und Ebert vor. Dieser Vater würde ihn auseinandernehmen, sie würden ihn für einen Asozialen halten, für einen Eindringling. Er gehörte nicht dorthin, in dieses Grünwald. Und je länger die Fahrt dorthin dauerte, desto größer wurden seine Zweifel.

Julia versuchte, ihn zu beruhigen. Sie legte ihren Kopf auf seine Schulter, nahm seine Hand und sagte, dass er sich keine Sorgen machen müsse. Ihre Familie sei viel zu nett, um ihn nicht zu akzeptieren. Und unter Florins Freunden seien zwar einige Idioten, aber durchweg liebenswerte Idioten.

Von der Tramhaltestelle gingen sie wenige Hundert Meter in eine stille Straße direkt am Waldrand. Die Häuser hier hatten Hecken, manche auch Mauern. Hier musste niemand auf der Straße parken. Nur vor dem Haus der van Hautens standen einige Autos von Florins Freunden. Neue kleine Audis und BMWs, ein Jeep, ein älterer Porsche, ein Käfer-Cabrio.

Julia tippte eine sechsstellige Kombination in eine Tastatur und öffnete das Tor zum Grundstück. Dahinter befand sich ein langgezogener Bungalow aus Beton und Glas, darin integriert eine Garage für vier Autos und davor ein Mini mit einer großen roten Schleife. Das war Florins Geburtstagsgeschenk. Sie hörten Lachen aus dem Garten und gingen um das Gebäude herum, das im Erdgeschoss lediglich aus einem riesigen Raum bestand. Amir hatte noch nie so ein Haus gesehen, schon die Garage war um einiges größer als die Wohnung seiner Mutter. Er hatte hier nichts verloren, er musste hier weg. Dieser Nachmittag konnte kein gutes Ende nehmen. Und so sehr er Julia liebte, so wenig konnte er schon jetzt die Demütigungen ertragen, die ihm bevorstanden. Die Blicke, die Gesten. Sie würden hinter seinem Rücken tuscheln, ihre Autoschlüssel in der Hosentasche fest umgreifen und versuchen, ihn schnell wieder loszuwerden. Ihn abstoßen wie ein Organ, das ihrem Körper aufgedrängt wurde und das dieser einfach nicht haben wollte. Amir hatte das bei seinem Onkel erlebt. Eine Niere. Er hatte sie innerlich abgelehnt und war später eingegangen wie der Zitronenbaum im Wohnzimmer.

Doch Julia zog Amir mit, sie war so aufgeregt und glücklich, sie strahlte so hell, und ihre Hand fühlte sich so sicher an, dass er sich traute und dabei auch noch ein Lächeln hinbekam, ein hoffnungsvolles und offenes Lächeln, das ihm gar nicht bewusst war. Sie bogen um die Ecke des Hauses und standen plötzlich mitten auf der Terrasse, vor ihnen die Freunde des großen Bruders, mit Tellern und Gläsern in der Hand, manche rauchend. Erst nahmen sie keine Notiz von dem Paar, aber dann sah einer zu ihnen, löste sich aus der Gruppe und stellte sich vor Amir und Julia. Er war groß und dünn, trug mühsam gebändigtes krauses Haar auf dem Kopf und sehr seltene Nikes, wie Amir mit einem kurzen Blick erkannte. Der Junge klopfte mit einer Gabel an sein Glas und rief: »Achtung, Leute. Hier! Kleine Ansage! Soeben eingetroffen: die beste Schwester der Welt, mein einziger Augenstern und die mieseste Cellistin im ganzen Landesorchester.« Vereinzelte Lacher. »Und sie hat jemanden mitgebracht, auf den wir uns schon sehr lange gefreut haben. Und heute ist die Gelegenheit, ihn endlich kennenzulernen. Ihren Freund. Er heißt Amir, und wir sind froh, ihn hier begrüßen zu dürfen. Bitte seid nett zu ihm, denn er ist nett zu Julia. Und ich kann euch sagen, das ist verdammt schwer!« Wiederum Lacher. »Amir: Willkommen bei den van Hautens!« Darauf applaudierten alle, und Florin gab Amir die Hand, so weich, dass es Vertrauen schaffte, und so fest, dass Amir spürte, was für eine Kraft Florin hatte.

Dann begrüßten ihn sämtliche Gäste. Sie stellten sich ihm vor, immerhin achtzehn junge Leute. Sie sagten, dass sie sich freuten, ihn kennenzulernen. Einer bemerkte seine Sneakers und kannte sich mit Sweatshirts aus. Ein anderer fragte Amir, ob er Hip-Hopper sei, was dieser verneinte, nicht ohne sich geschmeichelt zu fühlen. Ein Mädchen kam mit einem Pulled Pork Burger auf einem Teller von der Grillstation, die von zwei tätowierten mobilen Gastronomen betrieben wurde, die sich den Platz vor dem Koi-Teich mit der Bar teilten, hinter der zwei hübsche Mädchen Drinks zubereiteten. Es war aber noch zu früh für Alkohol, und daher mixten sie alkoholfreie Sundowner. Josefine hielt Amir den Teller hin, aber noch bevor er zugreifen konnte, sagte sie: »Oh, sorry, Mensch. Das ist ja Schwein. Entschuldige bitte, das war so gedankenlos von mir. Wir ungebildeten Deutschen bekommen es einfach nicht hin mit euch Moslems. Bitte verzeih mir, es war nicht als Beleidigung gemeint.« Amir, bei dem sich kaum jemals irgendwann irgendwer für irgendwas entschuldigt hatte, sah Josefine prüfend an und wartete ab, ob jetzt brüllendes Gelächter über ihm ausbrechen würde, aber Josefine stand bloß mit dem Teller vor ihm und machte den Eindruck ehrlicher Betroffenheit. »Ich bin nicht gläubig«, sagte Amir.

»Ach so? Echt? Glück gehabt. Magst du es dann mal probieren? Ist echt große Klasse.«

Amir nahm den Teller. »Wenn du kein gläubiger Moslem bist, darfst du dann auch Alkohol trinken?«, fragte Florin, und Amir nickte. Wenn Florin gewusst hätte, was Amir seinem Körper ab dem zehnten Lebensjahr angetan hatte, wäre er womöglich vor Schreck in den Teich gefallen, also fügte Amir dem Nicken nichts hinzu.

Erst noch am ganzen Körper angespannt und nervös, löste sich Amirs Angst nach und nach. Er kam mit Florin und seinen Freunden ins Gespräch und fand bald, dass sie so anders als er auch nicht waren. Im Grunde interessierten sich doch alle für Sport, Musik und Klamotten. Zwischendurch kam Julia zu ihm und holte sich einen Kuss oder brachte ihm einen Virgin Caipi, ein Getränk, dessen nachhaltig unberauschende Wirkung Amir irritierte, weil er als Wirkungstrinker bei ähnlichem Geschmackserlebnis völlig andere Erwartungen an einen Drink hatte.

Als es langsam dunkel wurde, stiegen sie auf Gin Tonic um, von dem Tobi behauptete, es sei neben einem Tequila Sunrise der einzige Klassiker, den man auch in diesem Sommer noch trinken könne, ohne sich komplett lächerlich zu machen. Er erntete dafür viel Zustimmung, auch von Amir, der nicht so genau wusste, worauf Tobi hinauswollte. Er probierte daher auch einen Tequila Sunrise. Die Musik wurde nun lauter, erste Mädchen tanzten, während zwei Jungs kurz auf der Toilette verschwanden. Amir hatte einen Blick für solche Momente. Er wusste, dass sie dort koksen würden. Er musste sie hinterher nicht beobachten, denn die Veränderung war schon davor spürbar. Das überspannte Gelächter bei der Verabredung, die Nervosität, mit der sie die Terrasse verließen. Es machte ihn sicher zu wissen, dass die Jungen und Mädchen hier letztlich vom selben Stamm waren wie er.

Amir staunte über den japanischen Garten der van Hautens und genoss die Zuwendung der Gruppe, die ihn sofort akzeptierte, einbezog, über seine Witze lachte und ihn in eine warme Wolke von, ja: Liebe hüllte. Als die Jungen von der Toilette kamen, fiel ihm ein, dass er dort auch hinmusste, und fragte nach dem Weg. Dann ging er durch das Haus, staunend immer noch, vorbei an Kunst oder an dem, wovon er annahm, dass es Kunst sein musste. Er sah jedenfalls keinen Grund dafür, sich eine von langen Nägeln durchbohrte Holzkugel ins Wohnzimmer zu stellen, außer man sammelte solchen Scheiß. Und hängte sich Bilder auf, auf denen nichts weiter als drei bunte Farbstreifen zu sehen war. Oder ein riesiges Foto mit einer muskulösen nackten Frau in Schwarz-weiß.

Auf der Toilette brachte er mehrere Minuten damit zu, den Klodeckel immer wieder fallen zu lassen, der erst fiel, doch dann im letzten Moment abbremste und sanft und lautlos auf die Brille glitt. Amir befand sich in einem Film. Und auch wenn er in den letzten Stunden immer gelöster – und betrunkener – geworden war, so verließ ihn nicht die

Unruhe darüber, dass dieser Film irgendwann zu Ende sein könnte.

Als er zurückkam, stand Elfie van Hauten auf der Terrasse und plauderte mit Josefine. Als sie Amir sah, schwebte sie auf ihn zu und umarmte ihn, hauchte einen Kuss auf seine Wange und sagte, dass sie glücklich sei, ihn zu sehen. Sie roch wieder gut, und ihre Haare bewegten sich keinen Millimeter, als sie von ihm abließ, ihren Kopf zur Seite drehte und rief: »Claus, du musst Amir Guten Tag sagen.«

Claus van Hauten rief zurück, dass er gleich da sei, er müsse nur die Schnitzeljagd ankündigen. Van Hauten stellte sich mitten auf die Terrasse und rief: »Leute, Kinder, Abenteurer. Wie bei jedem Kindergeburtstag muss es Spiele geben.« Vereinzelte Lacher. Einer rief: »Topfschlagen!«

»Nein, wir machen eine Schnitzeljagd. Ich habe unter gewaltigen Anstrengungen eine Magnumflasche Ruinart im Wald versteckt. Wer sie findet, darf sie aufmachen. Und: bekommt eine zweite als Siegerpreis geschenkt. Auf die Plätze, fertig, los!«

Darauf stoben Florin und seine Freunde durch den Garten bis zu einem Tor, von dem aus es direkt in den Wald ging. Sie ließen die Taschenlampen ihrer Handys aufblitzen und verschwanden johlend im Gehölz. Amir blieb als Einziger zurück, denn er konnte sich nichts Würdeloseres vorstellen, als im Dunkeln hinter einer Flasche Sekt herzulaufen. Ihm ging die ironische Begeisterung der anderen für diese kindische Aktion ab, sie machte ihn nur unsicher.

»Was ist mir dir? Willst du nicht mitmachen?«, fragte Claus van Hauten. Er ragte turmhoch vor Amir auf, ein

Mann mit einem jungen Gesicht und grauen Haaren, die er dennoch modisch trug. Sein weißes Hemd hatte nicht eine Falte, genau wie sein Gesicht. Van Hauten trug Chinos und weiche Wildlederschuhe, an seinem Handgelenk eine große Uhr und im Gesicht einen aristokratischen Zug, der mit jedem Lächeln Selbstgewissheit und Sorglosigkeit ausstrahlte. Amir mochte ihn.

»Nein, ich schaue erst mal noch zu«, sagte Amir, dem jetzt erst klar wurde, dass er auf diese Weise womöglich längere Zeit ohne Julia würde auskommen müssen. Aber Claus van Hauten machte es ihm leicht. Er öffnete eine Flasche Champagner und goss drei Gläser ein. Eines gab er seiner Frau, eines Amir, und eines behielt er, erhob es und sagte:

»Auf Amir, den Herrscher. Ich habe deinen Namen nachgeschlagen. Er bedeutet ›Herrscher‹. Wusstest du das?«

»Nicht so genau«, sagte Amir, der erkannte, dass er im Familienleben der van Hautens offenbar schon eine gewisse Rolle spielte. Julias Vater stellte ihm kaum Fragen, was nur bedeuten konnte, dass Julia bereits alles über ihn erzählt hatte.

Sie unterhielten sich dann über den FC Bayern, und van Hauten lud Amir ein, einmal mit in seine Loge zu kommen. Beste Sicht *und* warmes Essen. Obwohl Amir eher an Basketball interessiert war, nahm er die Einladung an und freute sich.

Nach zwanzig Minuten war die Flasche gefunden und wurde wie eine Jagdtrophäe in den Garten getragen. Es folgte eine Champagnerdusche, noch lautere Musik, schließlich offener Kokskonsum, als Julias Eltern ins Bett gingen. Später fiel Gregor in den Teich. In dieser Nacht schliefen Julia und Amir zum ersten Mal miteinander. In ihrem Bett. Sie hatte ein Zimmer mit einem eigenen Bad. Und einem stillen Klodeckel.

Am nächsten Mittag traf sich ein gutes Dutzend der Gäste zum Frühstück im Wohnzimmer. Alle waren gut gelaunt und nur mäßig verkatert. Ihre sportliche Konstitution half ihnen dabei, den Alkohol gut zu verarbeiten. Julias Eltern saßen dabei, und es wurde gescherzt. Amir beeindruckte die Selbstverständlichkeit, mit der sich alle begegneten. Es gab hier keine Außenseiter. Nur Wohlgesinntheit, Lebensfreude und warme Croissants. Und er, Amir Bilal, gehörte zu ihnen. Er würde nichts, sicher gar nichts tun, um das zu gefährden. Niemals würde er zu Hause oder bei seinen Freunden von diesen Leuten erzählen, von der Holzkugel mit den Nägeln, dem Panamera in der Garage oder den Klodeckeln. Er würde Julia und ihre Familie und jeden von Florins Freunden bis aufs Blut verteidigen, so, wie sie auch ihn verteidigen würden. Er würde sich ihrer würdig zeigen. Und er würde Abitur machen.

In den letzten Wochen vor den Ferien bemühte sich Amir wie noch nie, um seine Versetzung zu schaffen. Und das gelang ihm, denn seine Lehrer honorierten die Anstrengungen, sprachen von einem Paradigmenwechsel, was auch immer das sein sollte. Der Groschen sei gefallen, stellten sie fest. Dafür entfremdete sich Amir zusehends von seinen Freunden. Er ging nicht mehr einmal pro Woche zu Cem, um sich Konturen nachrasieren zu lassen, sondern tauchte überhaupt nur noch einmal auf, mehr oder weniger um sich zu verabschieden. Seine neue Umgebung erwähnte er mit keinem Wort, deutete nur an, dass er jetzt viel in der Stadt sei und die Haare etwas wachsen lassen wolle. Auch lege er keinen Wert mehr auf scharf konturierte Bartschatten.

Er schlief nun meistens bei den van Hautens, an den Wochenenden machte er mit Claus Yoga auf der Terrasse oder drosch mit Florin gegen den Boxsack, der bei den van Hautens im Keller in einem kleinen Fitnessraum neben dem Pool hing. Mit Florin verstand er sich so gut, dass Julia manchmal witzelte, ihr Bruder habe endlich seinen verlorenen Zwilling gefunden.

Es kam nun vor, dass Amir nicht wegen Julia, sondern wegen Florin ins Haus kam. Sie spielten Backgammon, trainierten oder fuhren mit Florins neuem Auto in die Stadt. Florin, der nur ein Dreivierteljahr älter war, kam Amir vor wie ein lang vermisster großer Bruder. Und Florin freute sich darüber, dass Amir so offen und lustig war.

Einmal gingen sie zum Shoppen, und Florin zog ihn mit in Geschäfte, die Amir niemals betreten hätte. Weil er fürchtete, dort nicht bedient zu werden, und weil er wusste, dass er die Kleidung dort niemals würde bezahlen können. Und zuerst wollte er auch gar nicht in die Umkleidekabine, aber Florin drängte ihn dazu. Er wolle sehen, wie Amir in Ralph Lauren aussehe. Florin und der Verkäufer holten dann noch Jeans von Dolce & Gabbana herbei, kombinierten Sweater von Off-White und Supreme dazu, ergänzten das Ganze mit gepunkteten Sneakers von Comme des Garçons und bezeichneten Amir als weiße Leinwand, die man jetzt nach allen Regeln der Kunst gestalten müsse. Und wann immer Amir einwendete, es sei genug, lächelte Florin und sagte, es sei nie genug im Leben. Man müsse den Tag pflücken wie einen Apfel.

Amir war es peinlich, wie eine Schaufensterpuppe behandelt zu werden, andererseits fühlte er Florins Wertschätzung und die Liebe, mit der er sich an die Umgestaltung des Freundes machte. Nach dem dritten Geschäft mussten sie die Tüten zum Auto bringen und lachten darüber, dass der Kofferraum des Minis kaum noch zuging. Sie aßen Nudeln in einer Bar und tranken Lugana dazu, von dem Florin meinte, er sei eigentlich zu jung. Der Satz hing Amir lange nach, und er stellte sich später die Frage, woher Florin so etwas wusste. Auf jeden Fall fand er es ebenso beeindruckend wie den Umstand, dass Florin kein einziges der Kleidungsstücke bezahlt hatte. Er gab dem Verkäufer lediglich eine Visitenkarte in die Hand und sagte: »Machen wir wie immer, okay?«

Auf der Rückfahrt fragte Amir Florin danach, und der entgegnete nur, die Rechnungen werden mit der Post kommen. Nicht an ihn, sondern an seinen Vater. Amir müsse darüber nicht nachdenken. Und weil seine neue Garderobe so schön und der Nachmittag so glamourös war und sich das alles so verdammt gut anfühlte auf der Haut und im Gemüt, dachte Amir tatsächlich nicht mehr darüber nach und sagte bloß: »Danke.« Florin drückte das Gaspedal durch und rief: »Gern geschehen.«

Als die Sommerferien da waren, eine Zeit, die Amir bis dahin im Wesentlichen dazu genutzt hatte, in Neuperlach herumzulaufen und seine Langeweile mit kleineren Raubzügen zu vertreiben, fragten ihn Claus und Elfie, ob er mit ihnen in den Urlaub fahren wolle. Nach Mallorca. Die van Hautens besaßen dort eine Finca. Natürlich wollte er. Er solle aber erst seine Mutter fragen, sagten die van Hautens, denn sie wollten nicht, dass Frau Bilal diese Einladung als übergriffig oder unangemessen empfinden würde. Immerhin konnte sie ihrem Sohn keine Ferienreisen bieten. Es war möglich, dass sie wegen dieses großzügigen Angebotes brüskiert sein könne.

Sie war es natürlich. Im Grunde genommen war ihr egal, was Amir den ganzen Tag trieb. Sie hatte längst aufgegeben, ihren Sohn zu kontrollieren oder Regeln zu formulieren. Dennoch kam es an diesem frühen Abend zu einem erbitterten Streit zwischen Mutter und Sohn. Sie hatte nicht ohne Eifersucht bemerkt, wie ihr Sohn immer häufiger und immer länger auf diesem anderen Planeten namens Grünwald blieb. Es traf sie, dass Amir ihr nie seine Freundin vorgestellt hatte. Sie fühlte sich minderwertig und ausgeschlossen. Dass ihm diese Leute auch noch Kleidung gekauft hatten, störte sie am meisten. Natürlich hätte sie sich die Marken nie leisten können, und ihr Sohn sollte es gut haben. Das hätte sie aber gerne aus eigener Kraft geschafft. Es fühlte sich an, als würde ihr Kind mit Almosen überhäuft. Und das hatte sie nicht nötig.

Sosehr sich Amir bemühte, es gelang ihm nicht, seine Mutter davon zu überzeugen, dass die Wohltätigkeit der van Hautens nichts mit Mitleid, sondern bloß mit ihrer persönlichen Sympathie für ihn zu tun hatte. Und dass es ihnen finanziell keine Probleme bereitete, ihm diese Schuhe und Hosen und Hemden und Jacken und T-Shirts zu kaufen. Hamida Bilal war gegen diese Reise, worauf die van Hautens anboten, einfach mal bei ihr vorbeizukommen, um sie persönlich zu überzeugen. Amir aber wollte diese Begegnung unter allen Umständen verhindern, und so drohte er seiner Mutter, sie für immer zu verlassen, wenn sie weiterhin auf dem Verbot bestünde. Er war außer sich, zertrümmerte den Couchtisch, den er selbst Jahre zuvor repariert hatte, nachdem sein Vater ihn ebenfalls vor Wut kaputt geschlagen hatte. Er fiel in alte Muster zurück, warf eine Vase gegen die Wand und kündigte an, die ganze beschissene Bude anzuzünden, wenn seine Mutter nicht endlich aufhöre, sein neues Leben zu zerstören. Er schrie sie an, was sie jemals für ihn getan habe, und holte sein Zeugnis aus seinem Zimmer. Das hätten die van Hautens bewirkt, rief er. Seine eigene Mutter habe in siebzehn Jahren gar nichts auf die Reihe bekommen, und er könne es nicht abwarten, endlich von hier abzuhauen. Sein kleiner Bruder Yunus, der nur den letzten Satz richtig verstanden hatte, begann zu weinen und rief, dass Amir nicht gehen dürfe. Aber da war Amir schon aus der Tür.

Abends beim Essen sagte er den van Hautens zu. Seine Mutter habe sich letztlich doch über die Einladung für ihren Sohn sehr gefreut, auch weil er auf diese Weise ein neues Land kennenlerne. Sie fände das sehr schön. Die van Hautens freuten sich, und alle gemeinsam verbrachten sie fünf ganze Wochen auf Mallorca.

Eine Woche nach Schulbeginn lagen Amir und Julia auf ihrem Bett und hörten das »Konzert für Violoncello und Blasorchester« von Friedrich Gulda. Die Musik beruhigte ihn, sie nahm ihn mit. Sein Kopf lag auf Julias Bauch. Sie streichelte sein Haar, und er schloss die Augen. Als er sie nach dem letzten Satz wieder öffnete, lag eine kleine Holzschachtel auf seiner Brust. Er hob den Kopf, sah sie fragend an, und sie sagte: »Mach's auf.« In dem Holzkästlein war ein schwarzes Säckchen und in dem Säckchen ein Feuerzeug. Ein Benzin-Feuerzeug, wie es manche aus Florins Clique besaßen. Amir nahm es heraus und betrachtete es. Auf dem Feuerzeug war etwas eingraviert:

A & J
LOVE
4EVER

Die andere Seite war mit arabischen Ornamenten verziert, und in der Mitte stand: »23. 9.«

»Habe ich Geburtstag?«, fragte Amir unsicher. »Nein, du Doof. Wie haben uns heute vor vier Monaten kennengelernt.« Das leuchtete Amir ein, doch er wusste nicht, was daran besonders war. Man feierte Einjähriges oder Zwanzigjähriges. Aber Viermonatiges? Er fragte, ob er irgendwas verpasst habe, ob es da einen Brauch gebe, den er nicht kenne. Und er entschuldigte sich sofort, weil er nichts für sie hatte. Schon gar nichts Vergleichbares.

Julia setzte sich auf und sagte: »Ich war noch nie so lange mit einem Jungen zusammen. Du bist jetzt meine längste Beziehung. Und das macht mich so glücklich, dass ich dir ein Geschenk machen musste.« Amir war sehr gerührt, es gefiel ihm. Und er schwor sich, ihr auch etwas ganz Besonderes zu schenken.

Abends bekam er wieder Streit mit seiner Mutter. Ihre Eifersucht und sein Fluchttrieb wuchsen nun von Tag zu Tag. Außerdem konnte er zu Hause nicht lernen. Yunus sah den halben Tag fern oder zockte an seinem altmodischen Gameboy herum. Wenn Amir seine Schulsachen ausbreitete, ärgerte ihn der Kleine, der gerade in die zweite Klasse gekommen war und bereits den Anschluss verpasst hatte.

Amir hielt ihm Vorträge und versuchte, mit ihm zu lernen, aber Yunus konnte nicht still sitzen und äffte seinen Bruder nach, bis der die Lust verlor und seine Sachen packte, um draußen auf einer Parkbank zu lernen.

Als er nach Hause kam, saß seine Mutter auf der Couch und rauchte. Früher hatten sie oft gekuschelt, sich ihrer versichert, indem sie sich festhielten, aber das war lange vorbei. Sie sang keine Lieder mehr, und sie kochte keine Käsefladen, kein Zitronenhuhn, sie machte kein Hummus und buk auch keinen Orangenkuchen mehr. Das Essen ihrer libanesischen Heimat hatte keine Bedeutung mehr für sie, seit ihr Mann verschwunden war. Und nun machte sich ihr ältester Sohn daran, ihr den Rücken zu kehren.

Amir setzte sich zu ihr auf die Couch und fragte, wie es ihr ginge, aber sie antwortete nur knapp. Sie fragte, ob er wieder bei diesem Mädchen schlafen wolle, und er spürte die Missbilligung in jeder Silbe. Aber er brauchte seine Mutter jetzt und sagte, er habe vor, zu Hause zu schlafen. Und dann nahm er seinen Mut zusammen und bat sie um vierzig Euro. Taschengeld hatte er nie erhalten und sich sein Geld, wenn er etwas brauchte, in der Regel zusammengeschnorrt oder von anderen Kindern geholt. Oder gleich geklaut. Insofern fand er, dass ihm die vierzig Euro von seiner Mutter irgendwie zustanden. Er hatte sie noch nie um Geld gebeten.

»Wofür?«

»Für ein Geschenk.«

»Für wen?«

»Ist doch egal.«

»Für dieses Mädchen.«

»Sie heißt Julia.«

»Nein.«

»Was, nein?«

»Ich habe kein Geld für dieses Mädchen. Sollen ihre Eltern dir etwas geben. Sie haben ja genug.«

Amir konnte Claus und Elfie unmöglich um Geld angehen. Das war ganz undenkbar. Aber seine Mutter bewegte sich nicht. Sie stand nicht auf und gab ihm das Geld aus ihrer Handtasche. Und er wollte es ihr nicht wegnehmen. »Mama. Bitte. Ich brauche es ganz dringend.« Nach einer Weile, in der keiner etwas sagte und nur das Gefiepe von Yunus' Gameboy zu hören war, sagte Hamida Bilal: »Gib mir deinen Schlüssel. Ich will, dass du gehst. Pack deine Sachen, und verschwinde. Ich will dich hier nicht mehr haben.«

»Mama. Bitte!«

»Amir, geh.«

In Amir stieg eine Wut auf, wie er sie lange nicht mehr gespürt hatte. Und in seiner Mutter auch. Ihrem Sohn war nichts mehr gut genug. Jahre ihres Lebens hatte sie damit zugebracht, ihn und seinen Bruder über die Runden zu bringen. Sie hatte sich demütigen lassen und von Lehrern, Polizisten und Richtern darüber belehren lassen müssen, dass ihr Sohn völlig verkommen und chancenlos war. Und nun tauchte er immer seltener auf, weil er offenbar eine neue Familie gefunden hatte. Wie eine undankbare Katze.

»Den Schlüssel.«

»Ist das dein letztes Wort?«, fragte Amir, aber seine Mutter antwortete nicht. Also ging er in sein Zimmer, nahm die große Sporttasche, die die van Hautens ihm zu Ferienbeginn geschenkt hatten, und warf seine Kleidung hinein. Er ging zurück ins Wohnzimmer, wo seine Mutter still und regungslos saß und an die Wand starrte. Dann legte er seinen Wohnungsschlüssel auf den geflickten Tisch und ging.

Zu den van Hautens konnte er nicht. Er hatte ihnen vorgelogen, dass seine Mutter und er in Eintracht und Harmonie lebten. Dass sie eine studierte Physikerin aus Beirut sei, die jedoch nie einen ordentlichen Job gefunden habe und übergangsweise seit sechzehn Jahren im Supermarkt arbeite. Nie hätte er ihnen gegenüber eingestehen können, dass sie ihn verbannt hatte, noch dazu aus Eifersucht. Also brachte er die Sporttasche in den Keller und blieb dort die Nacht über.

Am nächsten Tag ging er wie üblich in die Schule. Danach besorgte er sich das Geld. Vierzig Euro waren für ihn nicht schwer aufzutreiben. Und als er sie hatte, fuhr er in die Goethestraße in der Nähe des Hauptbahnhofs, wo es ein Geschäft gab, in dem man das schönste Geschenk der Welt kaufen konnte. Es kostete vierundvierzig Euro, aber es gelang Amir unter Aufbietung seiner größten Überredungskünste, den Verkäufer auf die vierzig Euro herunterzuhandeln, die er dabeihatte.

Dann saß er in der Straßenbahn. Auf dem Schoß einen gerahmten Spiegel mit einem Aufdruck. Er zeigte Amirs größten Helden. Den Mann mit der Todeskralle. Bruce Lee. Mit seinem Vater hatte er als Kind sämtliche Filme des größten Kampfkünstlers aller Zeiten gesehen und sich vorgestellt, selber ein unbesiegbarer Kämpfer zu sein. Bruce Lee war für Amir ein Gott. Ein Idol. In den Rahmen des Spiegels waren LEDs eingelassen, die in wechselnden Farben das Konterfei des großen Bruce Lee beleuchteten. Wenn jemand einen Sinn für Kunst besaß, musste er diesen Spiegel lieben. Er bedeutete Amir so viel, dass er dafür auch den größten Streit mit seiner Mutter riskiert hätte. Er plante, in ein paar Tagen wieder zu Hause aufzutauchen, wenn sich die Wogen geglättet hatten.

Nachdem Amir lange das Bild des zu allem entschlossenen und viel zu früh verstorbenen Bruce Lee angesehen hatte und sicher war, dass Julia es genauso lieben würde wie er, holte er sein Feuerzeug aus der Tasche. Florin hatte ihm gezeigt, wie man den Deckel durch geschickte Gewichtsverlagerung des Daumens öffnen konnte, ohne ihn an der Vorderseite anzuheben. Es sah aus, als streiche man nur sanft über die Kappe, dabei schob man in Wahrheit gefühlvoll die Feder nach hinten. Eleganter konnte man ein Feuerzeug nicht öffnen. Er übte es ein paar Dutzend Mal, ohne dabei eine Flamme zu entzünden. Früher hatte er auch in der Bahn geraucht. Wenn ihm dabei jemand blöd kam, stand er auf und nahm die Kampfstellung ein, die er bei der Todeskralle gesehen hatte. Und nun machte er das Feuerzeug nicht einmal an. Und hatte lediglich ein Bild von Bruce Lee dabei, aber nicht mehr dessen Kampfeslust.

Amir war glücklich. Julia war aus dem Weltall gekommen wie ein Engel und hatte ihn gerettet. Und später, wenn er fertig studiert hatte, würden sie gemeinsam zu einem neuen Planeten starten. Kinder haben. Ein Haus. Ein Leben.

2. MORGENS AUF DER WEBERHÖHE

Früher konnte man nachts vom Weltraum aus genau erkennen, wo Belgien liegt, weil die Autobahnen des Landes durchgehend beleuchtet waren. Belgien sah im Dunkel der Welt aus wie ein Glutnest. Doch inzwischen haben sie das Straßenlicht aus Kostengründen abgeschaltet, und es gibt überall auf der Welt Glutnester. Die Erde funkelt in der Nacht, als leuchtete sie von innen und stünde kurz vor der Explosion. Sie dreht sich scheinbar knisternd und erglimmt und erlischt ständig, denn irgendwo auf der Welt ist immer gerade Abend oder Morgen, irgendwo geht gerade die Sonne auf und die Straßenlaternen schalten sich ebenso ab wie die Neonreklamen und die Haltestellenbeleuchtungen. Der Tag übernimmt das Kommando, die Wasserhähne werden aufgedreht, der Tau trocknet, die Katzen kommen heim, Kaffeemaschinen saugen Strom aus den Steckdosen, ebenso wie Haartrockner, Toaster und Herdplatten. Die Menschen ziehen Rollläden hoch oder Gardinen zur Seite, sie öffnen Fenster, um das Schlafzimmer zu lüften, sie streicheln Hunde und nehmen es mit dem neuen Tag auf, auch wenn der letzte nicht gut und der davor noch schlimmer war. Was bleibt ihnen auch anderes übrig?

Und wer kann schon wissen, was der Morgen bringt?

Oder auch nicht bringt? Gewissheit? Eine neue Liebe? Ein Schreiben vom Anwalt, ein Grippevirus? Das ist das Schöne am Leben: Bei Tageslicht betrachtet, ist es niemals langweilig, selbst wenn nichts geschieht. Denn es besteht immer die Möglichkeit, es könnte etwas geschehen. Etwas Großes. Nur ein Schritt zu weit, eine letzte Mahnung, eine unüberlegte Antwort, ein bisschen zu wenig Mut oder ein Ideechen zu viel davon: und aus dem ereignislosen Tag wird ein apokalyptischer Irrsinn. Oder es ereignet sich der schönste Moment des Lebens. Ganz im Großen betrachtet, beginnt jeder Tag voraussetzungslos. Sie sind alle gleich. Die Sonne geht auf, es regnet, oder es schneit. Aber im Grunde startet jeder neue Tag mit derselben Chance.

Ob sie groß und vielversprechend ist, hängt allerdings sehr davon ab, wo man sich jeden Morgen befindet, wo man sich morgens die Zähne putzt. Auf dem Land, in der Stadt oder im Nichtsdergleichen, in der Zwischenwelt der Pendler.

Es gibt in einer Stadt wie München zwei Sorten von Bewohnern der sogenannten Stadtrandgebiete. Die einen haben es nicht nötig, in der Stadt zu wohnen – und die anderen können es sich nicht leisten. Die einen fahren später zur Arbeit als die anderen und benutzen dafür die Direktoren-Autobahn aus Richtung Garmisch. Die anderen kommen aus dem Westen, aus dem Norden oder dem Osten, viele mit dem Auto, die meisten aber mit den Öffentlichen. Sie pendeln und entvölkern tagsüber die Orte, an die sie abends müde zurückkehren.

Die Pendler gehören nicht direkt zur Stadtbevölkerung, sie leihen sich bloß die Stadt, um darin zu arbeiten. Oder umgekehrt. Pendler verleihen einem Ort keinerlei Glanz, sie tragen nicht zu seinem Ruf bei. Sie überfüllen bloß die S-Bahnen und in der Mittagspause die Strumpfabteilung bei Karstadt, wo sie schnell noch etwas besorgen. Ihre SMS-Botschaften drehen sich um die Organisation eines Lebens, das manchmal fünfzig oder sechzig Kilometer von jenem Ort entfernt stattfindet, an dem sie die meiste Zeit ihres Daseins verbringen.

Je weiter das Bett von der Stadt entfernt steht, desto früher am Morgen schiebt sich die Zahnpasta wurmhaft auf die Bürste. Desto früher werden die Schulbrote geschmiert, die Staumeldungen gecheckt und onaniert. Und selbst wenn der Weg zur Arbeit nur eine halbe Stunde dauert, so leben die Menschen vom Rand doch immer mit der Gewissheit, niemals ins Zentrum zu gehören, aus dem sie nach Feierabend wieder herausgeschleudert werden. Sie halten sich an diesem Rand fest, und das Fundament ihrer Häuser hilft ihnen dabei.

Nachdem im Süden und im Norden bereits Satellitenstädte entstanden waren, lebten seit Kurzem auch im Westen der Stadt, gerade noch auf städtischem Grund, 13 000 Münchner zur Miete oder im eigenen Heim auf dem ehemaligen Gelände einer Munitionsfabrik. In nur wenigen Jahren hatte die Stadt dort ein neues Viertel errichtet, mit Einkaufsmöglichkeiten, Schulen, einer S-Bahn-Station und Kirchen. Gemischte Bebauung, ähnlich wie damals in Neuperlach, jedoch sozialer und moderner, architektonisch ambitionierter und vielfach ausgezeichnet, mit grünen Fassaden und sehr schönen Müllkörben, für Familien und Singles, tadellos angebunden, aber dennoch draußen. Wer hier wohnte, fuhr zum Arbeiten in die City. Auf der Weberhöhe lebten die Kellner, die Buchhalter, die mittleren Angestellten und die Verkäuferinnen der großen Kaufhäuser. Hier wohnte der Mittelbau, die Lehrerinnen und Polizisten, die Verlagsmitarbeiter, die verzweifelten Rechner der Gesellschaft. Die Smartshopper und Verschuldeten, denen man noch nichts von ihrem Existenzkampf ansah. Junge Familien, die am Wochenende in Funktionskleidung zum Baumarkt fuhren, weil man dort auch zu Mittag essen konnte; hier lebten die Menschen, die den Münchnern die Bezüge für ihre schönen Sofas verkauften oder die Zugänge vor der Operation legten, die die Wurst etwas dicker schnitten und Matratzen ins Haus lieferten. Die unmittelbar vor der Vorstellung die Türen im Theater schlossen und die Meldungen für die Online-Ausgaben der Tageszeitungen kürzten.

Ab 5:30 Uhr, das konnten die Wasserwerke messen, drehten die Leute auf der Weberhöhe den Hahn auf. Eine ganze Stunde früher als in Schwabing. Und eineinhalb Stunden früher als in Bogenhausen oder Grünwald. Statistisch gesehen, ging man auf der Weberhöhe früher ins Bett und stand früher auf als in den meisten anderen Vierteln Münchens.

Die Bewohner der Weberhöhe putzten sich die Zähne unter Zuhilfenahme günstiger Pflegeprodukte und eher nicht mit Ultraschallbürsten. Die Aufsätze für eine solche Bürste kosten im Viererpack achtundzwanzig Euro. Sieben Euro für eine einzige Bürste. Im Supermarkt der Weberhöhe wurden sie daher eher selten gekauft. Und zumindest die Immobilienbesitzer der Weberhöhe putzten sich die Zähne mit ihren Sorgen, die sie bei jedem Gang durch ihre Behausung begleiteten, besonders wenn sie in die Keller gingen.

Dort blühte seit Monaten eine stinkende Flechte auf den Grundmauern, die an manchen Stellen aufplatzten wie

Blätterteig. Es hatte zwischen Mitte April und Ende Mai beinahe sechs Wochen lang ohne Pause geregnet, und mit der Feuchtigkeit waren Gifte der ehemaligen Waffenfabrik in die unzureichend isolierten Mauern der Häuser gedrungen. Es war, als habe der Krieg sich die Keller mit siebzig Jahren Verspätung geholt. Das ganze Gebiet war kontaminiert, man hätte hier niemals bauen dürfen. Sagten die Hausbesitzer. Man habe nicht wissen können, dass der Boden kontaminiert gewesen sei, sagte der Bauträger. Man habe darauf vertraut, dass der Fabrikbesitzer – der für die Siedlung namensgebende Rupert Baptist Weber – tatsächlich so ehrbar gewesen sei wie jahrzehntelang angenommen. Man habe die Häuser auch im Vertrauen in dessen historisch verbriefte Integrität errichtet.

Weber hatte bis vor Kurzem als mustergültiger Widerständler gegolten, der die Wehrmacht absichtlich mit Blindgängern beliefert hatte, um den Krieg zu beenden. Doch mit dem Gift war auch die Wahrheit aus dem Boden des Geländes geschwemmt worden, denn Weber war tatsächlich ein fanatischer Nazi und Menschenquäler gewesen, der angesichts der drohenden Kapitulation der Wehrmacht das ganze Gelände seiner Fabrik absichtlich mit Hunderten Tonnen Chemikalien verseucht und sich dann das Leben genommen hatte, bevor die Amerikaner ihn hatten festnehmen können. Der Mythos vom guten Nazi hatte Weber posthum ein Museum sowie die Namenspatronage des ganzen Viertels eingebracht.

Nachdem jedoch durch ausführliche Medienberichterstattung bekannt geworden war, dass Weber beileibe kein Menschenfreund, sondern das genaue Gegenteil gewesen war, wurde die Siedlung umbenannt. Natürlich nicht offiziell, da sich der Stadtrat nicht so schnell eine Meinung bilden und erst recht nicht in Windeseile sämtliche Beschilderungen ändern konnte. Unter den Münchnern gelang die Umwidmung hingegen innerhalb weniger Wochen. Im allgemeinen Sprachgebrauch wurde die Weberhöhe inzwischen meistens »Nazihöhe« oder »Giftograd« genannt, ein doppelt gemeiner Begriff, denn er spielte auch auf die zivilisatorische Randlage der Gegend an.

Die Hausbesitzer stemmten sich zwar gegen die fortschreitende Entwertung ihrer Immobilien, aber es war ein aussichtsloser Kampf. Ein erstes Gutachten im Sommer hatte erbracht, dass es kostengünstiger sein würde, sämtliche betroffenen Häuser abzureißen und das Gelände großflächig für unbebaubar zu erklären, als die Gebäude zu sanieren. Die Kosten dafür drohten in die Millionen zu gehen, und niemand war bereit, sie zu bezahlen. Die Bauträgerfirma, eine Tochter der Reformbank, die praktisch sämtlichen Hausbesitzern der Weberhöhe den Bau ihrer Häuser finanziert hatte, weigerte sich beharrlich, die Verantwortung zu übernehmen.

In einer bemerkenswerten Pressekonferenz legte der Vorstand dar, letztlich selber ein Opfer des grausamen Webers zu sein. Der Vorstandsvorsitzende Dr. Holger Breitling, dessen öffentliche Einlassungen ihm normalerweise in stundenlangen Sitzungen von Medientrainern vorgekaut wurden, sah sich am Ende der Veranstaltung genötigt, gegen den Rat von Fachleuten das Wort zu ergreifen, und rief empört, dass nun endlich einmal Schluss sein müsse mit der Hexenjagd auf das Unternehmen. Schließlich sei doch keineswegs die Reformbau an dem Dilemma schuld, sondern das Wetter. Wenn es nicht so wahnsinnig gegossen hätte im Frühjahr, wäre die ganze Scheiße doch niemals durchgesickert. Dann wäre das nie rausgekommen beziehungsweise das Gift in die Häuser nie reingekommen, und alle könnten fröhlich und gut gelaunt auf der Weberhöhe in lebenswerter und sauberer Umgebung leben. Genau dies würde er jetzt anregen, und im Übrigen sei das Büfett eröffnet. Er jedenfalls habe Hunger.

Dieser Teil der Pressekonferenz wurde zunächst in sämtlichen Nachrichtensendungen und anschließend im Internet verbreitet und führte innerhalb von weniger als zwei Wochen zur Entlassung des Vorstandsvorsitzenden Breitling, was dieser mit den Worten kommentierte, es sei typisch für die deutsche Neidgesellschaft, ihn zum Sündenbock zu machen, bloß weil er die Wahrheit gesagt habe. Letzteres bestritt niemand, und Breitling zog sich zur seelischen Vorbereitung der anstehenden Abfindungsverhandlungen auf sein Weingut im Burgund zurück.

Leider führte die versehentliche Ehrlichkeit des Managers nicht dazu, dass die Reformbau ihren Kunden entgegenkam, ganz im Gegenteil. Das Unternehmen stellte sich auf den Standpunkt, dass die Verseuchung von Erdböden aus geschichtlichen Gründen ungefähr denselben Stellenwert hätte wie ein Naturereignis. So sei ein Erdbeben ja ebenfalls ein historischer Augenblick und mit den Vorgängen rund ums Kriegsende vergleichbar. Diese Theorie wurde intensiv durch einen französischen Historiker untermauert, den die PR-Strategen der Reformbau an einer privaten Universität in Toulouse auftrieben, wo er die geheimen Zusammenhänge zwischen der Französischen Revolution, der Mondlandung und der globalen Tätigkeit von reptiloiden Politikern erforschte. Auch wenn der Vortrag des originellen Franzosen nicht mit Zuspitzungen geizte, derer zufolge zum Beispiel jeder Münchner froh sein könne, noch nicht durch eine unterirdisch vom russischen Geheimdienst bereits vorbereitete Grundwasserwelle hinfortgetragen worden zu sein, verfehlte er sein Ziel nicht, die Hausbewohner von Giftograd zu verunsichern.

Also wurde im Auftrag der Anwohner-Initiative »Saubere Weberhöhe« ein zweites und ein drittes Gutachten in Auftrag gegeben, Maßnahmen, die die Mitglieder der Initiative wöchentlich besprachen. Zu Beginn dieser Sitzungen im Sommer grillten sie noch marinierte Halsgratstücke und Würstchen. Die Stimmung war heiter und selbstbewusst. Aber dann wurde den Kreditnehmern langsam klar, dass die Reformbau das Verfahren endlos in die Länge ziehen und sie alle ganz einfach an ihrem ausgestreckten Arm verhungern würden. Sobald das Geld knapp werden würde, müssten sie sich mit lächerlichen Abfindungen begnügen. Die Klappe halten. Und weiterzahlen. Die Bewohner der Weberhöhe, sofern sie dort selbst gebaut hatten, fühlten sich doppelt betrogen: Sie gehörten nicht richtig zur Stadt, in der sie wohnten. Und sie hatten auf giftigem Grund gebaut. Ihre Existenz, ihre Häuser, ihre Träume: würden am Ende ihres Lebens nichts wert sein.

In diesem Wissen fiel es manchen Bewohnern der Weberhöhe schwer, den Alltag zu bewältigen. Einige Hausbesitzer hatten bereits verkauft, unter Wert natürlich. Andere blieben und kämpften. Und wieder andere gruben rings um ihr Haus die Kellermauern aus und versuchten zu isolieren, was längst zerstört war.

Am südöstlichen Rand des Stadtteils Weberhöhe befanden sich neumodische »Modulhäuser«. So hatten die Architekten die Reihenhäuser im Michael-Ende-Weg genannt, weil die nicht in gleichförmiger Langeweile geplant worden waren, sondern mit- und ineinander verschachtelt und verzahnt. Im Jargon der Bewohner hieß die Gegend »Tetris-Siedlung«.

Der Polizist Martin Kühn stand im Badezimmer seines Modulhauses vor dem Badezimmerspiegel und versuchte also, sich objektiv zu betrachten. So, wie man jemanden auf einem Foto ansieht.

Zwei Monate hatte er in einem Rehazentrum verbracht und dort zum ersten Mal in seinem Leben einen Psychologen getroffen, dem er sich erst gar nicht, später unter Tränen anvertraut hatte. Acht Wochen lang fuhr er den Kummer und den Frust schubkarrenweise aus seiner Seele, die zudem mit Massagen, Wanderungen, Rollenspielen und einem Antidepressivum für die Wiedereingliederung in den Dienst vorbereitet wurde. Schließlich, im August, ging Kühn wieder nach Hause zu seiner Familie.

Und als die Schulferien Mitte September vorbei waren, meldete sich Martin Kühn als dienstfähig zurück. Der Psychologe bestärkte ihn darin, seine assoziativen Fähigkeiten, die Teil seines Problems gewesen waren, weiter zu pflegen. Kühn war in der Lage, selbst winzige Sinneseindrücke in seinem Kopf mit Erinnerungen, Gefühlen oder anderen äußeren Wahrnehmungen zu einer belastbaren Intuition zu verbinden. Gerade diese Sensibilität, die man ihm im Umgang kaum anmerkte, hatte ihn in die Krise gestürzt. Plötzlich war ihm alles zu nahe gekommen. Aber der Psychologe, ein Doktor Reinartz, übte mit Kühn, diese blitzartigen Assoziationen zu nutzen, ohne dass sie ihn aus dem Gleichgewicht brachten.

Bevor Kühn wieder in sein Kommissariat ging, hatte ihm Reinartz eine hervorragende Prognose gestellt. Für den medizinischen Check hatte Kühn noch zum Arzt gemusst, um Blut abzugeben, alles einmal durchpusten zu lassen. Den Besuch schob er lange vor sich her, denn er fühlte sich glänzend. Praktisch wie neu. Er hatte sich allerhand vorgenommen für seinen Neustart, aber an seiner alten Gewohnheit, Ärzte zu meiden, hielt er fest. Man lebte besser, wenn man um Ärzte einen Bogen machte. Leberwerte schlecht, Blutdruck zu niedrig, Zucker hier, Lungenpfeifen da. Flecken auf dem Rücken. Irgendwas hatte jeder, fand Kühn. Und empfand es als Privatanarchie, seinen Körper vor Untersuchungen zu bewahren. Die Check-ups in den letzten Jahren hatte er versäumt, halbherzig absolviert oder abgekürzt, die Ergebnisse ließ er sich nicht erklären. Nach der fünften Ermahnung war er dann doch zum Amtsarzt gegangen, mürrisch und in Eile, hatte sämtliche Tests absolviert und einen Termin für die Besprechung der Ergebnisse erhalten, den er aber nicht einmal in seinen Terminkalender eintrug.

Kühn stand vor dem Spiegel und sah sich in die Augen, was er früher immer vermieden hatte. Wie die meisten Menschen schreckte er davor zurück, in sich hineinzusehen. Reinartz hatte ihn dazu gebracht, diesen Blick zuzulassen und aus sich herauszutreten, um sich zu überprüfen. Sie hatten meditiert und mit Yoga begonnen, und Kühn, der sich selbst immer als unspirituell betrachtet hatte, konnte diesen Techniken zur Klarwerdung dann doch etwas abgewinnen.

Er kniff die Haut über seiner Brust zusammen und stellte fest, dass sie an Elastizität verloren hatte. Die helle Haut zwischen seinen Fingern war nicht mehr so gespannt wie früher, sie wies kleine Fältchen auf. Er alterte. Und es gefiel ihm. Allerdings hatte er wenig Zeit, sich damit zu beschäftigen. Steierer hatte ihn um kurz nach sechs angerufen, um ihn zu einem Tatort zu rufen. Er hatte ihm die Adresse mitgeteilt, und Kühn war sofort aufgestanden. Er war schon weg, als Susanne und die Kinder eine knappe halbe Stunde später mit dem Tag begannen.

Martina Brunner, die sich im Internet »Lilith« nannte, machte die Buchhaltung, bevor sie ihren ersten Kunden an der Webcam empfing. Er war Stammgast bei ihr und hatte sich morgendliche Quickies erbettelt, für die er doppelt so viel zahlte wie sonst üblich. Und weil er bereits um sieben Uhr mit geöffneter Hose vor seinem Rechner saß und auf Martina wartete, stand sie eben früher auf und erledigte steuerliche Angelegenheiten. Sie würde dann später mehr Zeit für ein Telefonat mit ihrer Mutter haben, der sie erzählte, wie schwierig das Leben im Onlinemarketing war. Details würde sie auslassen.

Familie Brenningmeyer bereitete sich auf ein Wochenende im Chiemgau vor, für das Vater Markus eigens neue Wanderjacken mit Membranen im Internet bestellt hatte. Tagelang auf der Fährte nach dem besten Preis, hatte er schließlich in Holland zugeschlagen. Gestern waren die Jacken gekommen, er hatte stolz deren Ankunft gefeiert, und dann reagierten seine Frau und die Kinder undankbar, weil sämtliche Exemplare rosa waren. Auch seine eigene Jacke war rosa. Er hatte auf diese Weise über siebzehn Euro gespart. Und es machte ihm nichts aus, wenn sie zu viert in Rosa die Kampenwand hochliefen. Ein bisschen Anerkennung für seine Sparleistung wäre angebracht gewesen. Ein bisschen Respekt für seinen Spürsinn. Andere vertranken ihr Geld, er kaufte davon Outdoorkleidung. Atmungsaktiv. Leicht. Regenfest. Über dem Frühstück lag ein rosa Schatten. Alle waren sauer.

Heike Stark lag alleine im Bett. Ihr Mann Manfred war auf einem Ärztekongress. Seit ihrer Versöhnung war es das erste Mal, dass er sie alleine ließ. Etwas komisch war ihr schon zumute, das lag vielleicht auch an der SMS, die er ihr geschickt hatte. Sie war vor wenigen Minuten mit einem Glockenton bei ihr eingetroffen und hatte sie geweckt. In der SMS stand: »Ich freu mich auf gleich. Versaute Grüße.« Das klang natürlich verheißungsvoll, aber seltsam war es dennoch, ihr Mann kam ja erst morgen nach Hause. Und nicht gleich. Wahrscheinlich hatte er sich einfach geirrt. Etwas anderes konnte und wollte sie nicht glauben. Sonst wären zweiundvierzig Stunden in der Paartherapie vollkommen umsonst gewesen. Und das konnte nicht sein.

Ein paar Häuser weiter saß Rolf Rohrschmid in seinem Kellerbüro. Auf seinem Tisch lagen die unkorrigierten Klassenarbeiten der 10 d. An der Wand neben dem Kalender blühte eine orangebraune, moosartige Stelle durch die Tapete. Es roch stechend, was auch die vier Wunderbäumchen, die an Rohrschmids Schreibtischlampe baumelten, nicht verdecken konnten.

Vor Rohrschmid standen vier Becher Joghurt. Zwei davon waren geöffnet. Er hatte aber nicht vor, ihren Inhalt zum Frühstück zu verspeisen. Die beiden geöffneten Becher waren vielmehr Versuchsobjekte. Beim ersten war er mit der Spitze der Injektionsnadel erst durch den Deckel gestoßen und dann seitlich durch die Becherwand wieder hinaus. Und beim zweiten hatte er zunächst vorsichtig den Deckel durchstoßen, dann jedoch war die Nadel zu fein, um das Gamma-Butyrolacton in den Joghurt zu spritzen. Also drückte er mit aller Kraft den Kolben der Spritze herunter. Das Gift lief in winzigsten Mengen durch die Nadel, dann drückte er zu fest und durchbohrte den Deckel mit dem Zylinder der Spritze. Darunter war das Gamma-Butyrolacton als eine Art Pfütze auf dem Joghurt sichtbar, es hatte sich nicht vermischt.

Rohrschmid entschied, dass er eine etwas breitere Nadel benötigte und das Zeug tiefer in den Joghurt musste. Er durchstach den Deckel des dritten Bechers, nachdem er das Preisschild abgefummelt hatte. Dann schob er den Kolben nach unten und injizierte das GBL in der Mitte des Joghurts. Er zog die Nadel langsam wieder heraus und verschloss das winzige Loch mit dem Preisschild. Wenn jemand den Deckel abzog, dessen Aluseite nicht genauer in Augenschein nahm und den Joghurt außerdem umrührte, bevor er ihn löffelte, war das Gift nicht zu erkennen.

Dieser gefährliche Fall von Lebensmittelvergiftung war als Warnung gedacht und unterstrich seine Forderungen nach einer halben Million Euro, die er der Supermarktkette REWEKA morgen übermitteln würde. Rolf Rohrschmid wischte den Becher mit einem feuchten Tuch ab, versenkte ihn in seinem Lehrerkoffer und aß den vierten Joghurt auf.

Er würde den vergifteten Becher auf dem Weg zur Arbeit in den Supermarkt der Weberhöhe schmuggeln. Zurück ins Kühlregal. Er würde das Schreiben in der Nähe des Geschäftes deponieren. Um 15 Uhr hatte er noch eine Lehrerkonferenz. Vor 17 Uhr würde er nicht nach Hause kommen. Dann war der Joghurt längst verkauft. Und dann gab es sowieso kein Zurück mehr.

Martin Kühn überquerte den Rupert-Baptist-Weber-Platz und entschied sich auf dem Weg zur S-Bahn gegen einen Coffee to go, weil er ihn nicht gut genug und zu teuer fand. Er dachte darüber nach, ob er ein neues Auto kaufen sollte, weil sein riesiger, aber seit zwei Jahren defekter Subaru wirtschaftlich ein Totalschaden war. Finanziell schien ein Kleinwagen möglich, aber das kam ihm vor, als würde er in einer laut brüllenden Kapitulationserklärung zum Dienst fahren.

Die ersten Läden öffneten, und die Rollläden hoben sich wie schwere Augenlider.

Belgien leuchtet nicht mehr. Die 300 000 Leuchten an den Autobahnen wurden wegen Sparmaßnahmen abgeschaltet. Genau wie die Fußgängerleuchten auf der Weberhöhe.

3. DIE RATTE

Kühn blieb auf Abstand. Ihm war nicht danach, den toten Körper aufzuscheuchen. Eine Leiche war ja immer noch ein Mensch, nur tot, aber Mensch. Er kannte Kollegen, die sich einem Verbrechensopfer näherten wie einer Käseplatte, mit Appetit und ungestümer Lust am Umdrehen, Wenden, Ansehen, Prüfen. Manche sahen die Leiche als Herausforderung, sie wollten ihr Informationen entnehmen, sie für die Ermittlung gleichsam ausweiden, als sei sie nichts als eine Überbringerin von Nachrichten, die schließlich zum Täter führten. Kühn mochte das nicht, denn es nahm dem Opfer die Würde. Und es setzte einen Prozess fort, der häufig mit der Tötung begonnen hatte: der Verdinglichung.

Kühn hätte einen solchen Begriff niemals verwendet, vielleicht war ihm nicht einmal bewusst, dass er tief moralisch handelte. In seinen Augen war es jedoch so: Man hatte dort jemandem das Leben genommen, eine Zukunft beendet, einen Pulsschlag angehalten. Aber damit verwandelte sich der Tote nicht in einen Gegenstand, den man mit dem Kugelschreiber anstupsen durfte. Kühn wurde jedes Mal beinahe wahnsinnig vor Zorn, wenn Steierer so etwas tat. Einmal waren sie in Streit geraten, weil Steierer eine Leiche mit der Fußspitze angetippt hatte.

Also blieb Kühn einige Meter vom Tatort stehen und versuchte, sich vorzustellen, wie es hier vor Stunden ausgesehen hatte. Wahrscheinlich dunkel. Es war jetzt 7:18 Uhr, der Anruf bei der Polizei war um 5:11 Uhr eingegangen. Der Fahrer einer Trambahn hatte seine Leitstelle über den Fund einer leblosen Person an der Haltestelle Großhesseloher Brücke informiert. Die Funkstreife war wenige Minuten später vor Ort, ein Notarzt um 5:38 Uhr. Um 6:06 Uhr hatte Steierer Kühn mit seinem Anruf geweckt, um 6:31 saß Kühn in der S-Bahn von der Weberhöhe in die Stadt. Er stieg am Rosenheimer Platz in die Tram um und direkt am Tatort wieder aus. Er schob den Gedanken beiseite, dass dieser Mord zum Nachteil eines Unbekannten für Beamte, die auf den öffentlichen Personennahverkehr angewiesen waren, ausgesprochen verkehrsgünstig ausgefallen war. Schneller hätte er mit dem Auto nicht da sein können. Die ihn ergreifende Pendlerfröhlichkeit war ihm peinlich.

Steierer trat aus dem Kiosk neben der Haltestelle und begrüßte Kühn mit zwei hocherhobenen Bechern Kaffee. Schon diese Geste ging Kühn auf die Nerven. Als würde Steierer auf den Toten trinken wollen. Das war natürlich ungerecht.

»Ciao Martin, vermutlich hast du nicht gefrühstückt. Und wer denkt an dich wie ein dickes Huhn an seine Küken? Ich. Gackgack.«

Er hielt Kühn einen Becher hin.

»Danke. Stimmt. Ich habe nicht gefrühstückt.«

»Das ist auch gut so«, sagte Steierer. »Bei dem Anblick da vorne kommt einem das schönste Gourmetfrühstück hoch.«

Kühn spürte der schrecklichen Formulierung »Gourmetfrühstück« nach und ahnte, dass dies bei Steierer irgendwas mit Lachs und Sekt zu tun hatte. Er tastete mit der Zungenspitze in den Milchkaffee und verbrühte sich. Im Grunde lächerlich. Der Becher war schon so heiß, dass man ihn kaum halten konnte. Warum sollte der Inhalt dann trinkbar sein? Kühn dachte an Experimente mit Tieren, die nie denselben Fehler zweimal machten. Menschen schon. Besonders er. Die Zunge schmerzte, er ließ sich nichts anmerken und lächelte bei der Vorstellung, dass er ein besonders blöder Affe war.

»Was grinst du so? Mir ist wirklich schlecht von dem Anblick.«

»Ich habe wegen etwas anderem gelächelt. Egal. Wollen wir es uns mal ansehen?«

Steierer nickte, und die beiden Männer gingen in Richtung der Lichter, die die Kollegen aufgestellt hatten, um den Tatort zu beleuchten. Der grün gestrichene Kiosk ging in die Haltestelle über, der Wartestand mit fünf festgeschraubten Drahtsesseln befand sich in einer Nische des Gebäudes. Sogenannte Stadtmöblierung. Man kann sich nicht quer über alle Sessel legen, weil sie Armlehnen haben und tiefe Sitzmulden. Man kann nur gerade darauf sitzen. Pennerabschreckung. Wobei es in dieser Gegend sicher keine Obdachlosen gab.

Davor lag ein Mensch, auf der Seite, in gekrümmter embryonaler Haltung, den Oberkörper und Kopf jedoch in die Gegenrichtung verdreht, ein Arm stand unnatürlich nach oben ab. Kühn trat näher heran, aber er konnte nicht erkennen, ob das ein männlicher oder weiblicher Körper war. Nicht einmal das Gesicht gab darüber Aufschluss, genau genommen war da gar kein Gesicht mehr.

»Es ist eine männliche Person«, sagte Steierer, der Kühns Gedanken zu lesen schien. »Ausweis hat er nicht dabei, auch keinen Führerschein. Kein Geld, nicht mal einen Geldbeutel.« Dann schwieg er und ging mit seinem Kaffee beiseite. Teils um Kühn seinen Gedanken zu überlassen und weil er den Anblick des Mannes nicht ertragen konnte. Kühn ließ den Blick kreisen. Der rechte äußere Drahtsessel war voller Blut, ebenso der Boden. In seiner Vorstellung war der Mann auf dem Sessel sitzend mit Schlägen und Tritten traktiert, dann gefallen und weiter geschunden worden. Er musste unzählige Prellungen und Brüche haben. Das schmutzige Kapuzenshirt war an einigen Stellen gerissen wie die Jeans, die offen stand und ein Stück heruntergezogen den Blick auf das Gesäß des Opfers freigab.

Kühn ging in die Hocke und suchte nach den Augen des Mannes, aber trotz der Beleuchtung, die der Szene jedes Geheimnis hätte nehmen sollen, trotz der brutalen Helligkeit sah er nur in ein Dunkel. Auf der Haut des Mannes klebten schwarze Haare und verkrustetes Blut aneinander. Die Schwellungen waren so groß, dass nicht einmal die Nase eindeutig zu erkennen war. Lediglich anhand der Augenbrauen ließ sich die Symmetrie des Gesichtes erahnen. Kühn dachte, dass jeder einzelne Knochen in diesem Gesicht gebrochen worden war, als hätte man nicht nur Haut und Gewebe zerstören wollen, sondern die Identität dieses Menschen. Die seltsame verdrehte Lage trug zum Eindruck der Entmenschlichung des Körpers bei. So legte sich niemand hin. So lag nur ein Ding, ein zu Abfall gewordener Gegenstand. Man hatte sich seiner am Ende entledigt. Und vorher seine Wut an ihm ausgetobt. *Ja, getobt hat da einer.*

Jemand ist über dich weggetobt und hat dir nichts mehr gelassen. Du wurdest zerstört, zertrampelt, ausgelöscht.

Kühn nippte noch einmal am Kaffee und verbrühte sich ein zweites Mal, worauf er den Becher an einen Polizisten weitergab, der hinter ihm stand. Lange betrachtete er den Toten und sagte zu sich selbst: »Rede mit mir. Was ist mit dir passiert? Und warum? Was hast du getan, dass du so bestraft wurdest? Hast du was getan? Und wer bist du?«

Und der Mann sprach. Wenn auch nur durch Äußerlichkeiten.

»Das ist teure Kleidung«, sagte Kühn, als er sich erhob. »Die Jeans und der Hoodie, das sind Markensachen. Und diese Nike-Sneaker sind selten.«

»Die sind hässlich«, sagte Steierer.

»Die kosten mehr als dein ganzer Aufzug«, sagte Kühn, der damit nur leicht übertrieb und den Moment genoss. »Mein Sohn hätte gerne so welche, jeder will so welche. Auf jeden Fall jeder unter zwanzig.«

»Dann ist das Opfer unter zwanzig?«

»Würde ich sagen. Der Gürtel ist von Vans, die Hose von Cheap Monday, die Jacke von Abercrombie & Fitch. Vielleicht kam er aus der Gegend hier. Passt irgendeine Vermisstenanzeige?«

Steierer schüttelte den Kopf.

»Nein. Habe ich schon gecheckt. Bisher ist da nichts. Ist vielleicht auch noch zu früh dafür.«

Kühn legte die Hände aufeinander, als wollte er beten, und atmete hinein. Steierer hatte recht. Wenn der Junge auf die Straßenbahn gewartet hatte, um zur Arbeit oder in die Schule zu fahren, war es jetzt noch zu früh, um ihn zu vermissen. Aber wer fuhr vor fünf Uhr morgens in die Schule? Was wollte der Junge bloß hier, mitten in der Nacht.

»Wer hat ihn gefunden?«

»Der Trambahnfahrer. Er ist nach Fahrplan gegen fünf Uhr hier angekommen. Er ist ausgestiegen und hat den Jungen gesehen. Er sagt, er habe ihn angesprochen, und als keine Reaktion kam, gleich über Funk gemeldet.«

Kühn nickte. Steierer fuhr fort. »Das ist die erste Bahn seit 0:44 Uhr, die hier ankommt. Das heißt, dass der Junge hier wahrscheinlich nicht länger als höchstens vier Stunden liegt, sonst hätten ihn Fahrgäste oder ein Fahrer schon früher gemeldet. Irgendwann zwischen Viertel vor eins und kurz vor fünf hat es ihn erwischt. Bei den ganzen Blutspuren nehme ich nicht an, dass er nach der Tat hier abgelegt wurde. Die Zeitungen für den Kiosk werden um halb fünf geliefert, wir sind dabei, den Boten ausfindig zu machen. Der Kioskbetreiber kommt übrigens erst gegen sechs.«

Steierer war sichtlich stolz darauf, Kühns Fragen schon zu beantworten, bevor der sie stellte. Kühn hauchte immer noch in seine Hände und genoss die Wärme an seinen Fingern. Es würde noch einmal ein warmer später Septembertag werden. Kurz dachte er an den Sommer und die längsten Ferien, die er je gehabt hatte.

Dieser Fall war sein erster seit vier Monaten. Er atmete laut in seine Hände und fühlte sich wohl, weil seine Instinkte funktionierten, und er spürte, dass er seine Arbeit liebte. Auf eine merkwürdige und sehr nach innen gewandte Art machte ihn der Moment froh. Er war da. Er lebte, mehr noch: Er war stark. Und der Morgen noch lange nicht so frisch, dass er Atemwolken ausblies.

»Ist alles okay bei dir«, fragte Steierer.

»Ja, alles gut. Hatte er irgendwas dabei?«

»Ein Feuerzeug. So ein Benzinding, weißt du, was früher die Rocker hatten.« Steierer wandte sich nach hinten und rief einen Beamten herbei, der zum Wagen ging und mit einer kleinen durchsichtigen Plastiktüte zurückkam, die er Kühn gab. Der drehte die Tüte hin und her und sagte: »Das ist ein Zippo-Feuerzeug.«

»Und es ist graviert. A & J LOVE 4EVER. Also ›forever‹. Die Vier steht für ›for‹.«

Kühn sah Steierer an und lächelte. »Was du nicht sagst. Echt?«

Steierer hob beleidigt die Hände und sagte: »Weißt du, wenn du mich hier nicht brauchst, dann sag es einfach. Ich war eine halbe Stunde vor dir hier und mache und tue und stehe hier rum und warte auf den feinen Herrn Kühn, und dann kommst du und hast null Respekt, weißt du, das stört mich schon. Jetzt.«

»Dir fehlt Anerkennung. Ja, du hast recht. Verzeihung. Ich bin ein Büffel.«

Es fiel Kühn nicht schwer, sich zu entschuldigen. Er übte es im Rahmen seiner Therapie. Tatsächlich hatte er seit einer Woche mehrfach sogar absichtlich Situationen herbeigeführt, in denen er seinen Kollegen und Freund zunächst auflaufen ließ, um sich dann bei ihm zu entschuldigen. Es fühlte sich angenehm an, diese weiche Seite zu zeigen. Steierer hatte im Gegenzug nach wenigen Tagen damit begonnen, dies auszunutzen, und beklagte sich nun andauernd, damit Kühn Abbitte leistete, was Steierer wiederum sichtlich guttat. Kühn legte eine Hand auf Steierers Schulter und sagte: »Was meinst du? War unser Mann eher ›A‹ oder ›J‹? Und wo hat er das Ding her? Das ist aufwendig gemacht. Da sind noch Ornamente und ein Datum. 23. 9. Das war vorgestern. Was war da? Geburtstag? Jahrestag? Verlobung?«

Steierer holte tief Luft und blies die Backen auf, bis die Luft aus seinem Mund entwich. »Wir werden es rausfinden, wenn wir wissen, wer er ist.«

Sie würden abwarten, was der Rechtsmediziner aus dem toten Körper las. Das Alter ungefähr. Die Zähne konnten den Namen verraten. Und womöglich würde er schon bald vermisst. Dann würde es ohnehin leicht mit der Identität des zerschlagenen Jungen. Der noch vor ein paar Stunden gelebt, vielleicht geliebt und dann an der Haltestelle gewartet hatte. Vielleicht mit Pizza im Bauch und einem bestimmten Deo unter den Armen. Sie würden bald wissen, ob er Drogen nahm, Alkohol trank oder Vegetarier war. Sie würden Spuren genetischen Materials an seinen Händen und unter seinen Fingernägeln finden. Sie würden wissen, ob er vor Kurzem Sex hatte oder an einem Lagerfeuer gesessen. Ob er sich die Zähne regelmäßig putzte. Und wie viele Wunden er hatte – und woran er gestorben war.

Kühn ging noch einmal in die Hocke, und Steierer tat es ihm gleich, weil es ihm unangenehm war, dass sein Chef sich offensichtlich tiefer in den Fall hineinkniete als er selbst.

»Wie die Ratte.«

»Wie bitte?«, fragte Steierer.

»Er sieht aus wie die Ratte damals.«

»Wie welche Ratte?«

Ich war elf, und wir buddelten in unserem Garten herum. In Vaters Schrebergarten. Ich habe es gehasst, dort zu sein, denn ich musste immer die Drecksarbeit machen. Wobei: Im Grunde genommen gab es dort nur Drecksarbeit. Das Unkraut jäten, wie eine Ziege auf allen vieren herumkrauchen und den verdammten Schachtelhalm zupfen. Und Vater im Unterhemd zwischen den Bohnen. Wir hatten nicht nur Bohnen, sondern auch Stachelbeeren, Kartoffeln, Gurken, Erdbeeren, Kürbis, Kohlrabi und Salat, der immer voller Schnecken war. Wir wohnten am Wochenende in der Erde dieses Gartens, und manchmal dachte ich, dass wir selber kleine weiße Wurzeln an den Füßen hatten, weil wir immer in den lehmigen Beeten standen.

Und ich hatte Kopfhörer auf, denn meine Mutter hatte mir den Walkman geschenkt. Nicht den richtigen mit den orangefarbenen Kopfhörern, sondern so ein billiges Teil von Tchibo. Doppelt so schwer wie der richtige Walkman. Vier Batterien mussten rein, und trotzdem hat das Ding nach zwei Kassetten geeiert. Aber ich musste wenigstens nicht hören, wie mein Vater in den Bohnen herumächzte. Judas Priest habe ich gehört. »British Steel«. Das weiß ich noch, weil ich mich darüber gewundert habe, dass ich meinen Vater trotzdem schreien hörte.

Ich nahm den Kopfhörer von den Ohren und sah zur Hütte rüber, in der mein Vater herumbrüllte. Ich konnte nicht verstehen, worum es ging, und lief zu ihm. Da kam er mir entgegen und schrie: »Eine Ratte! Hol die Schaufel, ich versperre ihr den Weg.« Ich wusste erst gar nicht, was er meinte, und rannte zum Schuppen, um die Schaufel zu holen, ein tonnenschweres Teil mit einem riesigen Stiel. Als ich damit zurückkam, brüllte mein Vater, dass ich sie hergeben solle. »Reinkommen, Tür zu, dann treiben wir sie in eine Ecke!«

Das klappte natürlich nicht. Ich sah von der Ratte überhaupt nur den Schwanz, denn als mein Vater mit der Schaufel auf sie zuging, versteckte sie sich hinter dem alten Büfettschrank, den mein Vater geerbt und mit mir in diese Hütte geschleppt hatte.

»Abrücken! Sofort den Schrank abrücken!« Er war vollkommen hysterisch wegen der Ratte. Ich versuchte, den Schrank von der Wand zu ziehen, aber das ging nicht, er bewegte sich keinen Millimeter. Schließlich legte ich mich auf den Boden und sah nach, was die Ratte machte. Sie kauerte an der Wand und starrte mich an. Ich sagte: »Wir können sie doch fangen und aussetzen«, denn ich machte mir Sorgen um die Ratte. Sie gefiel mir zwar gar nicht, aber ich hatte trotzdem Angst, dass mein Vater sie umbrachte. Sie war groß, schon ein richtiges Tier. Sie kam mir ebenbürtig vor, und wenn man sie tötete, würde es sich für mich anfühlen wie ein Mord. Wie bei einer Katze oder einem Hund.

»Martin! Das ist keine kleine Feldmaus. Das ist eine Ratte! Ein Schädling! Bleib, wo du bist, da kann sie dich sehen und wird nicht in deine Richtung laufen!« Damit begab sich mein Vater auf alle viere und fing an, mit dem Spatenstiel unter dem Büfett herumzustochern. Er stieß den Stiel bis zur Wand, wo er die Ratte vermutete. Ich sah ihm dabei zu, und ich sah auch, wie er die Ratte erwischte. Er stieß ihr den Knauf gegen den Bauch, und sie schrie entsetzlich. Ich konnte nicht hinsehen und stand auf und ging ein paar Schritte rückwärts. Ich sah den Arsch meines Vaters aus der Hose rutschen. Behaarte Arschbacken und darüber der völlig weiße kahle Rücken, merkwürdig eigentlich. Nachdem er die Ratte getroffen hatte, stocherte er weiter wie verrückt unter dem Schrank herum, völlig entfesselt. Ich fing an zu schreien, dass er die Ratte in Ruhe lassen solle, dass wir sie aussetzen könnten, dass er sie nicht umbringen müsse und dass sie gar nichts getan habe, aber mein Vater steigerte sich immer weiter in diese Raserei hinein. Offenbar gelang es ihm, die Ratte noch einmal zu treffen, denn sie quiekte erneut. Es klang fast wie bei einem Kind.

Ich weiß nicht, woher Vater diese Wut hatte, vielleicht hatte er sie von Opa geerbt. Der hat immer wieder davon erzählt, wie die Ratten an den Kriegsgefangenen genagt hatten. Und dass er einmal eine Ratte erschlagen hatte, während sie seinen erfrorenen Fuß fraß. Und dass er dabei nicht nur die Ratte getötet, sondern auch seinen Fuß gebrochen hatte. Für meinen Vater schien die Ratte alles zu verkörpern, was man überhaupt nur hassen kann. Irgendwann hörte er aber doch auf mit der Stocherei, vielleicht tat ihm der Rücken weh. Er richtete sich auf und wischte sich den Schweiß von der Stirn. Sein Kopf war rot, und sein Unterhemd hatte dunkle Flecken vom Schmutz auf dem Fußboden. Es war ja nur eine Schrebergartenhütte.

»Jetzt warten wir und geben ihr den Rest«, sagte er.

»Wir können sie doch immer noch einfangen und leben lassen.«

»Martin, sie übertragen Krankheiten, sie fressen unsere Lebensmittel, sie beißen, und sie vermehren sich wie verrückt. Katzen und Hunde gehören zu uns, Ratten nicht. Da kommt sie.«

Die Ratte schleppte sich unter dem Büfett hervor. Zwei ihrer Beine waren gebrochen, der Kopf blutete, der Brustkorb war eingedrückt. Mein Vater hob die Schaufel und stieß dabei an die Deckenlampe. Von dem Geräusch aufgeschreckt lief die Ratte unter den Sessel. Ich war erstaunt darüber, wie flink sie immer noch rennen konnte. Vater hieb das Schaufelblatt auf die Lehne des Sofas, der Bezug riss, und weiße Füllung quoll heraus, was meinen Vater dazu veranlasste, wieder wie ein Irrer zu brüllen und gegen das Sofa zu treten. Es verschob sich, und die Ratte wurde sichtbar. Mein Vater reagierte schnell, drosch die Schaufel auf den Boden und begrub die Ratte unter ihr. Er hob das Blatt hoch, aber die Ratte bewegte sich immer noch.

»Stirb endlich«, rief er und schlug erneut zu. Und noch einmal. Und noch einmal. Ich hielt mir die Augen zu und hörte bloß noch das Geräusch der verfluchten Schaufel und das Keuchen meines Vaters, der das kleine Tier zerstörte. Als plötzlich Ruhe war, nahm ich die Hände von den Augen und sah die Ratte an. Sie lag auf der Seite, ein Vorderbein abgewinkelt, den Kopf verdreht, die Schnauze eingeschlagen. Zu Tode gehetzt und kaputt geschlagen.

»Wie welche Ratte?«, wiederholte Steierer.

»Ach, ich habe nur gerade an etwas gedacht. Aus meiner Kindheit. Ist nicht so wichtig«, sagte Kühn und schob die Gedanken beiseite. In diesem Fall war ihm nicht klar, wofür er sie gebrauchen konnte, auch wenn Reha-Reinartz sie für so wertvoll hielt. Aber die Lage des Toten erinnerte ihn an das Tier, das sein Vater getötet hatte. Und auch der Tote machte einen gehetzten Eindruck. In die Ecke getrieben, gequält, fertig gemacht.

»Können wir gehen?«, fragte Thomas Steierer.

»Gleich«, sagte Kühn, den noch ein Detail zu beschäftigen schien. »Was sind das für Wunden auf dem Unterarm?«

Steierer bückte sich und drehte vorsichtig den Arm des Jungen ins Licht. »Der oder die Täter haben Zigaretten auf ihm ausgedrückt.«

»Ja, würde ich auch sagen«, sagte Kühn. »Und der Junge hatte ein Feuerzeug dabei. Aber keine Zigaretten, oder?«

»Nein, er hatte sonst nichts in den Taschen.«

»Wenn er kein Raucher war, dann brauchte er kein Feuerzeug. Und wenn er Raucher war, dann hätte er zum Feuerzeug sicher Zigaretten gehabt. Ich glaube, dass sie ihm weggenommen wurden. Man hat seine Zigaretten geraucht und ihn damit gefoltert. Die Spurensicherung soll sämtliche Kippen in zwanzig Meter Umkreis einsammeln.«

Steierer nickte, und sie sprachen mit den Beamten, dann gingen sie zu Steierers Auto und fuhren in die Stadt zurück. Kühns Zungenspitze fühlte sich noch immer taub an.

4. DIENSTSTELLENLEITER KÜHN

Das Büro ist die Fortsetzung der Wohnung mit den Mitteln der Individualisierung genormter Einrichtung. Kühns Büro jedoch war von gestalterischem Eigensinn weitgehend frei. Er machte sich weder etwas aus Topfpflanzen noch aus Kalendern, und er stellte sich auch keine Reiseandenken auf den Schreibtisch. Lediglich ein gerahmtes Foto von ihm und Susanne hing an der Wand. Es zeigte das Ehepaar Kühn an einem holländischen Strand, aufgenommen von Kühn in den Flitterwochen, der dafür den Fotoapparat weit von sich gestreckt hielt, die Kamera mühsam zwischen Daumen und Zeigefinger balancierend, weswegen das Bild etwas aus der Horizontalen kippte. Susanne und Martin Kühn lachten ins Objektiv, weil nicht nur die Kamera wackelte, sondern auch das Paar im Wind, jeweils auf einem Bein, aus Spaß. Eine Böe zerzauste ihre Haare, die sich in der Luft verknoteten. Das lustige Bild einer Lebensfreude, einer Albernheit, die der zweiundzwanzigjährige Polizist Martin Kühn damals oft zeigte.

Heute sah er das Bild gar nicht mehr. Susanne hatte es ihm vor Jahren vergrößert und gerahmt. Fürs Büro, damit er sich daran erinnerte, wie sie früher gewesen waren. Er hatte es aufgehängt, weil sie es ihm zu Weihnachten mit der

Maßgabe geschenkt hatte, es zu tun. Er hätte es auch in die Schublade legen können, denn Susanne besuchte ihn nie auf der Arbeit. Dennoch hatte er es aufgehängt, um ihr eine Freude zu machen. Gerade weil ihm vor der Ausweitung des Privaten am Arbeitsplatz graute, hielt er das für einen loyalen Akt, mit dem er die Absicht des Geschenks honorierte. Die Dekorationsexzesse einiger Kollegen und die Zeigefreudigkeit mehrfacher Mütter, was die Entwicklung ihrer Kinder und deren Zeichen- oder Basteltalente anging, fand er tragisch. In vielen Dienstzimmern gilbten und staubten Familien auf eine Weise vor sich hin, die ihn deprimierte. Dann lieber nur ein Foto an der Wand. Und einen Locher auf dem Tisch, den Susanne ihm bei anderer Gelegenheit geschenkt hatte, weil sein Dienstlocher regelmäßig verschwand. Selbst dessen deutliche Beschriftung hatte gegen die Entwendung durch andere, sicher sogar subalterne, wahrscheinlich nicht einmal verbeamtete Kräfte nichts ausgerichtet.

Auf Kühns Schreibtisch warteten einige Mappen und ein paar ausgedruckte Mails. Nachdem er sein Büro vor einigen Tagen zum ersten Mal seit seinem Zusammenbruch wieder betreten hatte, warteten diese Angelegenheiten auf Erledigung. Da war zum einen die Vorladung für die Verhandlung gegen Roger Kocholski, der seinen Großvater erschlagen und die Tat anschließend zu verschleiern versucht hatte. Kühn hatte ihn in einer Befragung zahlreicher Lügen überführt und den geistig wenig beweglichen Kocholski zu einem Geständnis gebracht. Zwar hatte der Bodybuilder dieses Geständnis vor zwei weiteren Beamten wiederholt, es aber wenig später widerrufen und Kühn sogar aus der Untersuchungshaft heraus der Körperverletzung im Amt beschuldigt. Das hatte Wellen geschlagen, auch wenn Kocholski offensichtlich log.

Aber Kühn hatte genau in jenen Tagen dem Neonazi-Anführer Norbert Leitz vor Dutzenden von Zeugen und vor laufenden Handy-Kameras auf einer Demo die Nase gebrochen. Eine Privatangelegenheit, fand Kühn, der kurz darauf lernen musste, dass es im Zeitalter der sozialen Medien keine Privatangelegenheiten mehr gibt. Der Film verbreitete sich ebenso schnell wie das Gerücht, der Hauptkommissar erfoltere sich Geständnisse.

Sowohl der Fall Kocholski als auch die Sache mit Leitz wollten kein Ende finden. Kocholski nahm später den Vorwurf der Körperverletzung zwar zurück, beteuerte dafür aber umso hartnäckiger seine Unschuld und behauptete, sämtliche Indizien seien ihm untergeschoben und für das Geständnis sei ihm von Kühn Geld geboten worden. Offenbar decke der korrupte Polizist den wahren Täter, der beide, Kühn und ihn, schmieren wolle.

Die Sache mit Leitz hingegen verharrte in einem merkwürdigen Schwebezustand. Obwohl es reichlich Zeugen für den Gewaltausbruch Kühns und sogar diesen Film gab, erstattete Leitz keine Strafanzeige wegen gefährlicher Körperverletzung. Es wäre dem demagogisch talentierten Leitz nicht schwergefallen, Kühns Karriere zu schaden, aber Leitz tat es nicht. Zuerst hatte sich Kühn darüber wochenlang den Kopf zerbrochen. Aber Susanne überzeugte ihn schließlich davon, dass er es damit gut sein lassen solle. Es sei Schnee von gestern. Teil einer unerfreulichen Episode, man müsse nach vorne sehen. Und das machte Kühn.

Jetzt setzte er sich auf seinen Stuhl, dessen schiefe Armlehnen auch in seiner Abwesenheit nicht erneuert worden waren und sah auf den kleinen Papierstapel vor sich. Zuoberst lag die Vorladung zum Gerichtstermin mit Kocholski in zehn Tagen. Darunter befand sich der Ausdruck einer Einladung zu einem Führungskräfteseminar. Alle der knapp 2500 Münchner Kommissarinnen und Kommissare mussten wenigstens einmal im Jahr dahin. Die Veranstaltungen dienten der Motivation und der Weiterbildung sowie der Vertiefung des kollegialen Zusammenhalts, die in der Regel abends an der Hotelbar stattfand. Erfahrene Fahnder und administrativ weisungsbefugte Direktoren versuchten sich dann an der Ermittlung und Ergreifung von Kolleginnen, die nach dem Genuss von Weißweinschorle für investigative Befragungen und Leibesvisitationen mehr oder weniger empfänglich waren. Oder umgekehrt. Es kam dabei allerdings meistens zu rein gar nichts, weil die körperlichen Vorzüge der Polizisten häufig von ihren Schnauzbärten oder Bierbäuchen oder beidem nahezu vollständig verdeckt wurden oder die Kolleginnen früh ins Bett gingen, um ein gutes Buch zu lesen oder noch mit ihren Kindern zu telefonieren. Trotzdem gab es nicht wenige Führungskräfte, die die Fortbildung schätzten und das Miteinander mochten. Schließlich sah man sich sonst nur in Eile auf dem Flur. Und man konnte sich fantastisch über andere Kollegen austauschen. Oder über Vorgesetzte. Und man wurde für einen ganzen und einen halben Tag freigestellt. Und man konnte zu Hause noch einmal darauf hinweisen, eine Führungskraft zu sein, was manchen Gattinnen oder Gatten, geschweige denn den Kindern, nicht immer bewusst war.

Kühn war vor Jahren mit der Erreichung der Besoldungsgruppe A 9, Polizeikommissar, zur Führungsperson aufgestiegen und somit bereits häufig in den Genuss dieser Ereignisse gekommen. Normalerweise fand man sich dazu mit 299 weiteren Polizeiangehörigen in einem größeren Kongresshotel ein, und jedes Mal, wirklich jedes Mal begann der Albtraum dieser Veranstaltungen beim Einchecken im Hotel mit der Bemerkung der Rezeptionistin, man fühle sich im Hotel jetzt absolut sicher, wo doch so viel Polizei da sei. Ebenfalls bereits mehrfach war darauf hingewiesen worden, dass das Verbrechen in der Landeshauptstadt nun vermutlich leichtes Spiel habe, weil sämtliche Polizei in den Konferenzräumen Frankfurt, Kapstadt, Lyon und Oslo über Neuigkeiten im Bereich der Schleierfahndung, der Herstellung von Crystal Meth, der Digitalisierung des Verbrechens und den Fortbildungsmöglichkeiten im höheren Dienst informiert wurde und sich deshalb gerade nicht im Dienst befand.

Wenn der theoretische Teil des Führungskräfteseminars beendet war, gab es Kaffee und Kuchen, danach wurden die Damen und Herren in Gruppen aufgeteilt und mussten gemeinsam Probleme lösen. Kühn hatte bereits Staudämme und Brücken aus Klaubholz gebastelt. Er hatte in einem quälend langen Prozess mit engagierten Dienststellenleitern an spieltheoretischen Aufgabenstellungen herumgetüftelt und sich bei einer Übung in einem feuchten Waldgebiet entscheiden müssen, wen er lieber retten wollte: Herrn Boesmiller und das Lösegeld oder Frau Harthge und ihr plastikgewordenes Baby. Einmal hatten sie sich auch gegenseitig die Gesichter bemalt. Jeder in der Gruppe musste dabei entscheiden, wen er mit welchem Farbton beschmierte. Interessanterweise waren hinterher die allermeisten Teilnehmer recht bunt im Gesicht. Nur

Kühn war durchgehend grün bemalt worden. Der beobachtende Psychologe hatte Kühn anderntags eine Mail mit der Bitte um ein Gespräch geschickt, aber Kühn reagierte nicht darauf.

In einer Art Duldungsstarre hatte er auch den gemeinsamen Versuch, ein Bauernbrot zu backen, und die Weinkrämpfe gestandener Polizisten bei der Familienaufstellung ertragen und versuchte auch nicht mehr, den Veranstaltungen zu entkommen. Er hatte mehrfach probiert, seine Teilnahme mit dem Argument zu verhindern, dass die Verbrecher auch keine Führungskräfteseminare besuchten und stattdessen durchgehend den Betrieb laufen ließen. Aber erstens gab es zu wenige Tötungsdelikte, um diese Behauptung glaubwürdig zu untermauern, zweitens versuchten das einfach zu viele Kollegen, und drittens wurden nie sämtliche Kommissare einer Dienststelle gleichzeitig eingeladen. Außerdem war für ein krankheitsbedingtes Fernbleiben ein Attest nötig, das man nur erhielt, wenn man zum Arzt ging. Was Kühn noch mehr verabscheute als Führungsseminare.

Er legte die Einladung zur Seite und hob den dritten Ausdruck hoch. Dabei handelte es sich um die wiederholte und dringende Bitte, beim Arzt vorbeizuschauen. Das war eigentlich sogar eine Dienstanweisung. Sein Wiedereintritt war mit einem Rundum-Check verbunden gewesen, für den er alle möglichen Tests einschließlich einer beeindruckend miserablen Schießübung absolviert hatte. Dann war er wieder zur Arbeit gegangen. Das Gespräch über die Laborergebnisse wollte er nicht führen. Keine Zeit, keine Lust und außerdem roch es bei diesem Arzt merkwürdig. Er knüllte das Papier zusammen und warf es weg.

Kühn wusste, dass er genauso handelte wie ein hoch verschuldeter Bodybuilder, der seine Mahnungen nicht mehr öffnete. Aber anders als Kocholski würde er nun nicht losziehen und jemanden umbringen. Er wollte einfach nur seine Arbeit machen. Und die Leute finden, die den jungen Mann von der Tramhaltestelle zu Tode geprügelt hatten.

Seit er zu Steierer ins Auto gestiegen war, arbeitete Kühn, spielte Möglichkeiten durch, setzte in Beziehung, was er sah und was er fühlte. Auf den ersten Blick schien es kein Raubüberfall zu sein. Eher so etwas wie ein Wirbelsturm, der über den schmalen Körper des Mannes hinweggezogen war und ihn verwüstet hatte. Warum dort? Das Zufallsopfer betrunkener Täter? Das Oktoberfest hatte begonnen, und die Stadt schien zu vibrieren vom Getöse der Fahrgeschäfte und Bierzelte. Und wenn die Zelte schlossen, rollten die jüngeren Besucher der Wiesn wie eine riesige Büffelherde jeden Abend durch die Innenstadt. Da gab es Schlägereien, da mischten sich in den schlimmen Momenten des gemeinsamen Rausches Blut und Erbrochenes vor den Klubs, bis morgens die Stadtreinigung alles wegspritzte. Kein Baum und kein Strauch waren vor dem Urin der Betrunkenen sicher. Aber dort draußen? An dieser einsamen Haltestelle an der Großhesseloher Brücke? Da kam nachts kaum ein Mensch vorbei.

Gerade als Kühn aufstehen wollte, um sich einen Kaffee zu holen, erschien Steierer. Sie kannten sich lange, und Steierer klopfte nicht an. Sie waren sich so vertraut, dass Steierer fühlte, wenn er Kühn in Ruhe lassen musste und wann Kühn seine Gesellschaft brauchte, um sich selbst anzukurbeln und ins Denken zu kommen. Gerade in dieser frühen Phase war das wichtig. Es lagen noch keine Ergebnisse vor, die Automatismen kamen gerade erst in Gang.

»Ich dachte gerade, vielleicht fehlt er ja in einem Flüchtlingsheim oder einem Studentenwohnheim. Dann wird er nicht so schnell als vermisst gemeldet, wie wenn er bei seinen Eltern wohnt. Und dass seine Brieftasche fehlt, ist komisch. Wenn sie irgendwo in der Nähe im Gebüsch liegt, dann finden wir sie«, sagte Steierer.

Kühn nickte.

»Wir haben auch seine Fingerabdrücke genommen. Ulrike kümmert sich darum. Und Pollack überprüft noch einmal sämtliche Notrufe. Ich habe allen gesagt, dass wir in einer Stunde mal zusammentragen, was es gibt. Ach ja, und Globke will dich sprechen.«

Kühn trommelte eine Rakete mit den Zeigefingern auf seine Schreibtischplatte. Globke. Bisher war er dem seit seiner Rückkehr aus dem Weg gegangen. Staatsanwalt Hans Globke wirkte, auch wenn er viel jünger war als Kühn, auf eine eigentümliche Art bedrohlich auf ihn. Nicht direkt einschüchternd, eher herausfordernd. Die arrogante und dabei äußerst fürsorgliche Art des Juristen konnte Kühn nicht deuten, dieser immer etwas zu stark duftende zarte Globke war ihm ein Rätsel. Es war, als schaute der durch ihn hindurch. Und das mochte Kühn nicht, weil er selbst diese Kunst bei anderen ebenfalls beherrschte. Kühn genoss die Vernehmungen oder Befragungen von Zeugen und Verdächtigen, weil er immer mehr sah und verstand, als denen lieb war. Er spürte, dass sie sich ihm ausgeliefert sahen. Und er selber sah sich Globke ausgeliefert.

Er nahm den Telefonhörer zur Hand und wählte die

Kurzwahlnummer von Globkes Büro. »Hier ist Kühn, Staatsanwalt Globke möchte mich sprechen«, sagte er. Er hörte zu, sagte »hm« und »okay« und »ja« und legte auf. Steierer war inzwischen ans Fenster getreten und blickte hinaus. Insgeheim war er ein wenig betrübt darüber, nichts aus dem Gehörten herauslesen zu können. Deshalb fragte er: »Was Wichtiges?«

»Keine Ahnung«, sagte Kühn. »Ich gehe gleich mal zu ihm.«

Er wusste, worauf Steierer anspielte. Das Postenkarussell im Präsidium war in Bewegung, ein Erster Hauptkommissar wurde gesucht. Einige Kollegen hatten sich auf den Posten beworben, auch Kühn, eher widerwillig. Aber Susanne war der Meinung gewesen, dass man überhaupt nur wahrgenommen werden könne, wenn man seinen Hut in den Ring warf. Er rechnete sich aber geringe Chancen aus, denn erstens hatte er nicht studiert, zweitens war er ein hoffnungslos altmodischer Ermittler, dem jede Begeisterung für Fortbildung fehlte, und drittens hatte er gerade eine Auszeit wegen eines offensichtlichen Burn-outs hinter sich und galt als psychisch labil.

»Hast du dich eigentlich auch beworben?«, fragte Kühn unvermittelt. Er war bisher nicht auf die Idee gekommen, dass Steierer womöglich Ambitionen hatte, die ihm als dem Älteren eher zugestanden hätten. Aber gerade Steierers mühsam ausgestellte Beiläufigkeit, die Art, wie er da scheinbar desinteressiert herumstand und aus dem Fenster blickte, machte Kühn mit einem Mal klar, dass der Kollege etwas vor ihm verbarg. Steierer zuckte mit den Schultern. »Na ja. Schon. Man kann's ja mal probieren«, sagte er so beiläufig, als habe er im Roulette fünf Euro auf Rot gesetzt. *Bitte. Nicht auf doof machen. Natürlich willst du den Job haben. Ist doch auch in Ordnung. Ich war lange weg. Du warst in der Zeit Dienststellenleiter. Du bist gut. Aber dann steh doch auch dazu. Meinst du, ich hätte nicht gespürt, dass du ständig nach oben guckst? Dass du anders mit den Kollegen umgehst, seit ich wieder da bin? Dass du ein paar der festen Termine geändert und ein bisschen auf Abteilungspapa gemacht hast? Habe ich doch sofort gemerkt. Da waren ein paar richtig enttäuscht, als ich wieder durch die Tür bin. Und du hast sie vor mir in Schutz genommen. Ist doch okay, Steierer. Aber steh dazu.*

Kühn stand auf und sagte: »Ich geh mal rüber.«

Er nahm sich vor, nicht nach diesen Personaldingen zu fragen. Das waren ohnehin nicht Globkes Angelegenheiten, und er wollte sich nicht kleiner machen, als er war. Das hätte bei fast zwei Meter Körpergröße auch seltsam ausgesehen. Globke maß keine eins achtzig.

Kühn traf Globke im Vorzimmer seines Büros an, wo er seiner Sekretärin offenbar einen Kurzvortrag über zweifach gerösteten südamerikanischen Kaffee hielt, was sie tapfer durchstand. Als er den Hauptkommissar sah, brach er ab und rief: »Herr Kühn! Sie funkelnder Diamant im Kiesbett der deutschen Kriminologie.« Kühn überkam sofort die Ahnung, veralbert zu werden. Gleichzeitig hing er der Formulierung nach und freute sich über die Wertschätzung. *So einfach sind Menschen zu verführen.* Globke gab ihm die Hand und zog ihn in sein Büro. Er deutete auf die abgewetzte Sitzgruppe und wies Kühn einen kleinen Sessel zu. Kühn sah von da aus in das helle Fenster hinter Globkes Schreibtisch. Der Staatsanwalt hingegen setzte sich auf den

Sessel gegenüber und blickte in Kühns gut ausgeleuchtetes Gesicht. Vom Tageslicht geblendet konnte Kühn Globkes leicht ovalen Kopf mit den wenigen Haarbüscheln als Umriss erkennen, nicht aber, was sich in dessen Gesicht abspielte. Für Kühn sah es aus, als unterhielte er sich mit einem Ei. *Der älteste Trick der Welt: Setz dich so, dass der andere dich nicht sieht. Globke. Die coolen Säue machen es andersrum. Musst du noch lernen.*

»So. Ich bin da«, sagte Kühn und streckte beide Hände nach außen. »Bisher kann ich Ihnen noch gar nichts sagen. Junger Mann, keine Papiere. Vermutlich mehrere Täter. Fremdenfeindlicher Hintergrund nicht ausgeschlossen. Sobald wir wissen, wer da bei Graser in der Rechtsmedizin liegt, können wir loslegen.«

Der Eierkopf schien sanft zu nicken. »Das ist gut, Herr Kühn. Aber ich wollte Sie gar nicht deswegen sprechen.«

»Sondern warum?«

»Wie geht es Ihnen?«

Kühn widerstrebte es, mit Globke über sein Befinden zu sprechen. Andererseits entnahm er dem warmen Ton des Staatsanwalts eine echte Anteilnahme. Und das fühlte sich gut an.

»Danke, so weit ganz gut. Ich bin froh, dass ich wieder zurück bin. Es war keine schöne Zeit. Aber am Ende bin ich nicht unterzukriegen«, fügte Kühn unbestimmt hinzu. Es war ihm nicht ganz klar, wohin diese Unterhaltung führen sollte. Er stocherte mit Worten im Nebel.

»Das freut mich, Herr Kühn. Ich arbeite gerne mit Ihnen zusammen. Sie verstehen die Leute, Sie sind aus der Mitte der Gesellschaft. Das ist wichtig, weil die Mitte groß ist. Und weil sie in Gefahr ist.«

»Ich verstehe nicht ganz, was Sie damit meinen«, sagte Kühn.

»Wir leben in prekären Zeiten. Die Menschen haben Angst vor dem sozialen Abstieg. Sie fangen an, sich gegenseitig zu bekämpfen, um nicht von der Leiter zu fallen. Der gesellschaftliche Firnis reißt. Spüren Sie das nicht auch?«

Kühn dachte einen Moment darüber nach, was ein Firnis war. Aber er verstand auch so, worauf Globke hinauswollte. »Ja, manchmal«, antwortete er. Natürlich hatte er bemerkt, dass in den Weberarcaden die Bäckerei einem Selbstbedienungsbackshop gewichen war. Dass er während der Schulferien im Sommer ständig Nachbarn begegnet war, die auch nicht in den Urlaub gefahren waren. Und dass das Klima auf der Weberhöhe rauer geworden war. Die Angst der Abzahler vor dem Wertverlust ihrer Häuser hatte sie empfindlicher werden lassen. Gegen Graffitis ebenso wie gegen Ausländer. Und empfänglicher für Leute wie Norbert Leitz. Es war Kühn auch nicht entgangen, dass es mehr Schwarzfahrer in der S-Bahn gab. Ganz normale Leute, keine Jugendlichen mit Abenteuerlust oder desorientierte asiatische Geschäftsleute, die den Fahrscheinautomaten nicht verstanden hatten, sondern Menschen, die sich das Monatsticket sparten und auf Risiko einstiegen. Die Scham hatten sie auszuhalten – vor den Mitreisenden, wenn sie erwischt wurden. Und vor sich selber, wenn sie unentdeckt blieben. Natürlich registrierte Kühn, dass seine Mitte schwankte. Das musste Globke ihm nicht sagen.

»Wissen Sie, welche Konsumgegenstände boomen, wenn die Zeiten schlechter werden?«, fragte Globke.

»Nein.«

»Man merkt, dass es mit einer Gesellschaft bergab geht, wenn zwei Dinge häufiger gekauft werden als sonst: Lippenstifte und Hundefutter in Dosen.«

Das mit den Lippenstiften leuchtete Kühn ein. Es war die günstigste Art, sein Elend zu übermalen. Wenigstens im Gesicht.

»Hundefutter?«

»Ja. Es werden übrigens nicht mehr Hunde gekauft.« Globke hatte den ironischen Ton, den Kühn an ihm so wenig mochte, völlig abgestellt. Er klang teilnahmsvoll und ernst. So kannte Kühn den jungen Staatsanwalt nicht. Bisher hatte er ihn für einen völligen Lackaffen gehalten.

»Wir befinden uns sozusagen in einer Zeit des Übergangs«, fuhr Globke fort. »Das untere Drittel der Bevölkerung ist bereits per Definition arm. Und das mittlere Drittel rutscht nach. Die soziale Wunde eitert von unten nach oben.« Er machte eine Pause, um die Wirkung dieses Satzes zu verstärken. »Und wissen Sie, was daran sehr merkwürdig ist?«

»Nein«, sagte Kühn. »Aber ich muss dann auch gleich wieder los, in der bürgerlichen Mitte nach Verbrechern suchen.«

»Gleich. Ich sage Ihnen noch, was merkwürdig ist: dass Sie ebenfalls davon erfasst werden, obwohl Sie mit Ihrer Besoldung bereits zu den Einkommensreichen der Mittelschicht gehören.«

Das fand Kühn in der Tat erstaunlich. Von den 3421 Euro, die er verdiente, blieben ihm nach Abzug sämtlicher Kosten kaum 500 Euro zum Leben. Ein neues Auto anstelle seines fahruntüchtigen Subaru war eine Art Lebensaufgabe. Geburtstagsgeschenke durften im Hause Kühn fünfzig Euro kosten, Weihnachtsgeschenke pro Person hundert. Für den Urlaub wurde gespart, für den neuen Fernseher wurde gespart, für das Alter wurde gespart, überhaupt wurde ständig gespart. Sogar beim Rasierschaum und beim Klopapier. *Gerade* beim Rasierschaum und beim Klopapier.

»Herr Doktor Globke, das ist interessant, wirklich. Ich werde darüber nachdenken, während ich auf der Hühnerleiter der Armut nach unten trete und nach oben buckele. Aber jetzt habe ich keine Zeit mehr. Ich muss meine Arbeit machen.«

»Ich wollte Ihnen eigentlich nur meine Wertschätzung dafür ausdrücken, dass Sie als Angehöriger des Pendlerprekariats die Werte einer Gesellschaft verteidigen, zu der Sie bald nicht mehr gehören. Das klingt jetzt alles grausam, aber Sie könnten ja auch Ihre Moralvorstellungen Ihren Lebensumständen anpassen.«

Was soll das heißen? Bloß weil ich nicht mit einem goldenen Löffel im Arsch auf die Welt gekommen bin, stehe ich unter dem Generalverdacht der Verrohung oder der Korruption? Du Arsch. Ich bin Polizist, ich bin Beamter. Ich habe eine Aufgabe. Und der werde ich jetzt nachgehen. Das ist mein Beruf. Und ich werde dir ganz sicher nicht die Genugtuung verschaffen und vor dir den beleidigten Prolo-Beamten spielen.

»Ich kenne niemanden in meiner Umgebung, der nicht hinter der freiheitlich-demokratischen Grundordnung stünde. Wenn Sie das meinen. Ich gehe den Dingen ohne Ansehen von sozialen Unterschieden nach. Sie sind mir egal. Ich nehme sie zur Kenntnis, ich muss damit umgehen.«

»Ja, ich wollte auch wirklich keinen falschen Zungenschlag in die Unterhaltung bringen. Im Grunde wollte ich mich nur dafür bedanken, dass wir so gut zusammenarbeiten, und dafür, dass Sie einen geraden Rücken haben. Irgendwie bekomme ich es nicht hin, so etwas ohne schiefe Töne herauszubringen. Und da ist es mir wichtig, Ihnen zu vermitteln, dass ich Sie für einen richtig guten Polizisten halte. Und dass ich mir wünschen würde, dass Sie diese Beförderung bekämen, von der bei Ihnen gerade die Rede ist.«

Diese nächste plötzliche Kehrtwendung und die Zugewandtheit in Globkes Stimme versöhnten Kühn augenblicklich mit der Beleidigung als Prekariatspendler, auch wenn Kühn diese noch gar nicht richtig dechiffriert hatte.

»Danke, Herr Globke, das ist freundlich von Ihnen. Und es kommt überraschend.«

»Da ist noch etwas, Herr Kühn. Es steht mir nicht zu, Ihnen das zu sagen, ich bin ja nicht Ihr Dienstherr und auch nicht Ihre Frau, aber ich weiß, dass Sie noch nicht bei Dr. Klingler waren.«

Was soll das? Bei Klingler? Wer ist Klingler? Ach so, dieser Amtsarzt. Die Untersuchung. Jetzt kommt der auch noch damit an. Ich habe zu tun, Mann Gottes.

»Woher? Und was ist daran so wichtig?«

»Es ist ein Zufall, aber Reinhard Klingler und ich sind bei den Rotariern, und da hat es sich neulich ergeben, dass wir über Sie sprachen, dass wir Sie beide kennen, wie gesagt ein Zufall, ein Wort gab das andere, und er zeigte sich verärgert, weil Sie dienstlicherseits zu ihm gemusst hätten und er nun schon seit Wochen wartet. Er hat mir nichts Näheres gesagt, aber er sitzt auf Ihren Untersuchungsergebnissen, und glauben Sie mir: So, wie er neulich klang, wird er bald eine Beschwerde einreichen, und das können wir nicht gebrauchen. Sie sind zu wichtig und die Vorschriften klar.

Ohne sein Okay dürften Sie nicht einmal einen Kaffee auf der Dienststelle trinken, geschweige denn in einer Mordsache ermitteln.«

»Mir geht es fabelhaft. Aber danke für den Hinweis, ich werde gleich bei Klingler anrufen. Gleich wenn ich wieder drüben bin. Jetzt muss ich nämlich zurück in meine kleine Welt, in der Steuervermeidung und Champagner-Abusus vollkommen unbekannt sind und wo immer nur geprügelt und mit stumpfen Gegenständen gemordet wird.«

Damit erhob er sich und klatschte ungeduldig in die Hände.

Globke stand ebenfalls auf und sagte: »Ich freue mich, dass Sie diesen spezifischen Underdog-Humor über Ihrem Burn-out nicht verloren haben, Herr Kühn. Ich mag es, wie Sie nach oben schauen und zuschnappen. Wir hatten mal einen Hund, der das gemacht hat. Von unten rauf und zuschnappen.« Globke war wieder in den Arschlochmodus zurückgekehrt. »Und übrigens, apropos Ihre kleine Welt: Haben Sie schon Kenntnis von der Erpressung in Ihrer Wohngegend?«

»Was für eine Erpressung?«

»Die REWEKA-Filiale in den Weberarcaden hat vorhin ein Schreiben weitergeleitet, in dem jemand behauptet, er habe einen Joghurt vergiftet. Er fordert eine halbe Million Euro. Ganz schön was los bei Ihnen da draußen.«

Sie verabschiedeten sich förmlich, und Kühn ging zurück in seine Abteilung. Er stellte unterwegs fest, dass ihm die besten Erwiderungen immer erst fünf Minuten nach einem Gespräch einfielen. *Pendlerprekariat. Was für ein Arschloch.*

Auf dem Weg in sein Büro rief Susanne an. Sie wollte

wissen, ob Kühn an den Elternabend für die Klassenfahrt ihres Sohnes nach Rom denken würde. Ausdrücklich sei dort das Erscheinen beider Eltern erwünscht. Es ginge um Verhaltensregeln und das Kulturprogramm. Niko sei es auch wichtig, dass sie gemeinsam hingingen. Sie redete ungefähr fünf Minuten, ohne dass Kühn etwas sagte. Schließlich fragte sie ihn noch einmal, ob er an den Elternabend denke. Kühn erwiderte, dass er an nichts anderes denken könne, aber nicht wisse, ob er rechtzeitig zu Hause sei, weil sie ein Tötungsdelikt hätten. »Ein junger Mann, wahrscheinlich so in Nikos Alter. Sieht nach einem Südeuropäer oder einem Nordafrikaner aus. Vielleicht ein Flüchtling.«

»Ach je, was ist mit ihm geschehen?«, fragte Susanne, die es seit zweieinhalb Jahrzehnten gewohnt war, dass es nie erfreulich klang, wenn ihr Mann etwas von der Arbeit berichtete, was immer seltener vorkam. Er sagte nie, dass sie jemanden gerettet hatten. Dass er einen schönen Hund gesehen, ein großes Eis gegessen habe oder einfach Spaß mit Kollegen hatte. Sein Alltag spielte sich in seelischen Abgründen ab, an den Tatorten und im Präsidium bei künstlichem Licht. »Das möchtest du lieber nicht wissen«, antwortete Kühn, der nicht wollte, dass Susanne seine Lasten trug. »So schlimm?«, fragte sie. »Schon sehr, ja. Wir wissen aber noch nicht viel. Er wurde heute früh an einer Straßenbahnhaltestelle in Harlaching gefunden. Aber ich versuche, pünktlich zu sein, okay?«

Steierer wartete auf ihn und drängte zur Mittagspause. Dann standen sie schweigend in der Kantine und schauten auf die Tafel mit dem Speiseangebot. Nach einer kostengünstigen Renovierung sah das Betriebsrestaurant aus wie eine Mischung aus einer Blockhütte und einem Gartencenter. Der Begriff »Stammessen« war in diesem Zusammenhang ersetzt worden durch das wesentlich zeitgemäßere »Urban Choice Meal«, und das tägliche Angebot wurde mit einem Filzstift auf eine Tafel geschrieben, dessen Schrift aussah wie Kreide. Außer den täglich wechselnden Hauptgerichten enthielt die Tafel kleine Zeichnungen wie Kakteen, wenn es was Mexikanisches gab, oder einen Wikingerhelm, wenn Fisch auf dem Programm stand. Jemand hatte außerdem mit einem weißen Edding ein behaartes Skrotum, einen unverhältnismäßig langen Penis und zwei daraus entweichende Tropfen hinzugemalt. Da sich diese Ferkelei nicht auswischen ließ, stand sie nun seit Wochen ständig mit auf der Tageskarte. Die Gleichstellungsbeauftragte hatte den Polizeirat bereits darauf hingewiesen und dieser daraufhin ein Memo verfasst, dass die unreife Schmiererei den Steuerzahler Geld koste und man nicht beabsichtige, diesen Fall von behördeninternem Vandalismus einfach so hinzunehmen.

Dieses Memo war insofern eine kleine Dummheit, als es noch am selben Tag in sämtlichen Lokalredaktionen der Münchner Zeitungen landete und dort Anlass für maliziöse Geschichten lieferte, in denen der Polizeiapparat wie ein Haufen von chauvinistischen Ferkeln in Uniform wirkte.

Montag: Gebratene Hähnchenbrust mit Meerrettichkruste an Kartoffelwürfeln, 7,90 Euro.

Dienstag: Penne mit Spinat und Feta in Sahnesauce, 6,90 Euro.

Mittwoch: Vegetarische Currywurst mit Süßkartoffelwedges, 5,50 Euro.

Donnerstag: Gefüllter Schweinerücken auf Bohnengemüse, dazu Kartoffeltaler, 8,10 Euro.

Freitag: Pangasiusröllchen auf Paprikarisotto und Tomatensauce, 7,90 Euro.

»Was bitte soll eine vegetarische Currywurst sein?«, fragte Steierer.

»Das sage ich dir, wenn du mir sagst, was Wedges sind«, sagte Kühn.

»Der Pangasius ist angeblich gar kein Fisch, sondern so etwas Ähnliches wie Sülze. Da wird einfach alles reingebatzt, was sie aus dem Meer holen. Und dann wird das in Form gepresst. Industriell. Wie die Sägespäne bei Ikea.« Steierers wenig sachkundiges Geschwätz nervte Kühn. Es störte ihn, dass sein Kollege nicht ansprang, dass er sich Zeit nahm für diesen Speisefisch, aber offenbar nicht über ihre Aufgabe nachdachte. Außerdem ging ihm das Gespräch mit Globke durch den Kopf. Und diese Lebensmittelerpressung. Sofort verbanden sich in seinem Kopf die Leitungen, und er fragte sich, ob die beiden Fälle irgendetwas miteinander zu tun haben könnten, was er in Gedanken jedoch verneinte, während Steierer mit dem Kantinenpersonal in eine Debatte über die Herkunft des Pangasius einstieg. Schließlich einigte man sich darauf, dass er diesen Fisch oder Nichtfisch am Freitag probieren würde, und die Polizisten gingen mit Currywurst und Wedges auf dem Tablett an einen Fenstertisch.

Einige Kilometer weiter westlich bekam Janina Feige ebenfalls Hunger. Sie hatte den Tag in der Schule gefehlt und war mit simulierten Regelschmerzen im Bett geblieben. Ihre Mutter Heidrun hatte sich um sie gekümmert, in der Arbeit

Bescheid gesagt, dass sie etwas später käme, und noch für den Tag eingekauft. Ein bisschen Schokolade für die Tochter, etwas Obst, einen Himbeertörtchentee zum Trost, Schnippikäse und zwei Joghurts, einmal Apfel-Guave, einmal Himbeere-Passionsfrucht. Sie stellte alles in den Kühlschrank, gab ihrer Tochter einen Genesungskuss und fuhr ins Büro.

Als Janina ganz sicher war, dass sie nicht mehr in die Schule musste, stand sie auf und sah fern. Sie aß dabei die Schokolade. In der großen Pause schickte sie einer Freundin ein Foto von sich auf der Couch und schrieb dazu: »Nur die Coole fehlt in der Schule«. Dann ging sie wieder ins Bett. Gegen Mittag wurde ihr langweilig, und sie fühlte sich schlecht, weil sie ihre Mutter angeschwindelt und außerdem die letzte Stunde vor der Bio-Klausur gefehlt hatte. Also beschloss sie, sich den Stoff irgendwie durch Lernen anzueignen, und setzte sich an ihren Schreibtisch. Es ging um elektronenoptisch erkennbare Strukturen der Zelle und den Bau und die Aufgaben von Biomembranen, Chloroplasten und Mitochondrien. Außerdem um Bedeutung und Regulation enzymatischer Prozesse und die experimentelle Untersuchung des Einflusses von Substratkonzentration, Temperatur, kompetitiver und allosterischer Hemmung.

Trotzdem hielt Janina mehr als zehn Minuten durch, bis ihre Freundin zurückschrieb und ein Foto von sich bei McDonald's schickte. Da bekam Janina Appetit und ging zum Kühlschrank.

Sie öffnete ihn und schob die Sahne nach rechts, um die beiden neuen Joghurts in Augenschein zu nehmen. Passionsfrucht kannte sie, das war saures, schleimiges Zeug mit

Kernchen. Aber Guave? Davon hatte sie noch nie gehört. Sie entschied sich für ein Experiment, holte einen Eierlöffel aus der Schublade und zog den Deckel des Joghurts ab, den sie auf die Arbeitsfläche legte, anstatt ihn gleich wegzuwerfen. Ihre Mutter hatte sie tausendmal darum gebeten, aber Janina fiel das gerade nicht ein. Sie schob den zäheren Joghurt vom Rand in die Masse und rührte den Joghurt um. Dann nahm sie einen vollen Löffel. Es schmeckte gut, auch wenn sie das nicht unbedingt mit Guave in Verbindung brachte. Sie löffelte weiter, ging ins Wohnzimmer und ließ sich auf die Couch fallen, schaltete den Fernseher an und aß den Joghurt, während sie nach einem Kanal suchte, der ihr half, die Sachen mit den Zellen und Mitochondrien noch eine Weile aufzuschieben.

Wenige Minuten später wurde ihr schlecht, wahnsinnig schlecht. Sie fühlte sich wie an Silvester, als sie sich auf das Wetttrinken mit Alexander eingelassen und verloren hatte. Sie rief Lena an, ihre Freundin. Um sich abzulenken und weil sie Angst bekam. Als Lena an ihr Handy ging, konnte sie fast nichts verstehen, denn Janina keuchte nur und redete etwas vom Kranksein und dass sie sich übergeben müsse. Dann hörte Lena einen Knall, das war Janina, die auf den Couchtisch gefallen war. Lena rief ein paarmal Janinas Namen, aber da war nichts mehr außer dem Geräusch des Fernsehers, in dem sich ein Pärchen mit einem Polizisten stritt.

Lena rief die Notrufnummer an. Sie erklärte der Frau in der Zentrale, dass ihre beste Freundin offenbar gerade in ihrer Wohnung umgekippt sei, sie gab die Adresse durch und versuchte dann, Janinas Mutter zu erreichen, aber sie musste erst jemanden finden, der ihre Nummer hatte. Währenddessen fuhr ein Notarztwagen in die Weberhöhe, hielt vor einem der Hochhäuser nahe der Arcaden, klingelte an der Wohnung der Feiges, und als niemand öffnete, brachen die Sanitäter gemeinsam mit dem Hausmeister die Tür auf. Sie fanden Janina bewusstlos im Wohnzimmer, der Notarzt stellte eine Störung der Atmung fest, offenbar hatte sie schon mehrfach und länger ausgesetzt, das Gehirn wurde nicht ausreichend mit Sauerstoff versorgt, ihre Haut schimmerte blau. Aber das Mädchen lebte, auch wenn sich der Blutdruck kaum noch messen ließ. Der Arzt begann sofort mit der Wiederbelebung, er pumpte Sauerstoff in das dünne Mädchen, um sie vor dem Ersticken zu bewahren.

Janina reagierte kurz, dann versagte ihr Kreislauf, und sie fiel ins Koma.

5. DER FERNSEHER

Kühn und Steierer bogen nach einem Kurzaufenthalt an der Kaffeemaschine in den Konferenzraum ein, in dem die anderen schon warteten. An der Magnetwand klebte das Foto eines jungen Mannes. Daneben Bilder vom Tatort. Kühn verbrühte sich die Zungenspitze am Kaffee, stellte ihn auf den Tisch und sagte in die Runde: »So. Meine Damen und Herren. Was gibt es Neues seit heute Morgen?«

Ulrike Leininger deutete in Richtung des Fotos und sagte: »Das Opfer heißt Amir Bilal. Geboren in München, wohnhaft in Neuperlach. Schüler, siebzehn Jahre alt.«

»Das ging ja schnell«, sagte Kühn und schob die Unterlippe vor. »Vorbestraft?«

»Ja, deswegen ging es so fix. Der Junge hat ein Register von hier bis Augsburg. Alles dabei: Nötigung, Ladendiebstahl, räuberische Erpressung, Körperverletzung. Und alles mehrfach. Er war schon vor der Strafmündigkeit Intensivtäter, ist aber immer mit Ermahnungen und Sozialstunden davongekommen, zuletzt dann mit einer Bewährungsstrafe. Er stand eine Zeit lang in der Proper-Datei. Warnschussarrest wurde bei der letzten Verhandlung erwogen, aber nicht ausgesprochen.«

Zum Glück. Dann kommen die Kinder mit den richtig har-

ten Jungs in Kontakt und nehmen sich ein Beispiel. Ich habe noch nie erlebt, dass so ein Warnschussmist für irgendwas gut gewesen wäre. Andererseits: Wenn der Junge im Knast gesessen hätte, wäre er noch am Leben.

»Hat er einen Facebook-Account, Instagram, Twitter, Tinder oder sonst was?«

Gollinger hob die Hand und sagte: »Jedenfalls nicht unter seinem richtigen Namen, wir sind noch dran. Eigentlich nicht zu glauben, dass er so etwas nicht haben soll. Wenn er zu Hause einen Rechner hat, sind wir klüger.«

»Wie war noch mal das Geburtsdatum?«

»Das hatte ich noch gar nicht gesagt«, sagte Ulrike Leininger. »Er ist am 3. Dezember 2000 geboren.«

»Also nicht am 23. 9.?«

»Nein, wieso?«

»Weil das Datum auf seinem Feuerzeug steht«, sagte Steierer. »Wenn es nicht sein Geburtstag ist, was ist es dann? Der Geburtstag seiner Freundin? Ein Jahrestag? So etwas?« Steierer nahm die Tüte mit dem Feuerzeug in die Hand und sah es sich an. Dann sagte er: »Es ist ganz neu. Wenn wir rausfinden, wo es herkommt, erzählt es uns vielleicht etwas über seine letzten Tage. Vielleicht sollten wir ein Bild veröffentlichen, vielleicht auch eines von Bilal. Und die Öffentlichkeit einbeziehen. Vielleicht hat ihn jemand gestern gesehen? Vielleicht erkennt jemand das Zippo wieder? Kann ja auch sein, dass er es bei irgendwem abgezogen hat.«

»Bei jemandem, der dieselben Initialen hat wie er?« Kühn schüttelte langsam den Kopf und betastete den Kaffeebecher mit den Fingerspitzen. Zu heiß, immer noch. »Glaube ich nicht. Und mit der Veröffentlichung sollten wir noch warten. Wir müssen erst zu seiner Familie. Vorher können wir das nicht machen. Kann ja sein, dass sich die entscheidenden Dinge dann schon geklärt haben.«

»Dann solltet ihr euch beeilen«, sagte Pollack und drehte seinen Laptop um, sodass alle auf den Monitor sehen konnten. »Der Bürgerverein Weberhöhe ist schon ziemlich gut informiert.«

Auf der Facebook-Seite des »Bürgervereins Weberhöhe«, der sich mit einem historischen Bild der Weber Zündhütchen- und Munitionsfabrik schmückte, stand eine Nachricht, die mit der Überschrift »Ein krimineller Ausländer weniger« versehen war. Kühn und Steierer beugten sich vor, um den Text darunter zu lesen. »Eilmeldung! Offenbar wurde heute Nacht in München ein krimineller Flüchtling von aufmerksamen Mitbürgern verurteilt und gerichtet. Der vielfach Vorbestrafte musste sich deutscher außerstaatlicher Gewalt beugen und bezahlte Asylmissbrauch und andere Straftaten mit dem Leben. Endlich wehrt sich München. Wir vom Bürgerverein Weberhöhe gratulieren zu Strenge und Wachsamkeit, distanzieren uns jedoch selbstverständlich von Gewaltanwendung und Selbstjustiz.«

Kühn fuhr sich durch die Haare. Der stramm rechte »Bürgerverein Weberhöhe«, der ihm im Frühsommer beinahe den Sohn genommen hatte und seitdem wie ein Geier über ihm und seiner Familie kreiste, hatte sich in den vergangenen Monaten in der Stadt ausgebreitet und Ableger gegründet. In Moosach, in Feldmoching, in Berg am Laim und in Ramersdorf gab es inzwischen ebenfalls solche Bürgervereine, und alle wurden von der Weberhöhe aus gesteuert. Das Reihenhaus von Norbert Leitz bildete den

Kommandostand, in dem laufend neue Aktionen, Demonstrationen und Presseerklärungen ausgebrütet wurden. Der Polizei und den vom Bürgerverein als »Altparteien« verspotteten Fraktionen im Stadtrat fiel zum Treiben des BüWe nicht viel ein, denn Leitz und seine zahlreicher werdenden Anhänger vermieden es geschickt, sich juristisch angreifbar zu machen. Das Facebook-Posting zu Amir Bilals Tod enthielt Ungenauigkeiten, die im faktenleeren Durcheinander sozialer Medien kaum ins Gewicht fielen, aber keinen direkten Aufruf zur Gewalt, im Gegenteil: Man distanzierte sich davon, wenn auch bloß zum Schein. Das bemüht Bürgerliche und dabei jedoch in Wahrheit jeden bürgerlichen Anstand Verhöhnende ging Kühn auf die Nerven.

»Woher wissen die das?«, fragte er mehr sich als in die Runde.

Egal wie man dazu stehen mochte, egal wie krude der Text sich las, aber: Leitz war schneller als die von ihm mit Wonne sogenannte »Lügenpresse«. Und es würden vermutlich nur noch Minuten vergehen, bis die Münchner Medien, frustriert und sauer, Einzelheiten zu diesem Fall würden haben wollen.

»Wir fahren zu dem Jungen nach Hause und informieren seine Familie«, sagte Kühn. »Haben wir eine Meldeadresse?«

»Ja, in Neuperlach«, sagte Ulrike Leininger.

»Und was machen wir mit der Öffentlichkeit?«, fragte Gollinger.

»Ulrike berichtet bei Globke den Ermittlungsstand. Ihr bereitet die Veröffentlichung eines Fotos vor. Und eine Pressemitteilung. Die halten wir aber zurück, bis ich wieder da bin.«

»Und wie begründen wir das? Sollen wir denen sagen, dass die Geschichte nicht stimmt oder dass die BüWe Informanten bei der Polizei hat, oder was?«

»Ermittlungstaktische Gründe. Scheißegal. Denk dir was aus, Gollinger. Aber ich lasse mich nicht von Leitz und seinem Nazipack treiben. Thomas und ich fahren jetzt raus nach Neuperlach.«

Damit verließ er den Raum. Es gelang ihm nicht, seine Wut über die Veröffentlichung der Tat und über den düsteren Ton der Meldung zu verbergen. Er spürte etwas, das ihn in seinem Beruf selten ereilte. Es war nichts Gutes, es sprach nicht für ihn, aber er konnte sich nicht dagegen wehren: Kühn hasste diesen Leitz. Nicht nur das, was dieser eine »Bewegung« nannte. Die war Kühn beinahe egal. Trottel gab es immer und in jeder Gesellschaft. Die musste man aushalten. Und das gelang Kühn gut. Er hatte in so vielen Wohnungen von offensichtlich blöden Zeitgenossen gestanden. Er hatte es mit so vielen dummen oder sich dumm stellenden Menschen aus allen Schichten der Gesellschaft zu tun gehabt, dass er sie irgendwann als berufliches Material akzeptiert hatte.

Er machte sich nicht mehr viele Gedanken darüber, warum jemand sein Mobiliar aus dem Fenster warf und hinterhersprang. Oder was in jemandem vorging, der sich selbst mit einer Motorsäge enthaupten wollte, aber nach dem Ansetzen doch zurückschreckte, das Werk nicht vollendete und schließlich querschnittsgelähmt im Rollstuhl landete, von der Schulter abwärts gelähmt und nie mehr imstande, sich selbst das Leben zu nehmen. Kühn kannte die Menschen, und er kannte ihre Unfähigkeit, sich selbst einzuschätzen und im richtigen Moment die richtigen Entscheidungen zu treffen. Er hatte Männern gegenübergesessen, die nur ein Mal, nur ein einziges Mal, durchgedreht waren und über sich selbst erschüttert die schlimmsten Taten beichteten. Und er hatte solche erlebt, die von Berufs wegen stahlen, verletzten, raubten und keine emotionalen Regungen gegenüber ihren Opfern erkennen ließen. Und welche, denen das Unglück ins Gesicht geschrieben stand, manchmal ein ganzes Leben lang seit der Kindheit. Aber die Täter taten ihm dennoch nie leid, auch wenn sie manchmal arme Würstchen waren, wie dieser Roger Kocholski. Er hasste sie auch nicht für ihre Verbrechen. Er versuchte einfach, die Tat als solche zu verstehen, die Gedanken oder eben Nichtgedanken dahinter. Kühn verurteilte nicht, denn das war nicht seine Aufgabe. Er ermittelte bloß. Er hörte zu, ordnete ein und übergab den Täter – fast nie die Täterin – dem Staatsanwalt, der ihn beauftragt hatte.

Und weil er seine Gefühle dabei immer im Griff behielt, wunderte er sich darüber, wie sehr ihn nun dieser Leitz und seine Bürgerwehr aufwühlten.

Es war etwas an diesem Menschen, was ihn zutiefst verstörte und beunruhigte, doch Kühn konnte es nicht greifen und rationalisieren. Es wanderte in ihm herum, und er musste sich eingestehen, dass Leitz ihn damit verunsicherte. Die Aggression, mit der er diesen kleinen schwächlichen Mann verletzt hatte, indem er ihm mit einem einzigen Kopfstoß das Tränen- und das Nasenmuschelbein sowie das linke Jochbein brach, rührte nicht nur daher, dass Leitz ihn aufs Ärgste provoziert hatte. Sie war vielmehr Ausdruck einer ehrlichen Abscheu, die so tief in Kühn veranlagt war, dass er sie kaum erklären konnte. Man hatte ihn im Laufe seiner Karriere oft geprüft, auch bespuckt, beleidigt und angezeigt. Aber nie hatte es dazu geführt, dass Kühn die Kontrolle verloren hätte. Nur bei Leitz war das geschehen, nur bei diesem kleinen kreischenden Rechtsradikalen. Kühn spürte seinem Hass nach, während er auf dem Beifahrersitz von Steierers Auto saß. Steierer referierte über die Vorteile von Hosen gegenüber Röcken, aber Kühn hörte ihm gar nicht zu.

Früher gab es diese Figuren gar nicht. Diese Nazitypen. Die gab es doch gar nicht. Einen gab es, damals auf der Realschule. Clemens Macke. Ausgerechnet Macke. Brille in Tropfenform, Anfängerschnauzer und Seitenscheitel. Immer ein Ideechen zu dick, immer zu enge Pullover. Feincordhosen. Und immer alleine oder mit dem Schulgenie unterwegs, Tobias Hammelhaus. Der war so gut in Chemie und Physik. Sie haben zusammen Sprengstoff hergestellt, aber das hat man erst erfahren, nachdem Clemens Tobias in einer Kiesgrube erschossen hat. Mit einer Glock. Wo er die wohl herhatte? Und dann kam raus, dass Clemens in so einer Nazitruppe war. Sie haben damals das ganze Elternhaus auf den Kopf gestellt und tonnenweise Papier aus seinem Zimmer geschleppt. Angeblich auch Hitlerbilder und eine HJ-Uniform. Es ist nie richtig rausgekommen, was da in der Kiesgrube passiert ist. Es hieß, Clemens wollte Tobias umbringen, weil er seine Gefühle nicht erwidert hat. Oder weil Tobi bei den Neonazis nicht mitmachen wollte. Macke hat gesagt, er habe ihm nur die Waffe gezeigt, und es sei ein Unfall gewesen. Aber nachdem sie auch noch eine Rohrbombe unter seinem Bett gefunden haben, hat das Gericht ihm nicht geglaubt. Er ist nach Jugendstrafrecht verurteilt worden, denn er war ja erst sechzehn damals. Mitte der Neunziger habe ich ihn noch einmal gesehen. Am Stachus. Ich habe ihn gegrüßt, aber er ist einfach weitergegangen. Außer ihm gab es doch damals keine Rechten. Die Rechten damals waren bleiche Außenseiter, die beim Fußball als Letzte gewählt wurden und beim Tanzen gar nicht. Sie haben das Maul nicht so aufgerissen wie heute. Wie dieser Leitz. Vielleicht haben sie sich früher einfach geschämt. Aber das ist jetzt weg. Es gibt einen neuen Rechtsradikalismus, der sich nicht versteckt, der dir die Hand gibt, der dir bei der Autoreparatur hilft und den Kindern ein Eis schenkt. Wenn dieser Leitz sich noch einmal an Schulkinder ranwanzt, mache ich ihn fertig. Ich reiße ihm die Ohren ab. Ich lasse nicht zu, dass du ungestraft deine Bosheit in die Stadt bringst.

»Der Punkt ist der: Beim Rock hast du was von den Oberschenkeln. Aber nicht vom Hintern. Das ist jetzt eine Frage der Prioritäten. Was willst du sehen: den Hintern oder das Bein an sich? Und da bin ich pragmatisch. Die Hose gibt dir mehr von beidem. Auf jeden Fall immer Hintern und unter Umständen, je nach Schnitt, auch noch Bein. Ich bin also auf jeden Fall für Hose. Und du?«

Kühn sah aus dem Fenster und hing seinen Gedanken nach.

»Martin?«

»Ich weiß es nicht. Was hast du gefragt?«

»Du hast mir überhaupt nicht zugehört. Ich rede mir hier den Mund fusselig über die wunderschönen Details der Weiblichkeit, und du brütest mal wieder etwas aus.«

»Ja, tut mir leid, Thomas. Meinst du, es waren Rechtsradikale?«

»Du meinst, weil der BüWe so auffallend früh informiert war? Macht Sinn, finde ich auch. Wenn es keine Kameraden von Leitz waren, dann aber vielleicht doch welche, die mit ihnen in Kontakt stehen. Ich finde, wir sollten mit Leitz sprechen. Es bringt vielleicht nichts, aber wir sollten es versuchen. Also ich sollte es versuchen. Du wirst ihm wahrscheinlich nach der ersten blöden Antwort die Fresse polieren.«

Kühn drehte den Kopf und sah Steierer ausdruckslos an. Der parkte den Wagen und sagte: »Entschuldige. Ist mir so rausgerutscht.«

Das Haus, in dem die Bilals wohnten, hatte 135 Klingelschilder. Neun Etagen mit je fünfzehn Einheiten. Einige wenige Plaketten waren aus Metall, die meisten hingegen vielfach überklebt und mit Filzstift beschriftet oder was sonst greifbar gewesen war. Andere Schilder waren abgerissen oder unleserlich, als sei es den Bewohnern ganz egal, dass sie dort wohnten. Weil sie ohnehin keinen Besuch erwarteten oder sich nicht aufs Bleiben eingestellt hatten.

Steierer klingelte im achten Stock bei »Bilal«, die immerhin ein richtiges Schild besaßen und offenbar schon länger dort wohnten. Gemeldet waren vier Personen: Vater, Mutter und zwei Jungen. Die riesige Batterie von Briefkästen enthielt keine Post für Bilal. Vereinzelt quoll die Werbung aus den Klappen, und Kühn dachte kurz, ob man nicht eigentlich mal überall klingeln sollte, wo die Post schon lange nicht mehr abgeholt worden war. Nur so, zur Kontrolle, mal gucken, ob alle noch lebten. Aber dafür waren sie nicht gekommen.

Nachdem er noch zwei weitere Male geklingelt hatte, drückte Kühn versuchsweise gegen die Haustür, die sich zu seiner Überraschung mit einem lauten Klacken öffnete. Die Polizisten traten ein und gingen zum linken Aufzug, weil am rechten ein Pappschild hing, auf dem »defekt« stand.

Darüber hatte jemand mit schwarzem Kuli geschrieben: »Ihr seid alle«.

Kühn und Steierer betraten den Lift und drückten auf den wackeligen schmalen Knopf mit der Acht. Die Knöpfe auf der Konsole standen schief heraus, einige waren beleuchtet, andere nicht. Der Aufzug setzte sich in Bewegung und schaukelte die Stockwerke hoch, in ehrlichem Bemühen, aber nicht stabil in der Fahrt, dem Verschleiß geweiht. Oben, nach dem Stillstand, knallte die Kabine zwei Zentimeter nach unten, dann rappelte die Schiebetür nach rechts, und die Männer verließen die Kabine mit dem Gefühl, eine Höllenfahrt überlebt zu haben.

Sie betraten einen Flur, der zu beiden Seiten von Wohnungstüren gesäumt und von ehemals weißen Deckenleuchten schwach beleuchtet wurde. Man konnte die toten Fliegen darin sehen. Schon lange hatte sich niemand mehr die Mühe gemacht, die vergilbten Glaskörper abzunehmen und zu säubern. Wie zum Ausgleich für den Anblick dieses Friedhofs stand neben dem Aufzug ein kleiner Tisch mit einer Topfpflanze, an der sich offenbar ein Nachbarschaftskrieg abspielte: Jemand goss das Pfennigbäumchen, ein anderer steckte seine Kippe in die Erde. Dann wurde die Kippe herausgezogen und in den Papierkorb unter dem Tisch geworfen, und es wurde wieder gegossen. Und noch am selben Tag steckte wieder eine Kippe im Topf. So wie jetzt.

Kühn betrachtete das Bäumchen und den Papierkorb mit den verdreckten Kippen und fühlte, ob die Erde nass war.

Es ist ein verzweifeltes Ringen um Normalität. Du lässt dich nicht unterkriegen. Du pflegst diesen Baum tapfer und ziehst jeden Tag die Kippe heraus. Wer immer du auch bist, du machst es richtig.

Sie gingen den Flur entlang, dessen grau melierter Linoleumboden seit seiner Verlegung zu Beginn der Siebzigerjahre nicht mehr erneuert worden war und nun wellig und abgerieben vom Alter des Gebäudes kündete, ebenso wie die Wände, an denen die Bewohner Schlüssel und Möbel, aber auch Buntstifte entlanggezogen hatten. Ganz hinten am Ende des Ganges schien jemand zu sitzen. Die Person war in dem fahlen Licht kaum zu erkennen, und sie bewegte sich nicht. Da die Türen zwar Klingeln, aber keine Namensschilder trugen, entschied Kühn, zu der Person zu gehen und nach Familie Bilal zu fragen.

Als sie näher kamen, erwies sich die Gestalt als Kind. Das Kind saß auf einem Küchenstuhl über der Schwelle zur letzten Wohnung der Etage und blickte zu Boden. Die Tür hinter ihm war aus den Angeln gebrochen. Offenbar hatte sie jemand eingetreten. Kühn ging leicht in die Hocke und stützte seine Hände auf den Oberschenkeln ab.

»Hallo?«

Das Kind antwortete nicht und presste die Knie gegeneinander.

»Kannst du mir sagen, warum du hier sitzt? Sprichst du Deutsch?«

Das Kind nickte schwach, sagte aber nichts. Kühn sah, dass es sich eingenässt hatte.

»Wie lange sitzt du hier denn schon? Lange?«

Das Kind nickte abermals und hob den Kopf. Es war ein kleiner Junge. Sein weiches Gesicht war blass, die Haare standen ungekämmt von seinem Kopf ab. Er trug einen unmodischen Pullover, den er offenbar auftragen musste. Auf seinem rechten Oberschenkel lag ein alter Gameboy. Kühn mutmaßte, dass die Batterien leer waren. Vermutlich saß der Kleine schon lange da und verließ seinen Posten nicht, auch nicht, um Batterien zu wechseln. Er trug Socken, aber keine Schuhe und eine Hose, die an ihm baumelte wie eine Fahne bei Windstille. Alles an ihm sah einsam, vernachlässigt und traurig aus. Der Junge wirkte wie ein winziger Erwachsener, der einer freudlosen Tätigkeit mit großem Ernst nachging. Er sah Kühn ausdruckslos an und sagte: »Seit heute Morgen. Ich muss auf die Tür aufpassen. Meine Mama hat gesagt, ich darf nicht weggehen. Weil sonst kommt er vielleicht zurück und nimmt uns noch mehr weg.«

»Du meinst den, der hier die Tür aufgebrochen hat?«

Der Junge nickte.

»Weißt du denn, wer das gemacht hat?«

Kühn tat der Rücken weh. Er dachte darüber nach, ob er sich gerade hinstellen sollte oder auf die Knie gehen. Er beschloss, es noch ein wenig auszuhalten.

»Amir.«

»Der Amir? Ist der Amir dein großer Bruder?«

»Ja. Aber er ist weg.«

»Ich verstehe.«

Kühn nickte Steierer zu. Der nahm sein Handy aus der Jackentasche und rief in der Dienststelle an. Er ging ein paar Meter in Richtung Aufzug und bestellte einen Arzt und eine Kinderpsychologin.

»Darf ich dich fragen, wie du heißt?«

»Yunus.«

»Yunus Bilal, richtig?«

Yunus nickte und lächelte knapp.

»Yunus, ich würde dir gerne einen Vorschlag machen.

Wir beide, der Mann da und ich, wir sind von der Polizei. Wir würden dir jetzt gerne helfen und dafür sorgen, dass du hier nicht mehr sitzen musst. Und dafür erzählst du mir, was genau passiert ist. Meinst du, wir können das so machen? Wir gehen einfach zu euch rein und reden? Sieh, mein Rücken tut schon ganz weh, weil ich mich so zu dir runterbeugen muss.«

Der Junge schien über das Angebot nachzudenken. Aber er machte keine Anstalten, seinen Posten zu verlassen. »Ich darf hier nicht weg. Und ich darf niemanden reinlassen. Das hat meine Mutter gesagt.«

»Das verstehe ich. Aber wir sind von der Polizei. Wir sind ja keine Einbrecher.«

»Und wenn doch?«

»Warte, ich kann dir meinen Dienstausweis zeigen. Und meine Dienstmarke. Willst du sie mal sehen?«

Yunus sagte nichts, schien aber interessiert zu sein. Also zog Kühn seine Dienstmarke hervor, eine große ovale Messingmünze, auf der in zwei Worten »KRIMINAL POLIZEI« stand. Auf der Rückseite befand sich seine Dienstnummer. Yunus nahm sie in die Hand und betrachtete sie ausgiebig. Dann fragte er: »Haben Sie auch eine richtige Pistole?«

Kühn öffnete die rechte Seite seiner Jacke, unter der Yunus das Holster und darin die HK P7 sehen konnte. Er schloss die Jacke wieder. Yunus machte weiterhin keine Anstalten, sich vom Stuhl zu erheben. Und Kühn lag nichts daran, den Jungen vom Stuhl zu zerren und in die Wohnung zu schleppen. Wenn er sich wehrte und schrie, würde das die Sache nicht einfacher machen. Und wehtun wollte er ihm auch nicht.

»Okay, Yunus, anderer Vorschlag: Ich setze mich auf den Boden, und wir reden hier draußen. Ist das was?«

Yunus nickte. Steierer kam zurück, als Kühn sich auf den Linoleumboden setzte und sich gegen den Türrahmen lehnte. »Wollen wir nicht reingehen in die Wohnung?«, fragte Steierer ungeduldig.

»Nein, Yunus und ich sind übereingekommen, dass wir hier draußen reden. Er muss die Bude bewachen, wir respektieren das, stimmt's, Thomas?« Und zu Yunus gewandt fügte er hinzu: »Das ist mein Kollege Thomas Steierer. Er ist netter, als er aussieht.«

Steierer verzog sein Gesicht zu einem schiefen Grinsen, zog seine Hosenbeine am Knie hoch und begab sich in eine Art Schneidersitz, den er aber nach wenigen Sekunden aufgab. Er fand nicht recht in eine angenehme Sitzposition.

»Yunus, sag uns mal, wie alt du bist.«

»Acht.«

»Okay. Du müsstest eigentlich draußen mit deinen Freunden spielen. Oder Hausaufgaben machen, oder?«

»Das geht nicht. Meine Mama hat gesagt, dass ich hier sitzen muss, bis sie wiederkommt.«

»Verstehe. Und wann kommt sie wieder?«

»Ungefähr bald, wenn es langsam dunkel wird. Also nicht mehr lange.« Steierer schaute auf die Uhr. Es war 15:48 Uhr.

»Sie ist bei der Arbeit, richtig? Was arbeitet sie denn?«

»Im Supermarkt. An der Kasse und manchmal auch bei den Regalen oder im Getränkemarkt. Aber sie ist lieber an der Kasse. Sie kann ganz schnell rechnen.«

»Wie heißt denn der Supermarkt? Ist der hier in der Nähe?«

»Weiß nicht.«

Steierer verschränkte die Beine und kam sich dumm vor, immerhin saßen die Männer tiefer als der Junge, der sich in der erhöhten Position wohlzufühlen schien.

Er sagte etwas strenger: »Was weißt du nicht? Wie der Supermarkt heißt oder ob der hier in der Nähe ist?«

»Beides.«

Kühn warf Steierer einen bedauernden Blick zu. Dann wandte er sich wieder dem Jungen zu und sagte: »Bist du besorgt, wegen Amir?«

»Ich habe Angst, dass er wiederkommt und mir meine Sachen wegnimmt, um sie zu verkaufen.«

»Hat er das gemacht?«

»Ja.«

»Willst du uns erzählen, was genau passiert ist?«

»Amir und Mama haben sich gestritten.«

»Weißt du, worum es ging?«

»Amir wollte Geld haben. Aber Mama hat ihm keins gegeben. Und dann hat sie gesagt, er soll abhauen, also nicht einfach so, sondern richtig weggehen und nicht wiederkommen. Es war wegen dem Mädchen.«

»Moment, langsam, Yunus. Eins nach dem anderen. War das Mädchen Amirs Freundin?«

»Ja, er war dauernd bei ihr, und Mama mochte das nicht. Das Mädchen hat ihm ganz viel geschenkt. Und er wollte ihr auch was schenken, aber er hatte kein Geld. Und Mama wollte es ihm nicht geben. Da war er wütend, und sie haben gestritten, und am Ende sollte er seine Sachen packen und seinen Schlüssel abgeben. Und das hat er auch gemacht.«

»Bist du traurig deswegen?«

»Ja, unser Papa ist auch gegangen. Jetzt bin ich der einzige Mann im Haus.«

»Und du passt auf?«

Yunus schob die Unterlippe ein wenig vor und setzte sich gerade hin. Er würde aufpassen.

Der Aufzug knallte auf der anderen Seite des Ganges in die Etage, ein Mann stieg aus und kam auf sie zu. Er trug eine Jogginghose und Sandalen. In seiner Plastiktüte klapperten Flaschen. Schräg gegenüber schloss er seine Tür auf und verschwand in der Wohnung, ohne die Beamten und das Kind im Flur zu beachten. Yunus sah ihm lange nach und dann wieder zu Boden.

»Was ist nach dem Streit passiert?«

»Mama hat geweint, und sie war böse. Ich bin ins Bett gegangen. Ich habe an die Decke geleuchtet und etwas gelesen, und dann bin ich eingeschlafen.«

»Wann war das genau? Weißt du das noch?«

»Das war vorgestern. Und gestern ist er dann noch mal zurückgekommen.«

Steierer machte sich Notizen, um alles zu behalten. Er fragte: »Wann genau? Morgens? Mittags? Abends?«

»Nach der Schule. Ich war alleine zu Hause und habe gespielt. Da hat Amir an der Tür geklingelt. Er hatte ja keinen Schlüssel mehr. Ich habe durch den Spion geguckt und war ganz leise, damit er mich nicht hört. Mama hatte mir gesagt, dass ich ihm nicht aufmachen soll. Er hat noch mal geklingelt. Da bin ich in unser Zimmer gerannt und habe mich unter der Bettdecke versteckt. Und dann hat es einen großen Knall gegeben, und Amir ist zur Tür rein. Er ist zu mir ins Zimmer gekommen und hat gesagt, ich soll mir keine Sorgen machen, und er ist gleich wieder weg. Dann ist er ins Wohnzimmer und hat den Fernseher genommen.«

»Er hat den Fernseher mitgenommen? Warum?«

»Er hat ihn verkauft.«

»An wen?«

Yunus hob den Kopf und deutete auf die Tür schräg gegenüber. »An den Bachmann. Er hat da geklingelt, und der Bachmann hat den Fernseher abgekauft.«

Kühn und Steierer sahen sich an.

»Den holen wir gleich wieder zurück, Yunus. Was ist dann passiert?«

»Amir ist wieder in die Wohnung gekommen und hat mich umarmt und mir einen Kuss gegeben. Und er hat gesagt, dass er das Geld einfach dringend brauchen würde, und er kauft bald einen neuen Fernseher und dass es ihm leidgetan hat, dass er mich erschreckt hat. Dann ist er wieder gegangen.«

»Und als die Mama nach Hause gekommen ist, hat sie einen Riesenschreck bekommen, oder?«

»Ja, und dann ist sie zum Bachmann gegangen und wollte den Fernseher zurück. Aber der hat gesagt, er will mindestens 5000 Euro dafür, und sie soll ihm die Fernbedienung bringen. Er hat die Tür zugeknallt. Und Mama und ich haben dann gegessen. Heute Morgen ist sie zur Arbeit gegangen und hat gesagt, ich soll mich hier hinsetzen und aufpassen. Wegen Amir. Und wegen Bachmann.«

Kühn stand auf und sagte: »Yunus, das hast du gut gemacht. Das muss für dich ein schlimmer Tag gewesen sein, hm?«

Der Junge nickte, und nun standen ihm die Tränen in den Augen. Kühn strich über seine Schulter und klopfte sanft darauf. »Gleich kommen deine Mama und eine nette Frau, die sich um euch kümmert. Und auch ein Arzt. Der guckt einfach mal nach, dass dir auch nichts fehlt. Und dann sagen wir bei eurer Hausverwaltung Bescheid wegen der Tür. Es wird alles wieder gut, ja?« Er sagte das mit größter Überzeugungskraft, obwohl er wusste, dass gar nichts gut werden würde. Yunus' Bruder hatte nach dem Vorfall noch zehn oder zwölf Stunden gelebt und lag jetzt tot in der Rechtsmedizin. Kühn wusste, dass der traumatisierte Junge den Rest seines Lebens mit den Albdrücken dieses Tages würde klarkommen müssen.

Der Aufzug fiel wieder in die achte Etage, und der Arzt und die Psychologin stiegen aus. Es wurde langsam voll im Flur. Stundenlang hatte Yunus dort alleine gesessen, nun tauchten immer mehr Erwachsene auf. Er gab seinen Widerstand auf und ließ die Kinderpsychologin und den Notarzt in die Wohnung. Der Arzt war jung und freundlich und machte Späße mit Yunus, der sich das gefallen ließ, weil sich jemand so aufmerksam um ihn kümmerte.

Kühn und Steierer klingelten bei Bachmann. Einmal. Zweimal. Dann klopfte Steierer an die Tür. Seine Geduld war für diesen Tag verbraucht. Schließlich rief er: »Herr Bachmann. Öffnen Sie bitte. Hier ist die Polizei.« Dann hämmerte er hart an die Wohnungstür. Sie hörten Schritte aus der Wohnung, dann riss der Mann mit der Jogginghose sehr abrupt die Tür auf.

»Was!«

»Guten Tag, Herr Bachmann«, sagte Kühn und stellte sich und seinen Kollegen vor.

»Sie haben gestern einen Fernseher gekauft.«

»Hm?«

»Den holen wir jetzt wieder ab.«

»Naaa, holen Sie nicht. Der gehört jetzt mir.«

»Nein, der gehört Frau Bilal.«

»Den habe ich rechtmäßig erworben, und jetzt gehört er mir. Und die Fernbedienung auch. Habe ich der Hummus-Schlampe auch gesagt. Ich habe einen Anspruch auf die Fernbedienung.«

Du hast Anspruch auf ein paar Backpfeifen.

»Nein, haben Sie nicht. Bei dem Gerät handelt es sich um Diebesgut.«

»Der Sohn hat ihn mir verkauft.«

»Man kann nur verkaufen, was einem gehört. Und der Fernseher gehört Frau Bilal, von rechtmäßig erworben kann also nicht die Rede sein.«

»Das ist ja eine feine Familie. Der Sohn beklaut die eigene Mutter.«

»Ich finde Sie noch viel feiner. Erst kaufen Sie ein geklautes Fernsehgerät, dann lassen Sie den armen Jungen einfach da sitzen und kümmern sich nicht. Sie müssen ihn doch gesehen haben, als Sie zum Einkaufen gegangen sind. Und da sind Sie nicht auf die Idee gekommen, mal zu fragen, ob alles okay ist? Die Polizei zu rufen? Oder das Jugendamt?«

Kühn machte eine Pause, in der Bachmann ihn glasig anglotzte.

»Ihnen ist alles egal, oder? Hauptsache, Sie kriegen Ihre Fernbedienung.«

»Die steht mir zu.«

Kühn verging die Lust an diesem Gespräch. Er wurde deutlich. »Herr Bachmann. Ich mache Ihnen einen Vorschlag. Sie gehen jetzt rein und holen das Ding und stellen es vor die Wohnung Bilal. Dafür vergessen wir die unterlassene Hilfeleistung und die Hehlerei nach Paragraph 259 StGB. Ganz kurzer Dienstweg. Wenn der Apparat da nicht in drei Minuten steht, werde ich sauer. Und das wollen Sie nicht. Denn dann sehen wir mal nach, was Sie in Ihrer Bude noch so haben.«

»Dann will ich aber mein Geld zurück.«

»Sie gehen mir langsam auf den Sack. Sie können froh sein, wenn ich Ihr Verhalten vergesse. Denn wenn nicht, haben Sie großen, großen Ärger, verstehen Sie mich?«

Bachmann schloss die Tür, Kühn und Steierer gingen zurück zur Wohnung mit der eingetretenen Tür. »Nicht schlecht, Sheriff«, murmelte Steierer. Kühn pustete imaginären Rauch von seinem rechten Zeigefinger. Da kam Hamida Bilal den Gang herunter, eine Frau in den Vierzigern, müde, mit einer unter tiefen Gesichtsfalten schlafenden Schönheit. Sie trug zwei Tüten mit Einkäufen, die offenbar schwer wogen. Einige Meter vor ihrer Wohnungstür blieb sie stehen.

»Yunus?«, rief sie.

»Ihrem Sohn geht es gut«, sagte Kühn so freundlich, wie er konnte. Er musste der Frau in wenigen Minuten mitteilen, dass das nur für den jüngeren zutraf. Nicht aber für Amir. Es gab keine Richtlinie für das, was jetzt folgen würde. Man konnte nicht nach Schema F verfahren. Kühn hatte Angehörige erlebt, die ihm einfach nicht glaubten, und auch solche, die schwiegen, bis er wieder ging. Manche weinten heftig, andere gar nicht.

»Können wir in Ihre Wohnung gehen?«

Die Wohnung der Bilals war dunkel und vollgestellt. Es roch nach Gewürzen und Waschmittel. Von der Haustür ging es über einen ausgetretenen Läufer links und rechts zunächst in ein fensterloses Bad und eine Küche, dahinter in zwei etwa gleich große Zimmer. Der eine Raum war für die Jungen. Es passten zwei Betten und zwei Schränke hinein, aber kein Schreibtisch. Auf Amirs Seite hing ein Poster der Todeskralle und darunter der Farbausdruck eines Fotos von Amir und Julia am Strand von Mallorca. Auf dem ungemachten Bett lagen Klamotten verstreut. Es sah aus wie bei Niko und Millionen anderen Jungen, die einfach keine Lust und keine Zeit haben, ihren Krempel zu verstauen. Zwei Schubladen in Amirs Schrank waren halb herausgezogen und gaben Einblick in ein Socken-, Schulkram- und Erinnerungskrempel-Chaos. Altersgemäß, dachte Kühn. Aber beengt. Und ständig den kleinen Bruder dabei. Kühn schmunzelte bei der peinigenden Vorstellung, dass man sich noch nicht einmal unbeobachtet einen runterholen konnte. Außer in der Dusche. Das war in allen Generationen das Gleiche.

Auf der anderen Seite des dunklen Flurs befand sich das Wohnzimmer, in welchem Hamida Bilal jeden Abend die Couch ausklappte, denn sie hatte keinen Raum für sich. Die Einrichtung bestand außerdem aus einem Sessel, der nicht zur Couch passte, einem kaputten flachen Tisch und einer alten Schrankwand, die neben bunten Gläsern, DVDs und einer dekorativen Wasserpfeife gerahmte Erinnerungsfotos enthielt.

Auf einem war Hamida als junges Mädchen zu sehen, stolz mit ihrem Großvater auf seinem Balkon in Baabda, der Hauptstadt des Gouvernements Dschabal Lubnan, die im Laufe der Zeit mit Beirut verschmolzen war. Hamidas Familie hatte immer schon dort gelebt, fast genau in der

Mitte zwischen dem Serail und dem libanesischen Präsidentenpalast.

Aber als der Ministerpräsident General Michel Aoun 1990 ins Exil ging, weil die Amerikaner und Israelis ihn fallen ließen, gingen auch Hamida und ihr Mann Alim. Sie kamen nach Deutschland und setzten ihre Hoffnungen auf ein neues Leben in diesem fremden Land, welches immerhin den Vorzug besaß, dass nicht ohne Weiteres Soldaten die Tür eintraten und einen ermordeten, weil man die falsche Religion hatte oder einen Politiker unterstützte, der den Eindringlingen nicht passte. Die Bilals waren weder außergewöhnlich fromm noch politisch engagiert. Sie wollten im Grunde nur, was die meisten Menschen überall auf der Welt wollen: in Ruhe ihrer Arbeit nachgehen, abends gemeinsam essen, eine Castingshow ansehen, früh schlafen und am Wochenende die Freunde treffen.

Doch so einfach war das nicht, besonders nicht für Alim, der bei der Ausreise gerade erst zwanzig Jahre alt war und vom Leben keine Ahnung hatte. Er war stark und konnte Sachen reparieren, was in Baabda gereicht hätte, aber in Deutschland kaum gefragt war. Also gab man ihm die Drecksarbeiten beim Kanalbau. Man triezte und benachteiligte ihn, was ihn tief kränkte. Wenn er sich mit anderen Libanesen traf, tranken sie hochprozentigen Arak, der Alim an zu Hause erinnerte und sein Unwohlsein in der neuen Umgebung verstärkte. Alim kam immer später nach Hause, und das änderte sich auch nicht, als Amir auf die Welt kam und neun Jahre darauf Yunus. Da waren Alim und Hamida schon fast ihr halbes Leben lang in München, hatten aber kaum jemals ihre Gegend verlassen oder Freundschaften geschlossen. Ihre Verwandten in Baabda waren tot oder verschwunden, ihre Traditionen waren nichts wert, ihre Vergangenheit interessierte niemanden, und ihre Zukunft hielt nicht mehr für sie bereit als die Gegenwart. Als Alim es nicht mehr aushielt, wollte er Hamida dazu zwingen, mit ihm zurückzugehen. Aber die wollte nicht, auch wegen der Jungen, die in München auf die Welt gekommen waren. Das waren Deutsche, sie verstanden kein libanesisches Arabisch, sie gingen nicht in die Koranschule, und sie würden in Beirut noch weniger Chancen haben als in München. Davon war Hamida überzeugt.

Also stritten die Bilals, und Alim kam jeden Abend betrunken nach Hause. Dann randalierte er und brüllte und weinte. Und eines Tages blieb er ganz weg. Hamida hörte nie wieder von ihm. Er konnte gestorben sein oder zurück in der Heimat oder bei einer anderen Frau im selben Haus. Die ersten Jahre weinte Hamida noch um ihn, aber irgendwann fand sie sich mit dem Verlust ab. Sie kümmerte sich um ihre beiden Jungen und konnte nicht verhindern, dass Amir ihr entglitt. Sie konnte ihn einfach nicht festhalten, und manchmal fragte sie sich, ob er nicht doch in Beirut besser aufgehoben gewesen wäre. Aber da war es schon längst zu spät.

Vor den Fenstern ihres Wohnzimmers hingen zwei schmutzige Laken, die sie im Fenster eingeklemmt hatte. Für Vorhänge hatte sie kein Geld. Wo der Fernseher in der Schrankwand gestanden hatte, war jetzt ein Loch. Die Fernbedienung lag neben einer Steingutschale mit billigen Plätzchen auf dem demolierten Couchtisch. Dieser flache Tisch war der einzige, den sie besaßen. In der Küche war kein Platz für drei Personen, und die Kinder hatten in ihrem Zimmer auch keinen vernünftigen Arbeitsplatz, an dem man hätte malen oder basteln, spielen oder Hausaufgaben machen können. An diesem flachen, wackeligen und geflickten Tischlein aßen die Bilals, hier öffnete die Mutter die Post von den Behörden, hier legte sie ihre Brille ab, bevor sie sich zum Schlafen legte.

Hamida Bilal stellte die Einkaufstüten auf den Boden und setzte sich auf ihren Sessel, ohne die Jacke auszuziehen. Steierer und Kühn nahmen auf der Couch Platz. Sie rechnete damit, dass ihr Junge endgültig auf die schiefe Bahn geraten war. Man würde ihr jetzt die Konsequenzen ihrer Erziehung schildern. Sie verschränkte die Arme und sagte: »Was soll mein Junge gemacht haben?«

Zwanzig Minuten später verließen Kühn und Steierer die Wohnung in dem Moment, als Bachmann den Fernseher davor abstellte. Kühn ging an dem Mann vorbei und streifte ihn nicht unabsichtlich an der Schulter. Ihm war nach Entlastungsstreit, aber er beherrschte sich. Er ging ein paar Meter, dann fiel ihm etwas ein. Er drehte sich um und sagte: »Herr Bachmann. Zwei Dinge: Sie werden sich mustergültig verhalten gegenüber der Frau. Wenn ich Klagen höre, knöpfe ich Sie mir vor. Dann haben Sie hier jeden Tag Remmidemmi.« Bachmann sah ihn stumm an und bewegte nur das Kinn, was wohl etwas wie Einverständnis signalisieren sollte. »Und dann wollte ich noch wissen, wie viel Sie Amir Bilal für die Glotze bezahlt haben?«

»Vierzig Euronen«, sagte Bachmann und zog die Nase hoch.

»Danke. Auf Wiedersehen.«

Bachmann huschte an ihnen vorbei in seine Wohnung und ließ die Tür ins Schloss fallen.

Auf dem Weg ins Büro sprachen sie kaum. Hamida Bilal hatte die Nachricht zuerst gefasst aufgenommen, war dann jedoch zusammengebrochen. Der Notarzt stabilisierte ihren Kreislauf, und die Psychologin nahm ihre Hand. Sie teilte der Mutter mit, dass Yunus erst einmal in die Kinderpsychiatrie gebracht würde, bis sich die Umgebung wieder stabilisiert habe. Hamida Bilal stimmte dem zu, sie besaß keinerlei Widerstandskraft mehr. Kühn und Steierer standen einfach nur dabei. »Sie sind Krähen«, sagte Hamida Bilal durch den Schleier ihrer Tränen. Und dann noch einmal: »Sie sind Krähen.« Kühn versuchte es mit ein paar Fragen, aber die Frau fragte nur zurück: »Warum?« Immer wieder. »Warum haben Sie mir das Kind genommen?«

Dann fuhr Kühn nach Hause auf die Weberhöhe. Zwischen lauter Pendlern, die lasen oder Musik hörten und unverwandt in sein Gesicht schauten. Auf dem Weg in den Michael-Ende-Weg passierte er eine kleine Demo-Gruppe des Bürgervereins Weberhöhe. Leitz war nicht darunter. »Kriminelle Ausländer abschieben«, stand auf dem Bettlaken, das drei Männer und zwei Frauen aufgespannt hatten. Vor ihnen stand jemand mit einer Unterschriftenliste. Kühne besaß nicht mehr die Energie, die Truppe nach ihrer Genehmigung für diese Demonstration zu fragen.

Dann begegnete ihm Rolf Rohrschmid, der seinem Blick auswich und nur knapp grüßend an ihm vorbeistrich. Kühn war es recht. Er verspürte nicht die geringste Lust, sich mit dem Gymnasiallehrer über das Gift in ihren Kellern zu unterhalten. Das war Rolfs Haupt- und Lebensthema. Der Kampf gegen die Reformbau AG, die Verteilungsungerechtigkeit im Allgemeinen, die ihm, Rolf Rohrschmid, das

Leben vergällte. Und das Scheißwetter, ganz gleich ob die Sonne schien oder es regnete.

Früher, am Anfang, da haben wir reihum gegrillt. Da war jeder mal dran, wir haben in den Gärten getanzt und waren verschuldet, aber unbesiegbar. Und jetzt, ein paar Jahre später, sind wir immer noch verschuldet. Und außerdem besiegt. Besonders Rolf. Mein Gott, du siehst wirklich aus wie ein vollgeschissener Strumpf.

Kühn schloss die Tür auf und freute sich darauf, den Rest des Abends an einem kalten Bier zu nuckeln und vielleicht noch ein wenig draußen zu sitzen und auf die Hecke zu schauen, aber Susanne schob dieser zweifellos paradiesischen Aussicht einen schweren Riegel vor.

»Gut, dass du pünktlich bist. Wir müssen gleich los.« Sie gab ihm einen flüchtigen Kuss und zog ihre Übergangsjacke an, weil es inzwischen abends frischer wurde.

»Wohin?«

»Hallo? Jemand zu Hause?« Sie deutete auf seine Stirn und fügte hinzu: »Der Elternabend von Niko. Der fängt in fünfundzwanzig Minuten an.«

»Ach so. Ja.«

»Du hast es vergessen.«

»Nein! Gar nicht. Ich dachte nur, es sei noch etwas anderes.«

Dann gingen sie in Nikos Schule. Sie setzten sich in die vorletzte Reihe, und noch bevor die Klassenlehrerin Frau Roth beim dritten Punkt der Tagesordnung – Alkohol und Rauchen auf der Klassenfahrt und die nicht zu diskutierenden Konsequenzen dieses Fehlverhaltens – ankam, war Martin Kühn eingeschlafen.

6. ARZTTERMINE

Als Kühn am nächsten Morgen aufwachte, waren die Brüder Bilal sofort wieder da. Der mit dem zerschlagenen Gesicht und der mit den traurigen Augen, der ganz alleine auf eine Wohnung aufpasste, die nichts enthielt, was man hätte verkaufen können, und der dieses Nichts mit kindlichem Stolz und in großer Furcht vor dem toten Bruder bewachte.

Kühn tastete nach seiner Frau, aber Susanne war bereits aufgestanden. Am Abend war sie ihm böse gewesen, denn er hatte in den Elternabend hineingeschnarcht. Erst als die Klassenlehrerin seinetwegen verstummte und sich alle Blicke auf ihn gerichtet hatten, war er erschrocken erwacht. Er riss die Augen auf, starrte Susanne an und bemerkte die Unmöglichkeit der Situation. Er stammelte eine Entschuldigung, und die beleidigte Lehrerin fuhr fort. Das wäre noch als Schrulle eines überarbeiteten Familienvaters durchgegangen, aber dann nickte Kühn ein weiteres Mal ein, schnarchte noch lauter als zuvor und blamierte seine Frau vollends. Auf dem Rückweg sprach sie nicht mit ihm, später zu Hause auch nicht. Sie ging direkt ins Bett, und Kühn machte sich auf die Suche nach einer Flasche Bier, fand aber nur ein ungekühltes Alkoholfreies im scharf riechenden Keller. Er öffnete es und danach einen Brief von der Reformbau, die ein Angebot unterbreitete.

»... teilen wir Ihnen mit, dass wir uns ohne Anerkennung der Rechtspflicht zu einer einmaligen Zahlung in Höhe von 7900 Euro bereit erklären, die wir wahlweise erstatten oder auf die Zinslast Ihres Immobilienkredits anrechnen, sofern dieser bei der Reformbank AG abgeschlossen wurde ...«

Kühn überschlug, dass die Reformbau sich die Entschädigung der Hausbesitzer, die arglos ihr ganzes und ihr zukünftiges Vermögen in giftigem Erdreich vergraben hatten, insgesamt nicht einmal eine Million Euro kosten ließ. Die Baufirma, die zum Reformbank-Konzern gehörte, wollte sich mit einer Summe freikaufen, die gerade ausgereicht hätte, um die zehn am schlimmsten betroffenen Häuser im Michael-Ende-Weg am südlichen Rand der Weberhöhe zu sanieren. Es standen dort jedoch fast achtzig Gebäude, in denen 290 Menschen lebten.

Kühn legte den Brief auf den Esstisch und sah auf die Küchenzeile mit den Möbeln, die sie gemeinsam ausgesucht hatten. Hemmungslos mutig in Knallrot, die Hängeschränke hatte er selber angebracht, und deshalb hing die rechte Tür vom linken Schrank einen halben Zentimeter herunter wie ein schlaffes Lid. Ein Mahnmal handwerklicher Talentlosigkeit. Einerseits war Kühn durchaus der Meinung, dass dieser Missstand behebbar war, andererseits nicht von ihm. Außerdem handelte es sich bei der schiefen Tür um die geringste Reparatur, die an seinem Haus fällig war.

Wenn ich das Angebot annehme, sind sie fein raus. Und ich bekomme knapp 8000 Euro, die niemals reichen, um die Bude auch nur annähernd zu entgiften. Wenn ich es nicht annehme, habe ich keine 8000 Euro und kann den Anwalt sowieso nicht bezahlen, um die Arschlöcher zu verklagen. Wir werden das in der Eigentümerversammlung besprechen. Klaus Bormelt wird endlos quatschen, Rohrschmid wird besoffen sein, und Manfred Stark wird meine Frau anglotzen. Und Martina Brunner wird nicht da sein.

Er hatte die Brunner schon lange nicht mehr gesehen, jene geheimnisvolle Nachbarin, die in ihrem Haus Erwachsenenunterhaltung per Live-Stream machte und sich dabei »Lilith« nannte. Er hatte immer wieder nach ihr Ausschau gehalten, aber seit den Tagen seines Zusammenbruchs im Mai war sie nicht mehr in seinem Leben aufgetaucht, was er einerseits bedauerte, weil er sie klug und schön und auf rätselhafte Art anziehend fand, was ihn aber auch beruhigte, weil sie ihn nicht aus dem Lebenskonzept bringen konnte. Letzteres fürchtete und ersehnte er gleichermaßen, da war Kühn nicht anders als die meisten Männer in seinem Alter.

Er hatte sich natürlich Sex mit ihr vorgestellt. Er hatte dabei jedoch auch andere Gefühle an sich entdeckt, nämlich den tiefen Wunsch, sie näher zu kennen, in ihr eine Freundin und Beraterin zu haben, sich mit ihr austauschen zu können auf eine Art, die mit Susanne nicht möglich war: tiefer, ernster, weniger pragmatisch. Letztendlich hatte er sich dann aber nicht getraut, einfach auf einen Kaffee bei Lilith zu klingeln. Oder sie unter einem Vorwand um Hilfe bei Ermittlungen zu bitten. Einmal hatte er nachgesehen, ob das Klingelschild noch ihren Namen trug und sich dann ganz schnell wieder von ihrer Haustür entfernt, als habe er einen Silvesterkracher durch ihren Briefschlitz geworfen. Das kam ihm selber blöd vor, zumal genau in dem Moment

Herr Gürtler, Optiker aus Leidenschaft und Besitzer eines antiken Opel Kadett, ebenfalls am Modulhaus der Brunner vorbeiging und ihn belustigt ansah.

Als er in die Küche kam, saßen seine Kinder bereits am Tisch. Niko trank an einem Milchkaffee und grüßte seinen Vater mit einem beiläufigen Victory-Zeichen. Er gab die Geste zurück, vermied es aber, seinem Sohn über den Kopf zu streicheln oder ihm eine andere Zärtlichkeit angedeihen zu lassen, weil siebzehnjährige Jungen das nicht gut haben können. *Mein Vater hat mich auch nicht berührt. Aber von ihm hätte ich es mir gewünscht. So ändern sich die Zeiten.*

Er stand schon lange in der Schuld seines Sohnes, der dringend neue Hosen brauchte. Sie hatten sich schon zweimal verabredet, um in den Weberarcaden nach einer Jeans zu schauen. Insgeheim hoffte Kühn auch auf ein Gespräch unter Männern. Bei einem Eisbecher oder Döner. Er wollte Niko nahe sein, aber es fiel ihm schwer, auf ihn zuzugehen. Miteinander leicht sein, das hatten sie früher gut gekonnt. Und nun kam er sich dumm, beinahe sogar unterlegen vor, wenn er Niko anbot, mit ihm shoppen zu gehen. Als dränge er sich seinem Jungen auf. Und dabei hätte er doch eigentlich wissen müssen, dass sich Niko nichts mehr wünschte, als von seinem Vater gesehen zu werden.

Er nahm sich vor, Niko bald an ihre gemeinsame Einkaufstour zu erinnern und ihm bei der Gelegenheit neue Sneaker zu kaufen, auch wenn die ganz teuren Dinger nicht drin sein würden, und gab seiner Tochter einen Kuss.

Alina schmierte ihm etwas von ihrer Nuss-Nougat-Creme an die Nase. Sie war sieben, besaß ein halbes Pony und hatte immer gute Laune. Dieser Umstand tröstete

Kühn, der manchmal deshalb ihre Nähe suchte, dies aber niemals zugegeben hätte. Susanne schmierte Pausenbrote und drehte ihm den Rücken zu. Kühn wollte herausfinden, ob sie ihm noch böse war, und ging umständlich an ihr vorbei, drückte dabei sein Becken gegen ihren Po. Sie wand sich, als gelte es, eine lästige Fliege abzuschütteln. Also immer noch sauer, dachte er und nahm einen Becher aus dem Schrank. Er goss sich Kaffee ein, dazu einen Schluck Milch und fragte: »Was steht an?«

»Was soll anstehen?«, fragte Niko, der seinerseits herausfinden wollte, ob sein Vater ihm noch grollte. Niko hatte mit seinen Freunden am Wochenende einen kleinen Einbruch im Nebenhaus begangen. Dort hatte bis zum Mai ein Mann gewohnt, der schließlich von Martin Kühn eines Mordes überführt worden war. Steierer hatte den Mann erschossen, in »Putativnotwehr«. Niko hatte den Begriff gegoogelt. Seitdem stand das Haus leer, und die Kühns hatten einen Schlüssel dafür. Der Makler schickte manchmal Interessenten vorbei, die es ansahen und nicht kauften, sobald sie von den Altlasten der Weber Zündhütchen- und Munitionsfabrik erfuhren. Mit diesem Schlüssel hatten Niko und seine Freunde das Haus aufgeschlossen, um darin eine kleine Hausparty zu feiern. Nichts Großes. Musik. Ein bisschen Bier, ein paar Dübel, wie Joints in Nikos Clique genannt wurden.

Später hatte sich einer im Wohnzimmer übergeben, und die Wände waren ein bisschen getaggt. Nicht so schlimm, fand Niko. Hausfriedensbruch und Sachbeschädigung, meinte sein Vater. Kühn war ziemlich ruhig geblieben, hatte jedoch darauf bestanden, dass aufgeräumt, gestrichen und geputzt wurde. Er hatte seinem Sohn verdeutlicht, dass er das alleine machen müsse, wenn die Freunde ihm nicht helfen würden. Die hatten dazu aber keine Lust. Niko wartete täglich darauf, dass sein Vater ihn fragte, was nun mit der Beseitigung der Partyschäden sei. Das war es, was anstand. Aber Niko war nicht sicher, ob sein Vater das auch gemeint hatte. Deshalb machte er sich in der Küche nun so unsichtbar wie irgend möglich. Auf jeden Fall klang sein Vater nicht sauer. Und vielleicht würden sie ja bald eine Jeans kaufen gehen. Er selbst würde das nicht thematisieren, weil sonst die Sache von nebenan auf die Tagesordnung kommen konnte.

»Irgendwas steht ja immer an«, sagte Kühn in den Raum, ohne dass jemand reagierte. Er wusste nicht, wie er sich seiner Frau nähern sollte. »Schon lange auf? Ich habe gar nicht mitbekommen, dass du aufgestanden bist«, sagte er und ließ einen weiteren Versuchsballon aufsteigen.

»Ich habe im Wohnzimmer geschlafen«, sagte Susanne, ohne sich umzudrehen.

»Habt ihr Streit?«, fragte Alina und nahm einen Schluck Saft. »Emily hat mir erzählt, dass ihr Papa manchmal in der Theaterwohnung schläft. Emily hat gesagt, so nennen ihre Eltern das Büro von ihrem Papa. Er übernachtet da immer, wenn zu Hause Theater ist.« Sie war in ihrem Mitteilungsdrang kaum zu bremsen. Als niemand antwortete, nahm sie noch einen Schluck.

»Jetzt sei nicht mehr sauer«, versuchte sich Kühn ein weiteres Mal. »So schlimm war es doch auch wieder nicht.«

»Es war peinlich«, murmelte seine Frau.

»Was war peinlich?«, fragte Niko, dessen Neugier wuchs, als er hörte, dass sein Vater sich offenbar einen Fauxpas geleistet hatte.

»Nichts«, sagte Kühn. »Gar nichts. Es gibt keinen Grund, darüber zu sprechen.«

»Er ist beim Elternabend eingeschlafen.«

»Es war langweilig.«

»Es war unhöflich.«

»Es war Notwehr.«

Niko lachte hell auf. »Ich find's super. Da siehst du mal, wie aufregend Frau Roth ist. Aber mir glaubt ihr ja nicht.«

»Ist gut jetzt«, sagte Kühn, der einerseits belustigt und stolz darauf war, dass sein Sohn sich amüsierte, gleichzeitig aber den Zorn seiner Frau fürchtete.

Susanne verschloss die Brotzeitdosen ihrer Kinder und legte sie auf den Esstisch. Kühn hielt sie am Arm fest und zog sie an sich. Er versuchte, sie zu küssen, aber sie bewegte den Kopf zur Seite, und sein Kuss verrutschte zu einer unbeholfenen Berührung ihrer Wange. Und da spürte er eine Entfernung, die ihm in den vergangenen Wochen öfter aufgefallen war. Es war ein Hauch mehr als nur der Unwille, von einem uneinsichtigen Schnarcher geküsst zu werden. Ihre Abwehr war eine Nuance zu stark und entsprach der Schärfe ihres Tons vor einigen Tagen. Da hatte er sie abends gefragt, wohin sie gehe, und sie hatte geantwortet, dass sie sich nicht rechtfertigen müsse, und nachgeschoben: »Zum Yoga.« Und Kühn dachte: Diese Antwort klingt gesucht. Wie eben herbeigezogen. Er wehrte sich dagegen, kriminalistische Instinkte auf diese Antwort anzusetzen. Er wollte nicht fragen, wo ihre Yoga-Klamotten seien, ob sie eine Yogamatte hätte, wer sie begleitete und wo und wie oft der Kurs stattfand und was er kostete. Alles knappe Fragen, die man ohne zu zögern beantworten konnte, wenn man einen solchen Kurs denn absolvierte. Er hielt an sich und begann kein Verhör, und er schaute ihr auch nicht in die Augen. Er wollte zu Hause nicht Polizei sein, denn das hätte sie sofort bemerkt. Und so verbarg er den kleinen Stich, den ihm ihre offensichtliche Lüge bereitete.

Aber er wurde empfänglicher für Signale. Manchmal hielt sie das Handy schräg, sodass er nicht aufs Display sehen konnte, während sie etwas schrieb. Manchmal verließ sie mit dem klingelnden Telefon in der Hand den Raum. Einmal stand sie mit dem Rücken zum Fenster, während sie telefonierte. Als er in den Raum kam, hörte er noch, dass sie sagte, sie werde sich darum kümmern und wisse nicht, ob sie es heute noch schaffe. Dann legte sie auf, und als Kühn fragte, worum es ging, sagte sie: »Um nichts.«

Auch ihr Sexleben, das unmittelbar nach seinem Knockout im Sommer aufgeblüht war, hatte sich wieder in staubiges Brachland verwandelt. Sie hatten es gut miteinander gehabt, im August. Doch dann saß Susanne abends öfter am Rechner und tippte etwas. »Für die Arbeit«, sagte sie. Und er, der nicht gut über diese Dinge sprechen konnte, zog sich zurück.

Wir hatten so viel vor, bevor die Kinder kamen. Wir wollten doch immer zum Nordkap. Und nach Afrika. Nach Australien. Einmal zum Ayers Rock. Aber das einzige Bild von damals haben wir in Holland im Wind gemacht. Und nun werden meine Haare dünner und deine Arme dicker. Und ich habe einfach keine Ahnung, was mit dir los ist. Es war doch alles okay, als ich zurückkam. Ich hatte meine Dämonen im Griff, ich sehe die Dinge positiv. Sogar unseren Keller. Es gibt nichts, was uns aufhalten kann. Susanne und Martin! Als wir uns kennenlernten, auf dem Judas-Priest-Konzert, waren wir sechzehn. Oder siebzehn? Ich hatte gerade meine Iron-Maiden-Phase hinter mir.

Das weiß ich noch. Ich ging gerade zur Polizei. »Breaking the Law« fand ich trotzdem geil.

Feel as though nobody cares
If I live or die
So I might as well begin
To put some action in my life!

Wir haben die Köpfe geschüttelt, und ich habe dir mein Bier über die Jacke geschüttet. Du hast nur gesagt: »Auch eine Art, jemanden auf ein Getränk einzuladen.« Und dann waren wir zusammen. Es war einfach klar. Wir haben nie darüber geredet, aber als du dich zu mir umgedreht hast, waren wir quasi schon verheiratet. Und jetzt gehst du zum Yoga, und ich denke über einen armen Jungen nach, der ein Freund von Niko sein könnte und keinen heilen Knochen mehr im Gesicht hat. Wir leben aneinander vorbei. Es ist dir egal. Und wenn ich mich mehr für deinen Yoga-Kurs interessieren würde, würde ich merken, dass es ihn gar nicht gibt.

Susanne verließ die Küche, und Kühn hörte, wie sie sich anzog. Sie steckte noch einmal den Kopf in die Tür und sagte: »Heute Abend gibt es Kofferfisch. Ich habe keine Zeit zu kochen. Bringst du bitte drei Packungen davon mit? Bordelaise. Und Schnippikäse und Milch. Ich bin weg.«

Kühn notierte alles auf einer Haftnotiz, faltete sie und steckte sie ein. »So. Und wer geht jetzt mit mir raus?«

Dann verließen sie zu dritt das Haus. Alina lief zur Fahrradbox, einem Verschlag, in dem sich die Räder aus jeweils fünf Systemhäusern der Tetris-Siedlung befanden. Die Fahrradboxen waren, ähnlich wie die Wertstoffinseln und die Ruhezonen, eine gut gemeinte Erfindung der Architekten, die jede Gelegenheit genutzt hatten, kommunikative

Plätze in der Weberhöhe zu installieren. Die Idee der Fahrradboxen bestand darin, dass es einen Ort für alle Räder jeder Generation geben sollte. Die Fahrräder sollten dort unabgeschlossen geparkt werden. Jeder Bewohner hatte über einen Zahlencode Zugang zu der Box. Und jeder Bewohner übernahm Verantwortung für sämtliche Fahrräder, die darin eingeschlossen waren. Das sollte das Gemeinschaftsgefühl stärken und wurde allgemein als schöne, sinnstiftende Idee betrachtet.

Leider vergaßen irgendwann die ersten Fahrradbesitzer, die Tür der ihnen zugeteilten Box zu schließen. Andere vergaßen den Code und brachen die Tür auf. Und wieder andere standen unter dem Verdacht, den Code an unautorisierte Personen weitergegeben zu haben, die dann einbrachen und eine ganze Box leer räumten.

Gegen die Absprachen änderte Markus Brenningmeyer den Code eines Radplatzes und teilte ihn den Nachbarn erst mit, nachdem sie eine Verschwiegenheitserklärung unterschrieben hatten. Es war auch Brenningmeyer, der eines Tages einen Fahrradanhänger, einen Kinderwagen und einen Tretroller aus der Gruppenbox vor seinem Haus entfernte, da es sich dabei nicht um Fahrräder handelte. Und es war Klaus Bormelt, der auf einem abendlichen Treffen der Grundbesitzer ins Feld führte, dass er auf dem für ihn zugedachten Platz in der Box zukünftig Hortensien überwintern lassen würde, denn er habe kein Fahrrad, jedoch für die Box bezahlt. Darauf brach ein Streit unter sämtlichen Bewohnern der Tetris-Siedlung auf der Weberhöhe aus, weil eine derartige fremde Nutzung nicht vorgesehen gewesen war. Eines konnte man jedenfalls mit Sicherheit sagen: Die Einrichtung der Fahrradschuppen in Form farbiger kubischer Holzverschläge hatte tatsächlich für unglaublich viel Kommunikation im Michael-Ende-Weg gesorgt.

Inzwischen waren die Boxen kein Thema mehr. Im vierten Jahr ihrer Existenz hatte man schließlich die elektronischen Schlösser und auch gleich die Türen der Kisten ausgebaut. Jeder Anwohner stellte nun hinein, was er wollte, und sicherte es sorgfältig. Und damit waren im Großen und Ganzen alle zufrieden. Alina holte ihr Rad heraus und fuhr in großen Kreisen um Kühn und ihren Bruder herum. Kurz vor dem Rupert-Baptist-Weber-Platz trennten sich ihre Wege. Die Kinder bogen in Richtung Schule ab, Kühn überquerte den zentralen Platz der Weberhöhe mit seinen hohen Häusern und ging auf die Weberarcaden zu, die Einkaufsmall neben der S-Bahn. Wieder standen Aktivisten herum, diesmal jedoch wurden Unterschriften für die Umbenennung des Rupert-Baptist-Weber-Platzes gesammelt. Nachdem der Leumund des Namensgebers deutlich unter seiner Entlarvung als Kriegsverbrecher gelitten hatte, forderten die Demonstranten nun die Umfirmierung in »Platz gegen den Terror des Nationalsozialismus«. Kühn fand das im Vorbeigehen nicht verkehrt, den Namen jedoch wenig originell, weil es in der Münchner Innenstadt bereits den »Platz der Opfer des Nationalsozialismus« gab. Und etwas zu lang auch. Und mühsam auf Briefbögen.

Auf dem Weg in die S-Bahn kaufte Kühn eine tz und eine Abendzeitung. Beide brachten das Foto von Amir und eines von dem Feuerzeug. Und beide hielten sich an die Verabredung, den Namen des Jungen abzukürzen und die Leser um Mithilfe zu bitten: Wer hat Amir B. am Dienstag gesehen? Und wer weiß, wo dieses Feuerzeug herkommt?

Gegen zehn Uhr traf sich das Kommissariat zur Lagebesprechung. Ulrike Leininger trug vor, dass Amirs Telefon ab mittags nicht mehr in Gebrauch gewesen war. »Offenbar hat er die Handyrechnung nicht bezahlt. Er wäre damit noch erreichbar gewesen, oder er hätte einen Notruf tätigen können. Aber er hat es ausgeschaltet.«

»Oder der Akku war leer«, ergänzte Gollinger.

»Nein, wir haben das Handy schon ausgewertet. Er war nicht bei Facebook, aber bei Instagram, Tinder und Twitter. Seine Fotos sind nicht uninteressant. Er ist ganz schön rumgekommen.«

»Wie meinst du das, rumgekommen?«, fragte Steierer, der es nicht mochte, wenn Ulrike Leininger in den Präsentationsmodus ging und Fakten nur häppchenweise in einer sich steigernden Dramaturgie vortrug. Er wollte einfach wissen, was auf den Bildern war.

»Bis ungefähr Juni ganz normaler Kram. Jugendliche halt. In Neuperlach. Neue Frisur, lecker Döner, Chillen im PEP und auf dem Spielplatz, Hip-Hop-Gesten, das ganze Programm. Hier und da ein Nacktbild, irgendwas Getauschtes.«

»Ja. Schön. Und?«

»Aber dann wechselt das Personal. Und zwar ziemlich deutlich. Amir Bilal hat irgendwie die Peergroup ausgetauscht. Lauter saubere, adrette junge Leute, keine Migrationshintergründe, kein Sexzeug mehr. Dafür aber jede Menge Porträts von einem hübschen blonden Mädchen. Selfies mit ihr in der Stadt, Selfies mit ihr am Strand, Selfies mit ihr im Restaurant. Von Neuperlach keine Spur mehr. Das finde ich schon interessant.«

»Finde ich auch«, sagte Kühn und ging um den Tisch.

»Das könnte eine Erklärung für den Tatort sein. Vielleicht war er dort irgendwo zu Besuch.«

»Wir haben die Fotos sortiert und die besten zum LKA geschickt. Die checken ihre Bilderdatenbank, ob irgendeiner bei denen schon Kunde war. Auf jeden Fall bekommen wir noch mehr über Amir und seine sozialen Bindungen raus.«

»Was ist mit den diversen Messenger-Diensten?«

»Bilal war der schreibfaule Typ. Er hat eher Emojis eingesetzt. Manchmal mit dem blonden Mädchen, die sich übrigens ›Elfenbeinchen‹ nennt. Süß, was? Bin noch dabei, ihren richtigen Namen zu finden. Sie hat seit ein paar Tagen nichts mehr gepostet. Ihr Amir war kein Süßholzraspler. Schweinisch war er auch nicht.« Das Letzte klang beinahe enttäuscht und missfiel Kühn.

Für die junge Kommissarin bestand die Aufgabe darin, möglichst viel in kurzer Zeit über Amir herauszufinden, seine Privatsphäre einmal umzugraben wie ein Kartoffelbeet und dabei auf möglichst dicke Knollen zu stoßen. Sie trieb ein sportlicher Ehrgeiz an, der Kühn fremd war. Ihm wäre es lieber gewesen, der Junge würde noch leben und seine etwas langweiligen Nachrichten verschicken.

»Hatte er Schulden?«, fragte Kühn.

»Nein, der hatte nicht einmal ein Konto. Keine Geldkarte, keine Ratenkredite, keine Mitgliedschaften.«

Damit schloss Ulrike Leininger den Deckel ihres Laptops wie den eines Schmuckkästchens. Sie hatte referiert, was aus ihrer Sicht zu referieren war.

Kühn setzte sich wieder auf seinen Platz und dachte nach. Dann sagte er: »Gut. Der Junge Amir Bilal spricht zu uns. Er sagt: Ich bin aus Neuperlach. Ich bin Intensivstraftäter und habe in den vergangenen Jahren alles dafür getan, der Gesellschaft auf den Wecker zu gehen. Mein Vater ist abgehauen, meine Mutter jobbt im Supermarkt, mein kleiner Bruder ist viel zu viel alleine. Irgendwann im Sommer wechsele ich den Freundeskreis und bin oft von zu Hause weg. So ähnlich hat es der kleine Yunus auch formuliert, stimmt's, Thomas?«

»Er sagte, Amir habe eine Freundin gehabt, die ihm viel geschenkt hat.«

»Das war Elfenbeinchen. Amir verreist mit ihr und hat Spaß am Leben. Am Montag hat er Streit mit seiner Mutter, weil sie ihm kein Geld geben will. Sie setzt ihn an die Luft. Am Dienstag kommt er zurück, klaut den Fernseher, verscherbelt ihn für vierzig Euro an den lieben Nachbar. Und dann?«

»Dann kauft er seiner Freundin was«, sagte Steierer, »jedenfalls hatte er das vor. Das wissen wir von Yunus.«

»Richtig. Aber was?«

»Keine Ahnung. Vier Gramm Gras. Ungefähr.« Steierer sah nicht ein, was daran wichtig sein sollte.

Kühn sah ihn missbilligend an. »Du meinst, weil er libanesische Eltern hat und aus Neuperlach kommt, wird er Drogen gekauft haben? Mag sein. Aber ich glaube nicht, dass er ein Druffi war. Das hätte eine größere Rolle gespielt. Er war nie wegen BtM dran, immer nur wegen anderer Vergehen. Aber vielleicht ist es ja wirklich nicht wichtig. Vielleicht brauchte er das Geld nur für ein paar Hamburger. Ist ja auch egal. Am Dienstagnachmittag verschwindet er mit den vierzig Euro in Neuperlach von unserem Radar und taucht am Mittwochmorgen tot in Harlaching wieder auf.

Er blickte in die Runde. »Gibt es sonst noch Erkenntnisse? Videokameras in der Nähe, die ihn aufgezeichnet haben? Laborergebnisse? Wann ist die Autopsie?«

Pollack hob die Hand und sagte: »Die Tramhaltestelle ist von der Straße gut sichtbar, das ist es aber auch schon. Wenn sich keine Zeugen melden, haben wir nichts weiter. Aber Doktor Graser hat vorhin angerufen. Er hat die Obduktion gemacht und sagte, dass er Sie dazu sprechen wolle. Das ginge schneller, als erst den Bericht zu schreiben.«

Kühn stand auf und nahm seine Jacke von der Rückenlehne des Stuhls. Er war beinahe belustigt darüber, dass Pollack mit dieser nicht ganz unbrisanten Nachricht zur Ermittlung hinterherdackelte. »Na, immerhin schön, dass Sie mir das schon mitteilen«, sagte er, schüttelte den Kopf und machte sich auf den Weg.

Kühn mochte den Forensiker Helmut Graser. Der erfahrene Mediziner kam ihm immer vor wie die Stimme der Vernunft im tosenden Chor des Durchschnitts, mit dem er ständig zu tun hatte. Dauernd musste es schnell gehen, niemand nahm sich noch die Zeit für genaue Analysen, überall wurde gemutmaßt und vorschnell geurteilt. Auch bei der Polizei. Entweder es gab Ergebnisse oder Ärger. Der Druck auf die Ermittlungen hatte sich durch die sozialen Netzwerke und durch die Beschleunigung des Wettbewerbs der Medien in den letzten Jahren verschärft. Auch Kühn und seine Kollegen waren davon nicht unbeeindruckt. Graser hingegen war es vollkommen egal, ob jemand es eilig hatte. Seine Leichenöffnungen dienten nicht dem Absolvieren eines Dienstplans, sondern der Ermittlung von Tatbeständen. Und dafür nahm er sich so viel Zeit, wie er brauchte.

Wenn er Feierabend hatte, fuhr er mit seiner Frau auf den Golfplatz und verschwendete keinen Gedanken mehr an die Arbeit. Kühn kannte ihn seit über zwanzig Jahren, und schon damals war er ihm alt vorgekommen. Nun stand Graser tatsächlich vor der Pensionierung. Kühn bewunderte ihn für seine Klarheit und seine Unabhängigkeit.

Als Steierer und Kühn das Büro des Arztes betraten, wusch dieser sich gerade die Hände. Graser trocknete sich ab, ging auf die Polizisten zu und begrüßte sie. Dann bot er ihnen zwei Stühle vor seinem Schreibtisch an. Er startete das Bildprogramm seines Rechners und zeigte ihnen Bilder von Amir Bilals Körper und Gesicht. Er zählte jede Prellung, jede Platzwunde, jedes Hämatom und jede Fraktur auf, die man dem Jungen zugefügt hatte. Nicht nur im Gesicht. Zwei Finger gebrochen, eine Rippe, Blutergüsse am ganzen Oberkörper, dazu Verbrennungen an den Unterarmen und am Hodensack. Eine Orgie der Gewalt. Nach sechs Minuten zog er Bilanz.

»Kurz gesagt: Der Junge wurde regelrecht zu Tode geprügelt.«

Kühn atmete einmal durch und lehnte sich zurück.

»Wie viele Täter?«

»Kann ich noch nicht genau sagen. Aber sicher mehr als einer oder zwei. Das Opfer hat sich kaum gewehrt. Möglich, dass sie ihm die Finger gebrochen haben, um seine Abwehr zu schwächen. Wahrscheinlich wurde er von mindestens einer Person festgehalten.«

»War er betrunken oder unter Drogen?«

»Er war jedenfalls konditionell nicht wehrlos. Geringe Spuren von Alkohol, er war nicht betrunken. Leberwerte okay. Cannabis positiv, aber nicht hoch. Kein Ketamin, kein

Methamphetamin, kein MDMA. Kein Benzoylecgonin als Abbauprodukt von Kokain im Körper. Das bedeutet nicht, dass er nicht gekokst hat. Nur in den vergangenen vier Tagen nicht. Die Haarproben brauchen noch ein bisschen. Er war so weit gesund und gut in Form. Interessiert Sie der Mageninhalt?«

»Uns interessiert alles.«

»Er hat Pulled Pork gegessen. Und Salat. Brot. Steinobst.«

»Das ist ja sensationell«, sagte Steierer gelangweilt.

Graser sah ihn scharf an. »Was sagt es Ihnen, wenn ein Mensch mit einem Islam-kulturellen Migrationshintergrund Pulled Pork gegessen hat, Herr Steierer? Doch wahrscheinlich, dass wir es hier nicht mit einem sehr frommen Moslem zu tun haben, oder?«

Kühn gefiel es, dass Graser es ihm abnahm, Steierer zu belehren. Und er hatte recht. Alle Details waren wichtig. Es war ziemlich sicher, dass Amir Bilal seine letzten Stunden nicht in einer Moschee verbracht hatte.

»Woran ist Amir Bilal letztlich gestorben?«, fragte Kühn.

»Das ist recht klar, es waren nicht die inneren Verletzungen und auch nicht das Schädel-Hirn-Trauma infolge von Gewalteinwirkung gegen den Kopf. Er ist erstickt.«

»Erstickt? Woran?«

»An seinem Erbrochenen. Ich stelle es mir so vor, dass er irgendwann bewusstlos wurde. Danach hat ihm jemand mit voller Wucht in den Bauch getreten, das Opfer hat den Mageninhalt hochgewürgt, ein Teil des Speisebreis ist dabei in die Luftröhre gelangt und hat die Atmung blockiert. Er ist in der Ohnmacht erstickt.«

Kühn nickte. Es war wichtig, das zu wissen, denn es sprach gegen eine Tötungsabsicht. Die Täter konnten ja nicht ahnen, dass Amir Bilal an dem Tritt sterben würde. Graser schien seine Gedanken zu lesen. »Keine der Verletzungen war für sich genommen tödlich. Und die Verbrennungen am Skrotum wurden posthum zugefügt. Übrigens mit einem Benzin-Feuerzeug. Es gibt deutliche Rußrückstände.«

»Sie meinen, die Täter haben dem Toten die Hosen runtergezogen und ihn angebrannt? Wer macht bloß so etwas?« Steierer war fassungslos.

»Das müssen Sie rausfinden, wer so etwas macht. Aber ich hätte eine Theorie zum Warum. Denkbar, dass sie auf ihn eingeprügelt haben, bis er ohnmächtig wurde. Dann bekam er den verhängnisvollen Tritt. Die Täter denken, er ist immer noch bewusstlos, und wollen ihn aufwecken. Sie überlegen, was ihn munter machen könnte und kommen auf die Idee, ihm das Skrotum zu verbrennen. Er wird aber nicht wach. Sie ziehen ihm die Hose hoch, setzen ihn auf den Drahtsessel und flüchten.«

»So könnte es abgelaufen sein«, sagte Kühn. »Was sagt das Opfer über die Täter?«

»Wie gesagt, es waren mehrere. Und ein Haupttäter.«

»Wie meinen Sie das? Woran sehen Sie das?«

»Es gibt eine Besonderheit bezüglich der Wunden, besonders im Gesicht. Ich zeige es Ihnen.«

Graser wischte mit der Maus über den Tisch, worauf der Bildschirmschoner verschwand und noch einmal das zerschundene Gesicht von Amir Bilal sichtbar wurde. »Normalerweise, wenn zugeschlagen wird, brechen Knochen, und unter der Haut bilden sich unterschiedliche Formen von Einblutungen, Prellungen und typische Verformungen. Da treffen Handknochen auf das Kranium, und in der Regel sind die Knöchel der Hand stabiler. Trotzdem verletzt man sich dabei mitunter. Sie sollten bei Verdächtigen darauf achten, ob ihre Hände verwundet sind. Mindestens die Knöchel. Aber weiter: Die geballte Faust drückt die Schädelknochen ein. In diesem Fall ist das auch geschehen, der Junge hat fünfzehn Brüche im Gesicht sowie seitlich am Schädel. Wenn Sie bedenken, dass ein Kopf je nach Zählweise 22 bis 30 Knochen hat, ist das ziemlich viel. Das Besondere in diesem Fall ist, dass es sich um eine ziemlich große Hand gehandelt haben muss, die zugeschlagen hat. Dies mit Vorbehalt, weil manchmal die Schwellungen den eigentlichen Bruch überlagern. Aber man kann schon sagen, dass die meisten Ereignisse von einer Hand stammen. Und diese Hand könnte mit irgendwas zugeschlagen haben.«

Kühn sah von dem Monitor zu Graser. »Wie meinen Sie das? Ich dachte, das wären Fausthiebe gewesen?«

»Ja, aber da sind Abschürfungen in der Haut, die damit nicht in Einklang stehen.« Er vergrößerte ein Bild und tippte mit einem Kugelschreiber auf eine Stelle, die für Kühn und Steierer nichts anderes zeigte als ein rotes Feld auf dem überblitzten Foto fahler Totenhaut. »Sehen Sie. Hier. Das hat er überall im Gesicht. Das sind leichte Abschürfungen und Reibspuren von einem Gegenstand.«

»Von was für einem Gegenstand?«

»Ich weiß es nicht. Wir haben nichts Stoffliches abnehmen können. Aber es war nicht Haut gegen Haut. Sieht fast aus, als habe man ihn mit einem Topfschwamm traktiert.«

»Gut. Der Täter ist offenbar Spüler in einem Restaurant«, sagte Steierer und fand sich witzig. Kühn überging das.

Graser legte leicht genervt den Kugelschreiber auf den Schreibtisch und dann die Hände aufeinander. »Ich würde Ihnen gerne mehr bieten, aber hier komme ich nicht weiter.«

»Verstehe. Ich auch nicht«, murmelte Kühn. »Was sagt uns das Gesamtbild über die Täter?«

»Man kann natürlich nur Mutmaßungen anstellen, was mir, wie Sie wissen, sehr widerstrebt. Ich würde nur sagen, dass sich hier mehr als zwei, sicher drei oder noch mehr Täter an dem Opfer vergriffen haben. Er wurde von dem Angriff überrascht, weil er kaum Abwehrspuren trägt, auch keine besonderen textilen Anhaftungen, nichts unter den Fingernägeln. Er wurde geschlagen, mit was auch immer, aber vor allem von einer Person, gequält und starb durch Erstickung.«

»Wann?«

»Zwischen ein Uhr und halb fünf in der Nacht. Eineinhalb Stunden Toleranz. Eher zwei als halb fünf.«

»Wie lange hat der Kampf gedauert?« Während er fragte, wurde Kühn klar, dass es kein Kampf gewesen war. Hinrichtung hätte es besser getroffen.

»Nicht lange. Die Einblutungen sind praktisch alle zur selben Zeit erfolgt beziehungsweise in einem Zeitrahmen von vielleicht sieben oder acht Minuten. Wenn Sie den Tritt, mögliche Wiederbelebungsversuche und die Verbrennung hinzuzählen, haben Täter und Opfer vielleicht zwölf Minuten damit verbracht.«

Ja, und dann seid ihr abgehauen. Zu Fuß oder mit dem

Auto. Per Fahrrad. Lasst Amir liegen und verpisst euch. Aber ihr wisst, dass ihr gerade jemanden umgebracht habt, es lastet auf euch. Und ihr seid zu dritt oder viert oder fünft. Mindestens einer von euch kann seitdem nicht mehr schlafen. Man tötet nicht einfach einen Jungen und geht am nächsten Tag fröhlich zur Arbeit. Die Schuld plagt euch, mindestens einen.

»Es ist auch für die Täter schwer, damit zu leben. Insofern ist es gut, dass es mehrere sind«, sagte Kühn. »Und sie sind nicht alle gleich stabil.«

»Ja, das denke ich auch«, sagte Graser. »Wir Menschen sind visuelle Wesen. Das Bild brennt sich ein.«

»Wir denken natürlich auch in Richtung rassistischer Gewalt, gibt es dafür irgendwelche Hinweise?«

»Kann natürlich sein. Die exzessive Gewalt spricht vielleicht für ein rassistisch motiviertes Verbrechen. Aber die Schädelfraktur nicht unbedingt«, sagte Graser.

»Warum? Was meinen Sie damit?«

Graser bemühte noch einmal seinen Rechner und klickte zwei Dutzend Aufnahmen über den Monitor, bis er fand, was er suchte. »Sehen Sie: Das hier ist das Scheitelbein. Es ist entlang dieser gezackten Linie gebrochen. Und jetzt stellt sich immer die Frage: Wodurch?« Graser machte eine Pause und bemächtigte sich wieder seines Kugelschreibers. »Wenn Sie jetzt von rechten Schlägern ausgehen, denken Sie zuallererst an die Baseballkeule oder an den berühmten Springerstiefel. Der hat starke Sohlenkanten. Wenn Sie damit zutreten, bilden sich jedoch andere Risse im Knochen, Vertiefungen, stufenartige Brüche. So ein schwerer Schuh ist eine richtige Waffe. Sie müssten gar nicht mit allzu großer Kraft zutreten, um sehr arge Zerstörungen in der Knochenstruktur zu bewirken. Dasselbe gilt für Baseballschläger oder Schlagstöcke. Hier ist aber nichts davon zu sehen.«

»Womit wurde denn dann zugetreten?«

»Ich kann es Ihnen nicht sagen. Mit einem weichen Schuh. Ein leichter Turnschuh vielleicht. Selbst barfuß wäre wahrscheinlicher als ein Kampfstiefel. Auf jeden Fall war es kein Schuh mit einer harten Kante oder Verstärkung.«

»Das klingt tatsächlich nicht unbedingt nach Naziszene.«

»Aber lassen Sie sich nicht täuschen, im Grunde genommen ist die Tat auf diese Weise viel aggressiver und grausamer.«

»Wieso?«

»Weil mehr Kraft aufgewendet werden musste. Hier war der Gewaltexzess viel größer als bei der Tat eines Glatzkopfes in Kampfstiefeln. Eben weil der Schuh als solcher nicht gefährlich war. Sie müssen sich den Unterschied vorstellen wie bei der Gewaltanwendung mit einem Esslöffel.«

Kühn setzte sich auf. »Verstehe ich nicht.«

Graser lächelte: »Es ist nicht sehr schwer, jemanden mit einem scharfen Fleischermesser umzubringen. Es ist ein gefährlicher Gegenstand. Das kann jeder. Und jeder kann es nachvollziehen. Aber versuchen Sie dasselbe mal mit einem Esslöffel. Es ist möglich. Sie können jemanden mit einem Esslöffel erstechen. Aber dafür müssen Sie einfach sehr, sehr zornig sein. Zorniger als jeder, der ein Messer benutzt.«

Kühn und Steierer fuhren zurück ins Büro. Beide hingen ihren Gedanken nach. Irgendwann sagte Steierer: »Okay.

Dann waren es vielleicht keine Glatzen. Aber die Szene hat sich auch verändert. Denk mal an die Identitäre Bewegung. Oder an rechte Burschenschaften. Oder an den Bürgerverein Weberhöhe. Das sind auch keine Kampfstiefelheinis. Und trotzdem rechts.«

Kühn nickte. »Sie sind nicht unbedingt als gewaltbereit einzuschätzen. Wir müssen sie trotzdem beobachten. Diese Leitz-Truppe besonders. Sie wussten einfach ein bisschen früh von der Sache. Entweder weil es bei uns ein Leck gibt. Oder weil sie Täterwissen hatten und es bewusst verdreht haben. Und es stimmt schon: Die bürgerliche Tarnung gelingt ihnen inzwischen ganz gut. Leitz hat die Glatzen und Bomberjacken bei sich weitgehend aussortiert. Die dienen ihm nur noch als Personenschutz. Und zwar verkleidet. Im Jackett.«

Steierer bog auf den Parkplatz des Präsidiums ein. »Siehste. Und abends ziehen sie sich Ballettschühchen an und vermöbeln einen Libanesen an der Tramhaltestelle. Ich habe Hunger. Weißt du noch, was es heute gibt?«

Als sie nach einem besorgniserregend geschmacksfreien Schweinerücken mit Bohnengemüse wieder in der Dienststelle ankamen, saß dort ein Mann auf einem Stuhl im Flur. Er las in einer Zeitschrift und sah aus, als würde er beim Arzt auf die Behandlung warten. Ulrike Leininger kam auf Kühn zu und sagte: »Du hast Besuch. Ein Lehrer von Amir Bilal. Er will mit dir sprechen. Und dann waren da noch zwei Anrufe und eine ganz interessante Mail.«

»Wie lange sitzt der Mann da schon? Habt ihr ihm einen Kaffee angeboten?«

»Nein. Vergessen. Eine Stunde, würde ich sagen.«

»Mann, Mann, Mann. Ein Wunder, dass er noch da ist. Ich mache erst den Lehrer, dann reden wir über die Anrufe.«

Er ging auf den Lehrer zu, stellte sich vor, bot einen Automatenkaffee an und bat ihn in sein Büro.

Amirs Mathelehrer Moritz Hagenbusch war ein freundlicher Mann in Kühns Alter. Er war gestählt von seiner Tätigkeit als Mittelschullehrer. Man sah ihm die Stürme im Klassenzimmer an, aber auch eine gewisse Unverwüstlichkeit, eine Robustheit. Seine Stimme war eine Idee zu laut und seine Hände rau. Das kam vom jahrelangen Gebrauch von Tafelkreide, mit der er unermüdlich Dreisatz und Prozentrechnen vormachte.

Hagenbusch setzte sich Kühn gegenüber und bedankte sich für den Kaffee. Dann sagte er, dass er Amirs Bild in der Zeitung gesehen habe. Und gerne etwas über ihn aussagen wolle. Er wisse nicht, ob es etwas zu bedeuten habe, denke aber, dass jede Kleinigkeit ein Bild des Opfers vermitteln und auf diese Weise vielleicht auch bei der Tätersuche helfen könne. Deswegen sei er da.

Kühn mochte Hagenbusch. Er sah in ihm eine Art Äquivalent. Sie waren beide Beamte, sie hatten beide mit Menschen zu tun, die oftmals am Rande standen, und sie bemühten sich beide um Wahrheit und Gerechtigkeit. Beide auf ihre Weise.

»Es ist gut, dass Sie vorbeigekommen sind. Auch wenn der Kaffee sicher scheußlich ist.«

»Auch nicht schlechter als bei uns im Lehrerzimmer«, sagte Hagenbusch und nahm einen Schluck. Dann berichtete er von Amir. Wie Amir es in den vergangenen Jahren immer nur knapp geschafft habe, nicht von der Schule zu fliegen. Dass er ein rundum unerträglicher und nicht beschulbarer Fall gewesen sei. Dass es in der Lehrerschaft Frauen und Männer gegeben habe, die sich geweigert hätten, mit ihm zu arbeiten. Dass die Bemühungen, über das Jugendamt mit den Eltern in Kontakt zu kommen, schwierig bis unmöglich gewesen seien. Dass der Vandalismus von Amir zuweilen bis zur Selbstverletzung gereicht habe. Und dass man die Tage gezählt habe, bis er endlich weg sein würde.

»War Amir Bilal unintelligent?«

»Das würde ich nicht sagen, nein. Er war sicher mindestens durchschnittlich begabt. Aber er zog seine Trümpfe nicht aus dem Ärmel. Er verwendete seine Intelligenz meistens dazu, jeden reinzulegen, zu hintergehen und zu beklauen. Aber nein, natürlich war er intelligent. Und er konnte auch sehr gewinnend und charmant auftreten. Das war das Irre. Manchmal, wenn er Lust dazu hatte, beteiligte er sich an Diskussionen, und dann sagte er ausgesprochen reflektierte Dinge. Zur Emanzipation der Frau zum Beispiel. Oder zum Salafismus. Dann war man platt. Aber im nächsten Moment konnte sich der Wind drehen, und Amir terrorisierte wieder seine Umgebung.«

»Würden Sie sagen, dass er sich altersgemäß verhielt?«

»Mal so, mal so. Er hatte schon etwas sehr Kindliches, einerseits. Er war ein Martial-Arts-Fan, Bruce Lee fand er besonders toll. Er arbeitete an dessen Moves, was immer etwas Rührendes hatte. Fand ich jedenfalls. Andererseits sind Jungen aus diesen Milieus sehr früh gealtert. Oft tragen sie die Verantwortung in ihren Familien. Sie haben einen ausgesprochen starken Ehrbegriff. Und wenn eine religiöse Komponente dazukommt, sind sie kaum noch zu erreichen.

Morgens bei uns, nachmittags in der Koranschule, das funktioniert leider nicht so oft.«

»Aber Amir war nicht religiös.«

»Überhaupt nicht. Er war einfach nur unberechenbar. Ich hatte ihn auch eine Weile im Sport. Es konnte vorkommen, dass er sich dafür einsetzte, die schwächeren Mitschüler im Fußball zu integrieren. Fünf Minuten später ging ihm irgendwer auf die Nerven, und er trat einfach zu.

Wir gaben uns alle Mühe, ihn zu mögen, aber er machte es einem schwer. Die Kollegin, die ihn im Deutschunterricht hatte, kam einmal nach einer Auseinandersetzung mit ihm weinend ins Lehrerzimmer. Sie hatte ihn gebeten, im Unterricht sitzen zu bleiben und nicht dauernd rauszulaufen. Da sagt Amir zu ihr, sie solle ihr Maul halten, und nennt sie eine alte Fotze. Die Kollegin sagt, das werde ein Nachspiel haben, und er antwortet, er habe mehr Lust auf ein Vorspiel. Sie sagt, was er sich einbilde, vor lauter Zeugen so mit ihr zu sprechen. Da sagt Amir, er sehe keine Zeugen. Dabei war das Klassenzimmer voll. Aber niemand von den Mitschülern hätte sich getraut, den Tatbestand als solchen zu bezeugen. Die Kollegin ist dann rausgelaufen, und Amir hat gewonnen. Ich habe keinen Zweifel daran, dass die Sache genauso abgelaufen ist, wie sie sie erzählte.«

»Und es gab keinen Verweis?«

»Nein. Aber es ist jetzt auch egal. Deswegen bin ich nicht hier. Ich wollte Ihnen etwas anderes über Amir Bilal erzählen.«

»Gerne. Noch Kaffee?«

»Lieber nicht.«

Und dann berichtete Hagenbusch von Amirs völliger Verwandlung. Dass er plötzlich aufmerksam, freundlich, lernbereit und aufgeschlossen gewesen sei. Dass er Schwächere geschützt und in Auseinandersetzungen vermittelt habe. Dass er sich ernsthaft für jedes Fach interessiert habe und ein paarmal gesagt habe, dass er nicht in Neuperlach sterben wolle. Er habe auch in dieser Phase nicht unbedingt über sich und seinen neuen Ehrgeiz sprechen wollen, aber er habe hier und da Andeutungen gemacht. Er wolle das Abitur und studieren. Er habe keine Lust mehr, für andere der letzte Dreck zu sein. Und dass er nicht mehr bei seiner Mutter wohne.

»Eine richtige Saulus-Paulus-Geschichte«, sagte Hagenbusch. Kühn nickte, obwohl ihm diese Saulus-Paulus-Sache nicht mehr so richtig im Gedächtnis war. Irgendwas aus der Bibel, dachte er kurz.

»Worauf führen Sie diesen Wandel zurück?«

»Keine Ahnung, aber ich habe so etwas noch nie erlebt.«

»Kann es sein, dass da ein Mädchen im Spiel war?«

»Natürlich kann das sein. Aber dann war es keines von unserer Schule. Das hätten wir ja mitbekommen. Aber er veränderte sich auch äußerlich. Seine Kleidung, sein Style, die Haare. Er sah nicht mehr so aus, wie diese Jungs bei uns normalerweise rumlaufen. Kann sein, dass es mit einem Mädchen zu tun hatte, ja.«

»Wenn ich sage, dass diese ganze Verwandlung ungefähr ab Juni stattfand, würden Sie dann zustimmen?«

»Ja, absolut. Woher wissen Sie das?«

»Von seinem Instagram-Account. Darf ich Ihnen mal das Mädchen zeigen, das uns dort begegnet ist?«

Kühn zog ein paar Ausdrucke aus einer Klarsichtfolie. Amir und Elfenbeinchen. Die besten Aufnahmen aus einer glücklichen Zeit von vor wenigen Wochen. Hagenbusch sah sich die Bilder an.

»Nein. Die kenne ich nicht. Tut mir leid. Wie gesagt, hätte mich auch gewundert.«

Die Männer verabschiedeten sich, und Hagenbusch fuhr zurück in die Schule, wo er einer Konferenz beiwohnen musste. Einer seiner Schüler, Enki Karasow, hatte auf der Schultoilette das Klopapier angezündet. Insgesamt acht Rollen. Der Plastikqualm der Papierhalter hatte den Alarm und die Sprinkleranlage ausgelöst. Der Schaden war beträchtlich, Enkis Familie mittellos und nicht versichert. Vor diesem Hintergrund war Amir Bilal an seiner Schule wenige Tage nach seinem Tod schon so gut wie vergessen.

Ulrike Leininger steckte ihren Kopf ins Büro. Sie wedelte mit einem Zettel. »Bereit für die Anrufe und die Mail?«

Kühn winkte sie in sein Zimmer. Sie blieb vor seinem Tisch stehen und sagte mit gespielt strenger Stimme: »Anruf eins kam von einem Doktor Klingler. Er bittet dringend um Rückruf wegen irgendeiner Untersuchung. Er hat gesagt, er werde sich nicht mehr vertrösten lassen und sonst den Dienstweg und so weiter und so fort. Geht mich ja nichts an, aber ich finde, das klingt ernst.«

Kühn sagte nichts dazu. Er fand nicht, dass er mit Ulrike Leininger über seinen Gesundheitszustand debattieren musste. »Und der zweite Anruf?«

»Der kam von Scherer. Es geht um einen Fall von Erpressung. Er wollte dich sprechen, weil es irgendwie mit der Weberhöhe zu tun hat. Vielleicht will er dich nur etwas fragen. Du kannst dich ja mal bei ihm melden.«

»Mache ich. Und was war das Dritte?«

»Das war eine Mail von einem Zeitungsleser. Der hat das Feuerzeug erkannt.«

»Das ist eine gute Nachricht.«

»Glaube ich auch. Es stammt von einem Goldschmied in der Altstadt. Ich war auf seiner Website. Es sieht sehr nach einem Treffer aus. Man müsste mal hingehen und ihm das Ding zeigen. Vielleicht erinnert er sich daran, wem er es verkauft hat. Soll ich das machen?«

Kühn trommelte kurz auf die Tischplatte und stand dann auf. »Nein, das mache ich. Ich werde jetzt zu diesem lästigen Klingler gehen, und auf dem Rückweg schaue ich bei dem Juwelier vorbei.«

»Goldschmied.«

»Sage ich ja.«

Es war Kühn lästig, zu diesem Arzt zu gehen. Er rief dort an, wurde von der Sprechstundenhilfe unfreundlich ermahnt, sofort, also unverzüglich und so weiter zu erscheinen, als ob diese ihm irgendwas zu befehlen hatte.

Er ging zu Fuß vom Präsidium Richtung Klinikviertel und wunderte sich selbst darüber, wie sehr sich seine Stimmung verdüsterte, je näher er dem Amtsarzt kam. Er riss dort die Tür auf und stellte sich vor die Theke, als habe er enormen Durst und wolle vier Bier bestellen. Die Arzthelferin wies ihn barsch an, sich zu setzen und darauf zu warten, bis der Doktor Zeit für ihn habe. Kühns Argument, er persönlich habe noch viel weniger Zeit als Klingler, beantwortete sie mit einem pfeifenden Geräusch, dann nahm sie ein Telefonat entgegen und herrschte einen Lehramtsbewerber an, er habe gefälligst morgen früh zur Untersuchung zu erscheinen und nicht nächste Woche, wenn ihm irgendwas an seiner Verbeamtung liege. Und ja, das Drogenscreening sei absolut erforderlich, was er sich denn sonst vorstelle.

Nach einer guten Viertelstunde öffnete sich die Tür des Arztes, und Klingler schaute heraus. »Herr Kühn?«

Nachdem sie sich hingesetzt hatten, musste Kühn lächeln.

»Habe ich was Lustiges gesagt?«, fragte Klingler.

»Nein, gar nicht. Ich muss nur lächeln, weil das heute für mich anscheinend der Tag der Ärzte ist. Ich war erst vorhin in der Nußbaumstraße im Institut für Rechtsmedizin. Wenn ich gewusst hätte, dass ich noch zu Ihnen muss, hätte ich gleich in der Ecke bleiben können.«

»Sie wissen seit Wochen, dass Sie noch zu mir müssen. Warum ignorieren Sie mich?«, fragte der Arzt, der offenbar ehrlich getroffen war.

»Ich ignoriere Sie nicht, ich habe bloß viel zu tun. Und ich bin ja gesund. Worüber sollen wir also jetzt sprechen. Wollen wir jedes Ergebnis Ihrer Untersuchungen diskutieren?«

»Nein, nicht jedes«, sagte Klingler, was Kühn sofort beunruhigte.

»Was meinen Sie damit?«, fragte Kühn, in dessen Körper eine Anspannung wuchs. Er konnte sich das nicht erklären und nichts dagegen unternehmen: Seine Muskeln zogen sich zusammen.

»Eins nach dem anderen. Zuerst die guten Nachrichten.«

»Nein! Sagen Sie mir gleich, was los ist.«

Aber Klingler reagierte nicht auf Kühns Bitte. Er hatte zu viel Routine, und er wollte nicht davon abweichen. Er schlug eine Mappe auf und überflog sie: »Das meiste ist für Ihr Alter gut oder sehr gut. Bandscheiben, Leberwerte, Blutdruck, alles in Ordnung. Augen und Ohren na ja. Sie werden über kurz oder lang eine Brille brauchen, willkommen in der Altersweitsicht. Drogenscreening ist okay, Reaktion ist okay, Gewicht ist völlig okay.«

»Aber?«

»Aber ihr PSA-Wert nicht.«

»Und was ist der PSA-Wert?«

»Lange Version oder kurze Version?«

»Verständliche Version, wenn's geht.« Kühn spürte, dass etwas in der Luft lag. Etwas Unheilvolles. Es war nicht wie die Mahnung, weniger Pommes frites zu essen oder häufiger Sport zu treiben. Es ging mehr in die Richtung des Unabänderlichen, des nicht Beeinflussbaren, des Schicksalhaften. Klingler nickte, und seine Stimme wurde weich, verständnisvoller. Das beunruhigte Kühn noch mehr, der sich plötzlich seine Frau an seine Seite wünschte. Es war ein ganz kurzer Impuls nur, aber er fühlte sich alleine.

»Okay, Herr Kühn. Lassen Sie es mich so sagen: Sie haben was. Aber es ist noch nicht raus, ob es wirklich schlimm ist. Das ist die kürzeste und zugleich verständlichste Fassung, die ich Ihnen bieten kann.«

»Und was habe ich?«

»Sie haben dramatisch hohe PSA-Werte, die darauf hindeuten, dass Sie möglicherweise eine Erkrankung der Prostata zu gewärtigen haben.«

»Sie meinen Krebs?«

Klingler rieb seine Daumenkuppe gegen den Zeigefinger. Kühn hatte viele Menschen vernommen, die ähnliche Übersprungshandlungen vollführten, wenn sie Zeit gewinnen oder nicht mit der Wahrheit herauskommen wollten. Klingler brauchte gar nicht mehr weiter zu sprechen. *Scheiße. Scheiße. Scheiße. Scheißescheißescheiße.*

»Ich meine erst einmal eine Veränderung der Prostata. Das steht einfach fest. PSA ist die Abkürzung für prostataspezifisches Antigen. Ein anderer Begriff ist Semenogelase. Das PSA macht ihr Sperma dünnflüssig, dafür wird es gebildet. Es dient uns Ärzten aber auch als Marker für die Diagnose von Veränderungen der Prostata. Ihre PSA-Werte sind sehr hoch.«

»Wie hoch?«

»Elf Nanogramm auf einen Milliliter.«

»Und was ist normal?«

Klingler machte wieder eine Übersprungsgeste und rieb seine Nasenwurzel, was dem erfahrenen Verhörer Kühn nicht entging. Hier saßen Fachleute beisammen. Einer für die Diagnose von Prostatakrebs und einer für die Diagnose von Lügen.

»Was ist schon normal? Es spielen wahnsinnig viele Faktoren eine Rolle, wenn man den PSA-Wert interpretiert. Im Alter wächst die Prostata, das erhöht den Wert. Viele Sportler haben einen höheren PSA-Wert als unsportliche Probanden. Man sollte deshalb Ruhe bewahren.«

»Aber?«

»Ihr Wert ist leider sehr hoch, Herr Kühn.«

Das drang tief in Kühn ein. Er war kerngesund gekommen und sollte plötzlich krank sein? Aber der Arzt hatte recht. Ruhe bewahren. Jetzt nicht durchdrehen. Vielleicht war es auch nicht schlimm. *Scheißescheißescheiße.*

»Können Sie mir sagen, was das jetzt genau bedeutet?«

»Streng wissenschaftlich weiß ich es nicht genau. Was

wir wissen, ist, dass statistisch mit einer fünfzig- bis achtzigprozentigen Sicherheit bei Ihnen eine Erkrankung vorliegt. Dabei kann es sich um einen gutartigen, aber auch um einen bösartigen Tumor im Prostatagewebe handeln. Das müssen wir rausfinden. Tatsächlich gibt es einen gewissen Anteil von falsch-positiven Diagnosen. Deshalb möchte ich Sie an einen Spezialisten weiterleiten.«

»Wie nennen wir es dann, was habe ich?«

»Wir nennen es mit einer gewissen Sicherheit eine Tumorerkrankung. Aber wie gesagt, das bedeutet noch nicht viel.«

Kühns Herz schlug so heftig, dass er dachte, man könnte seine Jacke zittern sehen. Wir nennen es eine Tumorerkrankung.

»Und was mache ich jetzt? Ich meine, was soll ich denn jetzt machen? Ich meine, ich fühle mich gut.«

»Ja, das ist manchmal tückisch und für die Patienten oft nicht nachzuvollziehen. Man spürt die eigentliche Zellveränderung nicht. Oder einfach gesagt: Krebs tut nicht weh. Erst wenn es raumfordernd wird oder Organe in ihrer Funktion eingeschränkt werden, wird einem bewusst, dass etwas nicht stimmt.«

Raumfordernd. Krebs. Organe. Funktion. Eingeschränkt. Der Arzt sprach Worte aus, die Kühn nie verwendete, sie kamen in seinem Sprachgebrauch kaum vor, sie kauerten tabuisiert im Sprachzentrum. Und nun drehte sich alles um sie. Raumfordernd. Krebs. Organe. Funktion. Eingeschränkt.

»Wie lebe ich denn jetzt damit?«

»Es wird gehen. Sie müssen sich nicht krank fühlen. Zuerst werden wir rausfinden, ob wir uns im gutartigen oder im bösartigen Bereich bewegen. Und dann werden Sie mit dem Facharzt eine Therapie festlegen. Haben Sie Probleme beim Wasserlassen? Irgendwelche Auffälligkeiten?«

»Nein.«

»Das ist schon mal gut. Tumore in der Prostata wachsen sehr langsam. Deshalb werden sie bei alten Männern heute oft gar nicht mehr behandelt, sondern nur beobachtet. Achtzig Prozent der Verstorbenen über siebzig Jahre haben ein Prostatakarzinom, und die meisten wissen gar nichts davon. Falls wir bei Ihnen etwas entdecken, sind Sie mit hoher Wahrscheinlichkeit auch noch gut zu behandeln.«

»Wie wird das behandelt?«

»Das kommt drauf an. Man kann operativ die Prostata entfernen, es gibt Chemotherapien, Bestrahlungen oder Hormontherapien und andere Spezialverfahren, um das erkrankte Gewebe zu entfernen. Aber dafür ist es jetzt noch viel zu früh. Wir wissen nur, dass Ihre Werte wirklich zu hoch sind, um sie zu ignorieren. Und damit wir früh genug dran sind, laufe ich Ihnen seit Wochen hinterher.«

Kühn hob den Kopf und sah den Arzt an, den er auf dem Hinweg noch verflucht hatte. Und obwohl die Nachrichten noch dazu schlecht waren, schämte er sich plötzlich für sein Verhalten. Alles, was dieser Klingler gewollt hatte, war, ihm zu helfen.

»Tut mir leid.«

»Ihr Verhalten ist relativ normal. Niemand drängt sich mir auf, das können Sie mir glauben.« Klingler lächelte nicht, als er das sagte.

»Bin ich jetzt krankgeschrieben?«

»Nein. Sind sie nicht. Und ich habe zwar den PSA-Wert im Bericht vermerkt, aber nicht hervorgehoben. Deshalb wollte ich Sie ja persönlich sprechen. Ich finde, das geht jetzt erst einmal nur Sie etwas an. Machen Sie einen Termin bei dem Urologen, den ich Ihnen aufgeschrieben habe. Lassen Sie sich beraten. Holen Sie eine zweite Meinung ein, wenn Sie mögen. Ich bin sicher, Sie machen schon das Richtige.«

Kühn nickte stumm. Er saß mit seinen fast zwei Metern wie ein ganz kleiner Mann im Besucherstuhl von Doktor Klingler. Der stand auf und ging um seinen Tisch herum, um Kühn zu verabschieden.

»Und bitte tun Sie mir einen Gefallen. Auch wenn's schwerfällt, aber: Bitte googeln Sie nicht nach Prostatakrebs. Das macht keinen Spaß und führt zu nichts. Gehen Sie nach Hause, trinken Sie mit Ihrer Frau ein schönes Glas Wein, und warten Sie ab. Das ist das Beste, was Sie tun können. Herr Kühn. Okay? Ich gebe Ihnen eine Überweisung mit.«

Die beiden letzten Sätze hörte er gar nicht mehr. Wie in Trance wandelte Kühn die Lindwurmstraße hinab Richtung Viktualienmarkt, hinter welchem sich das Geschäft des Goldschmieds befand. Er spürte gar nicht, wie er die Klingel an der Tür drückte.

Eine schöne Frau öffnete und ließ ihn in den Laden, der geschmückt war mit Vogelskeletten, Knochen und tierischen Totenköpfen. Es war ein Ort, an dem sich Vanitassymbole in Artefakte verwandelten, beinahe ein mythischer Raum, besonders nach dem unheilvollen Gespräch mit dem Arzt. Kühn zeigte seinen Dienstausweis und fragte, ob der Goldschmied zugegen sei. Die schöne Frau sagte: »Aber ja, natürlich. Ich hole ihn«, und verschwand für einen Moment in der Werkstatt.

Kühn sah sich noch einmal im Geschäft um und stellte fest, dass wenn er Schmuck trüge, ihm dieser wahrscheinlich gefiele. Er trat an eine Vitrine heran, um den Preis eines Rings zu entziffern, und nahm von dem Wunsch, ihn zu kaufen, sofort wieder Abstand. Inzwischen war der Schmied aus der Werkstatt gekommen und stellte sich zu ihm.

»Möchten Sie sich etwas näher ansehen?«, fragte er freundlich mit einem unüberhörbaren und sehr sanften schweizerischen Tonfall. Der Mann war groß und breit und überall tätowiert, auch am Hals. Aber Kühn dechiffrierte die Tattoos auf den ersten Blick. Es handelte sich nicht um Knastzeichnungen, nicht um verzweifelte oder aus Langeweile oder wegen der Zugehörigkeit zu einem Stamm aufgebrachte Krakeleien, sondern um Körperkunst. Um ein Lebenskonzept. Das war wichtig für Kühn, um sich auf den Mann einzustellen. Der war offenbar eins mit dem, was er machte, und eins mit der Art, wie er das, was er machte, in seinem Geschäft präsentierte.

»Nein, ich will nichts kaufen. Ich habe Ihnen etwas mitgebracht und möchte wissen, ob Sie es gemacht haben.« Damit zog er die Tüte aus der Tasche, öffnete sie und gab dem Künstler das Feuerzeug. Er sah es kurz an und nickte. »Das ist, scheint's, von mir.«

»Können Sie mir sagen, für wen Sie es gemacht haben?«

»Das müssten wir rausbekommen. Bei Einzelstücken machen wir immer ein Foto, für unser Archiv. Und eine Rechnung wird es dazu auch geben.« Er sprach bedächtig und voller Höflichkeit, die in einem völligen Widerspruch zu seinem martialischen Äußeren stand. Er ging zurück zur Theke und sprach in die Werkstatt hinein mit der schönen Frau, der er das Feuerzeug gab.

»Kann ich Ihnen einen Kaffee anbieten?«, fragte er, aber Kühn hörte ihn nicht richtig. Er war, was die Ermittlung betraf, auf Autopilot. Der Rest von ihm summte um den Begriff »Krebs« herum. Hatte das noch einen Sinn, dass er hier rumstand? Was war, wenn es bösartig war? Und durfte man sich die Frage stellen, ob man jetzt eigentlich impotent wurde? Und welche Rolle würde das in seinem Leben überhaupt noch spielen?

Er mochte drei oder vier Minuten in dem Geschäft gestanden haben, während der Goldschmied ihn freundlich ansah, dann kam die Frau zurück. Sie hatte eine Kopie dabei, die sie auf den Tresen legte. »Das war ja erst vergangene Woche. Ich erinnere mich gut«, sagte die Frau. »Solche Aufträge haben wir öfter, besonders von jüngeren Kunden, die sich Patriks Sachen sonst nicht leisten könnten. Manche wollen Ornamente oder komplizierte Muster. Das hier ist ja eher konventionell.«

»Wer hat das denn in Auftrag gegeben?«

»Sie heißt Julia van Hauten.«

»Ist sie das ›J‹ auf dem Feuerzeug?«

»Ich würde das so sehen, ja«, sagte die Frau und lächelte.

»Wie wurde bezahlt? Gibt es eine Kreditkartennummer oder so?«

»Nein, sie hat bar bezahlt. Aber es gibt natürlich eine Rechnung. Die ging auf ihre Mutter, und sie haben wir hier im Kundenstamm. Sie hat schon öfter etwas gekauft. Ich habe Ihnen die Daten ausgedruckt.«

Kühn sah auf das Papier. Eine Adresse in Grünwald. Der Name war Elfie van Hauten. Und Julia war ihre Tochter. Das Elfenbeinchen. Das ergab einen Sinn.

»Ich danke Ihnen.«

»Können Sie mir sagen, warum Sie das brauchen?«, fragte der Mann.

»Wir ermitteln in einem Mordfall. Der Tote hatte dieses Feuerzeug bei sich. Er war wohl der Freund des Mädchens.« Der Goldschmied begleitete ihn zur Tür.

Kühn ging nicht mehr ins Präsidium zurück. Er nahm die S-Bahn und fuhr nach Hause. Von unterwegs schrieb er eine SMS an Steierer und entschuldigte sich wegen Kopfschmerzen, auch wenn er wusste, dass Thomas Steierer ihm das nicht abnahm. Er lief wie ferngesteuert in den Supermarkt an der Weberhöhe und kaufte ein, was seine Frau ihm aufgetragen hatte. Er ging durch den jüngsten Münchner Stadtteil in Richtung Tetris-Siedlung, schloss die Tür seines Hauses auf, verstaute die Einkäufe, lief durchs Haus, traf niemanden an, ging in den Garten, saß herum, mähte den Rasen, warf den Schnitt über die Hecke in die angrenzende Wiese, wo die Weberhöhe zu Ende war. Er ging in den Keller und von dort in die Tiefgarage, wo das kaputte Auto stand, das sein Vater ihm vermacht hatte. Er setzte sich hinein und legte beide Hände ans Steuer. So blieb er minutenlang sitzen.

Krebs. Warum? Warum jetzt? Warum nicht mit siebzig, und ich erfahre es nicht, weil es ohnehin egal ist. Ich werde es Susanne nicht sagen. Es macht mich nicht unbedingt attraktiver gerade. Und überhaupt: Ein schönes Glas Wein miteinander trinken, bei Sonnenuntergang im Garten. Sie wird gar nicht da sein. Niko wird mit Kopfhörern in seinem Zimmer sitzen, Alina wird einen Trickfilm sehen, und Susanne ist beim Yoga oder wo auch immer sie sein wird. Und ich sitze hier in meinem kaputten Auto, in der Tiefgarage, umgeben von Gift. Und in mir drin ist auch Gift, ich bin kontaminiertes Gelände. Wir werden es bestrahlen und seinerseits vergiften und rausholen und verbrennen. Oder ich werde eingehen wie ein alter Mann, der ich nicht bin. Oder doch? Soll es das jetzt sein? Immer lustig und vergnügt, bis der Arsch im Sarge liegt. Udo. Da waren wir auch, Susanne und ich. Panikorchester. Wir waren immer eher Rock, nicht so das sanfte Zeug. Rock. Ich hätte nie gedacht, dass ich mal so eine Opakrankheit bekomme. Ich habe das doch nicht geerbt. Oder doch? Papa? Hast du das auch gehabt? Vielleicht hat man es bei dir nur nicht entdeckt, weil du vorher einen Herzinfarkt bekommen hast. Beim Spargelstechen. Wie absurd. Bekommt einen Herzinfarkt, bevor ihn der Krebs aus dem Spargelfeld rupft.

Er schlug dreimal, viermal aufs Lenkrad und stieg wieder aus. Als die Kinder kamen, spielte er mit Alina eine Partie Memory, das hatten sie lange nicht gemacht. Und Obstgarten. Er scherzte mit Niko und sprach nicht über Nikos wildes Wochenende im Nachbarhaus und dessen unbeseitigte Folgen. Er hatte keine Lust dazu. Er machte Abendessen, setzte sich raus und ignorierte Steierers Bemühungen, ihn zu erreichen. Er vergaß auch, bei der anderen Dienststelle anzurufen und den Kollegen Scherer zu fragen, was da sei, auf der Weberhöhe. Susanne kam erst nach Hause, als Kühn schon schlief. Er hatte dafür fast eine halbe Flasche Ballantine's getrunken.

7. APFEL-GUAVE

Zu den wahrscheinlich glamourösesten und gleichzeitig kostspieligsten Möglichkeiten, seinen Estrich mit einem Fußboden zu versehen, gehört wohl das japanische Bonsai-Parkett. Dieses hat aus zwei Gründen seinen ungeheuerlichen Preis: Zum einen gibt so ein einzelnes Bonsai-Bäumchen recht wenig Material her. Für einen Quadratmeter ist das Holz von bis zu achtzig liebevoll gezogener und behutsam, aber tüchtig gedüngter Pflanzen erforderlich. Diese müssen nach der Ernte in einem aufwendigen und traditionellen Verfahren geschält, geschnitten und miteinander verleimt werden. Das können nur versierte Handwerker aus einer Gegend bei Wakasa in der Präfektur Fukui. Sie haben ihre Kunst über Jahrhunderte verfeinert und geben sie ausschließlich an Familienmitglieder weiter. Diese Handwerker heißen 地面アーティスト, was in etwa dem Begriff »Bodenkünstler« entspricht.

Für den rituellen Schäl- und Schneidevorgang kommt keine Maschine zum Einsatz, sondern ein sogenanntes Hakanshu-Messer, welches in einem elliptischen Schwung und in einer festgelegten Geschwindigkeit über den Kopf und danach von unten nach oben am Stamm entlanggeführt wird. Diese Bewegung darf nicht schneller ausgeführt werden als ein Schwalbenflügelschlag und keinesfalls langsamer als der Sprung eines müden Frosches in den Teich des Tempelgartens von Katsuyama. Jahre der Übung sind vonnöten, bis ein Lehrling die Bewegung an einem Bonsaibäumchen erproben darf. Und auch danach wird die Ausführung des Schwunges jederzeit streng vom ältesten Familienmitglied überwacht. Kommt es zu Fehlern, darf das Holz nicht mehr verwendet werden.

An einem einzigen Quadratmeter Bonsai-Parkett sitzt ein 地面アーティスト bis zu einer Woche, singend und Gedichte rezitierend meist, denn diese Arbeit ist inspirierend und kontemplativ. Die Haikus der 地面アーティスト erfreuen sich zumindest in der Präfektur Fukui großer Beliebtheit und sind von unergründlicher Schönheit. So dichtete einst Yonoshi Mifune Anfang des zwanzigsten Jahrhunderts:

Scharfes Schwert aus Stahl:
Du schälst das Holz vom Baume
Arbeit ohne Schmerz

Das ist ebenso feinsinnig wie wahr. Wer sich also für Bonsai-Parkett entscheidet, erwirbt gleichzeitig den ihm innewohnenden Schöpfergeist und die Naturverbundenheit des Bodenkünstlers: Und das hat seinen Preis. Es gibt überhaupt nicht viele Betriebe, die Bonsai-Parkett nach traditioneller Art herstellen, und natürlich ist die Nachfrage um ein Vielfaches größer als das Angebot. Neureiche in Moskau oder Schanghai reißen sich um den Bonsai ebenso wie Anlageberater in Gstaad oder New York. In London hat ein vermögender Russe sein komplettes Stadthaus inklusive des Heizungskellers damit auslegen lassen. Wohl wegen dieses verschwenderischen und nicht mehr wertschätzenden Umgangs wird das edle Gehölz von westlichen Bodenlegern und Architekten des Öfteren etwas hämisch als »Oligarchen-Laminat« bezeichnet. Aber es hält sich dennoch als Mode und hat der überlebensgroßen Nachformung des Auftraggebers in Alabaster fürs Badezimmer und dem massiv aus Elfenbein gefertigten Himmelbett längst den Rang abgelaufen.

Bei aller Begehrtheit muss man jedoch ehrlicherweise einräumen, dass Bonsai-Parkett im Grunde einer der schlechtesten Böden ist, die man sich legen lassen kann. Es ist auch gar nicht dafür gedacht, dass man es in Wohnhäusern verwendet. Die japanische Tradition besagt, dass ein solcher Boden lediglich in Schreine und Gebetsräume gehört, welche nur in entsprechenden Stoffschuhen betreten werden, manchmal auch barfuß, jedoch niemals in Straßenschuhen oder gar Pumps. Bonsai-Parkett ist überaus lichtempfindlich und zerfällt zudem bei starker Wärme recht schnell, weswegen es auf Fußbodenheizungen nur bedingt geeignet ist. Raumtemperaturen über 20 Grad verträgt es gar nicht. Daher muss immer für ausreichend Belüftung gesorgt werden, zumal der Bonsai ansonsten auch beginnt, etwas streng zu riechen. Besitzer berichten von einem Odeur, welches unentschieden zwischen Käsefondue und Käsefuß schwankt.

Bonsai ist außerdem ausgesprochen weich. Bereits kleinste eingetretene Steinchen und Abdrücke von Damenschuhen lassen sich praktisch nicht mehr auspolieren. Dagegen helfen nur zwei Methoden, nämlich ein vierteljährliches Abschleifen des kompletten Bodens, was eine völlige Erneuerung alle drei Jahre nach sich zieht, weil dann das Parkett weitgehend abgehobelt ist. Oder der großzügige Einschluss des Materials in transparentes Epoxidharz. Letzteres schützt den Bonsai nachhaltig und verleiht dem Boden Glanz, steht aber im Widerspruch zu dem traditionellen ganzheitlichen Ansatz der japanischen Handwerkskunst. In Fernost ist die Harzvariante daher verpönt und gilt als geschmacklos, was die meisten Kunden außerhalb Asiens natürlich nicht wissen. Fachleute aber schon, und deshalb hat das Bonsai-Parkett unter Kennern noch einen zweiten, ebenfalls wenig schmeichelhaften Namen, nämlich: »Sushi-Sülze«.

Diese Variante hat noch einen weiteren Nachteil, den Händler gerne verschweigen: Insbesondere das in Harz eingegossene Parkett ist nämlich recht schwer. Ein Quadratmeter kann bis zu fünfzig Kilogramm wiegen. Das bedeutet, dass bereits ein nur zwanzig Quadratmeter großer Untergrund mit einer Tonne Gewicht belastet wird. Entsprechend groß ist das Gewicht in repräsentativen Altbauwohnungen von 200 Quadratmetern Größe. Das ist bei der Auswahl und der Bestellung des Materials unbedingt zu berücksichtigen. Statiker warnen jedenfalls vor der Verlegung in älteren Gebäuden.

Alle Vorzüge und deren Kehrseiten abwägend, kann man sagen, dass es sich bei Bonsai-Parkett um eine innenarchitektonische Schrulle handelt. Aber die Besitzer betonen einhellig, dass man im Leben nichts anderes mehr betreten wolle, wenn man es einmal im Haus hat. Ein Quadratmeter Bonsai-Parkett kostet 4300 Euro, das Verlegen kommt extra, ist aber nicht viel aufwendiger als bei einem normalen Eichenparkett. Hinzu kommen noch die Versiegelung sowie die fachmännische Einrichtung der temperaturabhängigen Frischluftzufuhr, und dann ist man sehr schnell bei gut und gerne 4860 Euro pro Quadratmeter.

Elfie van Hauten liebte ihr Bonsai-Parkett. Sie hatte vor vier Jahren mit zwölf Quadratmetern im Ankleidezimmer begonnen und Claus vor wenigen Monaten davon überzeugen können, auch das Schlafzimmer damit auslegen zu lassen. Weitere 32 Quadratmeter, die nun endlich fertig verlegt und begehbar waren. Elfie konnte es kaum erwarten, ihren Freundinnen den Boden zu zeigen. Amir hatte vor einigen Tagen gesagt, es sehe aus wie in einem Märchenschloss. Und da war der Boden noch nicht einmal eingeölt gewesen.

Während nun Fachkräfte auf Socken den Boden behandelten und Elfie dabei mit einer Tasse Tee in der Hand zusah, um jeden Augenblick der Traumwerdung ihres Fußbodens auszukosten, kam Julia ins Schlafzimmer, um sich eine Bluse zu leihen. Das geschah häufig, denn Mutter und Tochter hatten praktisch dieselbe Größe. Überhaupt war Julia eine Art Kopie von Elfie, bloß in jünger. Nach der Schule wollte Julia Amir in der Stadt treffen, womöglich auf ein kleines Mittagessen und später mit ihm Mathe üben. Sie war besorgt, weil Amir sich schon seit Stunden, eigentlich schon seit einem ganzen Tag nicht mehr gemeldet hatte und auch nicht erreichbar war. Das hatte sie noch nie erlebt, seit sie sich kannten.

Normalerweise schickte er Emojis oder wenigstens ein albernes Foto von sich aus der Schule, wenn sie sich nicht sahen. Aber nun herrschte Funkstille, seit sie sich am Dienstagabend voneinander verabschiedet hatten. Sie konnte sich keinen Reim darauf machen. Sorgen wurden zu Zweifel, Zweifel zu Gewissheiten, und die Gewissheiten führten zu Kummer und Ärger.

»Und wenn er eine andere hat und es nicht zugeben will?«

Elfie van Hauten nippte an ihrem Tee und legte einen Arm um die Schulter ihrer Tochter. »Warum sollte er eine andere haben, wenn er mit dem tollsten Mädchen der Welt zusammen ist? Der ist doch nicht verrückt«, sagte sie aus tiefster Überzeugung. »Manchmal müssen Jungs einfach ihre Ruhe haben. Lass ihn, dann meldet er sich schon von ganz alleine. Renn ihm bloß nicht hinterher, das ist das Dümmste, was man in so einer Situation machen kann.« Es gefiel Elfie, ihre Tochter in Liebesdingen zu beraten. Sie hatte seit Julias Geburt darauf gewartet und freute sich darüber, mit ihr wie mit einer Freundin sprechen zu können. Auf Augenhöhe quasi.

»Florin hat auch nichts von ihm gehört. Er sagt, dass er ein bisschen sauer auf Amir ist, weil sie gestern eigentlich im Wald laufen wollten. Und jetzt ist er irgendwie untergetaucht.«

Elfie tröstete Julia nach allen Mütterregeln der Kunst, und sie tranken gemeinsam noch einen Tee, aus China. Shi Fong Loong Tseng, »der Drachenbrunnen vom Löwenberg«. Das gab Energie für den ganzen Tag, und Elfie fand, dass dieser Tee fantastisch zu ihrem Fußboden passte.

Kühn wachte zum zweiten Mal hintereinander alleine auf. Auf seine Frage, wann Susanne ins Bett gekommen sei, antwortete diese spitz, sie sei gar nicht ins Bett gekommen, weil er nach Schnaps gestunken und unbarmherzig geschnarcht habe. Es sei eine völlige Zumutung gewesen. Das beantwortete seine eigentliche Frage, wann seine Frau zu Hause gewesen war, nicht, aber er sah davon ab, sie noch einmal konkreter zu stellen.

Unwillkürlich erfasste ihn eine Wut. Er war krank. Und sie nahm darauf keine Rücksicht. Sie konnte es ja nicht wissen, sagte er sich sofort. Andererseits: Sie fragte auch nicht, wie es ihm ging. Wenn sie sich für ihn interessieren würde, dann müsste sie spüren, dass etwas mit ihm war. Er konnte es ihr nicht sagen, aber er hätte sie nicht belogen, wenn sie gefragt hätte. Doch sie fragte nicht. Und das machte Kühn sauer. Von dieser abstrusen Yoga-Geschichte ganz abgesehen. Es kränkte ihn, dass sie offenbar dachte, damit durchzukommen. Ausgerechnet bei ihm, der Lügen spüren konnte wie kaum jemand sonst.

Aber hätte er dann nicht längst etwas sagen müssen? *Du, ich merke, dass da was ist. Wollen wir nicht reinen Tisch machen? Was ist los, was müssen wir tun? Und übrigens, ich habe einen Tumor im Unterleib, und das macht mir Angst. Bitte sei bei mir. Bitte geh nicht zum Yoga oder was du als Yoga bezeichnest. Wahrscheinlich Beckenboden-Gymnastik. Mit irgendwem. Aber glaubst du wirklich, dass ich dich anbettele? Nach über zwanzig Jahren?*

Auf dem Weg in die Innenstadt verdichteten sich Sorgen zu Zweifel und dann zu Gewissheiten. Kühn setzte Momente der letzten Zeit in einen Zusammenhang, er nahm die Krankheit als Teil eines großen Komplotts gegen sich. Während sich die S-Bahn an den unendlichen Bahngleisen zwischen Pasing und dem Hauptbahnhof entlangschob, grübelte er darüber nach, ob seine Funktionstüchtigkeit als

Mann schon eingeschränkt war. Er hatte länger nicht mit seiner Frau geschlafen, aber hinsichtlich der Beschaffenheit seines Spermas war weder ihm noch Susanne etwas aufgefallen. Er hätte auch nicht gewusst, ob es jetzt dünn- oder dickflüssiger zu sein hatte. Nach diesem Befund. Er schaffte es, die Gedanken an seine Prostata, über die er sich bis zum gestrigen Tag genauso wenig Gedanken gemacht hatte wie über seine Milz und sein linkes Wadenbein, minutenweise beiseitezuschieben, was ihm mehr schlecht als recht gelang. *Ich denke ja auch nicht über meine Nase nach, außer wenn ich erkältet bin. Ich habe auch noch nie über meine Rippen nachgedacht. Dabei würde ich ohne den Vogelkäfig wahrscheinlich auseinanderfallen wie ein Sack Murmeln. Ich werde nachher nach Grünwald fahren. Van Hauten. Klingt adlig. Julia und Amir, das Paar des Monats. Und vorher bei Scherer anrufen. Oder gleich mal vorbeigehen. Globke hatte schon von dieser Supermarkterpressung gesprochen. Aber in der Zeitung war nichts. Die Kollegen haben gut gearbeitet, während wir es nicht einmal bis zum nächsten Tag unterm Deckel halten konnten. Irgendwer hat es Leitz gesteckt. Thomas nehme ich mal aus. Gollinger? Leininger? Pollack? Aber warum, was hätten die davon? Das wäre nur denkbar, wenn einer von denen politisch bei Leitz wäre. Bei diesem Krebsgeschwür. Krebs. Krebs. Widerliches Wort.*

In der morgendlichen Lage gingen sie sämtliche bekannte Gruppen Münchens durch, die schon durch fremdenfeindliche Gewalttaten aufgefallen waren. Das waren nicht wenige, aber die Tat ließ sich in ihrer Ausführung keiner möglichen Tätergruppierung zuordnen. Bei allen wurde außerdem geprüft, ob Querverbindungen zum Bürgerverein Weberhöhe bestanden. Das würde Tage dauern und erforderte den Einsatz von V-Leuten, die bereits die Ohren aufhielten.

Der Zeugenaufruf in den Zeitungen hatte gar nichts eingebracht. Ein älterer Herr meldete sich und teilte mit, dass er in einer anderen Nacht zwei betrunkene Jugendliche am Wiener Platz dabei beobachtet habe, wie sie einen Abfallbehälter anzündeten. Er hielt das für eine gute Spur, der man nachgehen müsse. Außerdem meldete sich jemand, der anonym und ohne mitgesendete Rufnummer ins Telefon raunte, der Scheißkerl sei mit Prügel noch gut davongekommen, eigentlich hätte er an die Wand gestellt gehört.

Bei Facebook hatte es Hunderte Kommentare gegeben, in denen sich Privatleute unter Preisgabe ihres richtigen Namens zu Sätzen hatten hinreißen lassen, die ganz eindeutig den Straftatbestand der Volksverhetzung, der Beleidigung oder der Anstiftung zu einer Straftat erfüllten. Manchmal alles zusammen. Die Menschen, die so etwas schrieben, kamen Kühn vor wie mittelalterliche Gestalten, die mit Fackel und Mistgabel bewaffnet zur Hexenverbrennung marschierten und sich dort die Gewissheit verschafften, dass ihr Hass auf Schwächere das richtige Opfer gefunden hatte.

»Endlich handeln wwelche wo andere schlafen. Dieses Gesogs sollte flächendekent elliminiert werden.«

»So. Und jetzt noch alle Gutmenschen von links hinterher und wir Deutschen können wieder in Frieden schlafen.«

»Wenn noch Bedarf besteht: Schickt sie zu mir. Ich habe jederzeit eine Flasche Zyklon B für Flüchtlinge/islamistische Straftäter/Asylantenpack im Haus.«

»Danke BüWe! Die Stimme der Wahrheit! Was die Lügenpresse von tz, AZ, Merkur und SZ verschweigt, deckt ihr auf! Es war also ein vorbestrafter und wieder Nordafrika. Man sollte die Chefredakteure der Münchner Gutmenschenpresse an den Eiern aufhängen und dahin schicken, wo das Geschmeiß herkommt. Und na ja: Vielleicht ertrinken sie ja auf dem Weg.«

Komischerweise war es den Autoren dieser und vieler anderer Schmähungen anscheinend egal oder nicht ganz klar, dass sie sich mit ihren Texten strafbar machten. Jedenfalls wenn es jemand darauf anlegte, sie anzuzeigen. Kühn schrieb eine Notiz an den Staatsanwalt Globke, dem er einen Link zu der Facebook-Seite des Bürgervereins Weberhöhe beifügte.

Das Einzige, was in den Darstellungen der Leitz'schen Krawalltruppe fehlte und was auch die vielen Kommentare nicht enthielten, waren Selbstbezichtigungen oder Hinweise, die zum Täterkreis führen konnten. Sosehr Ulrike Leininger und Hans Gollinger auch suchten und analysierten: Ohne Zeugen oder konkrete Hinweise war dem BüWe nicht beizukommen. Und wer wusste schon, auf welche Spur das führen würde. Womöglich ins Innere des Polizeipräsidiums.

Kühn ließ sich berichten, was zu berichten war, dann verteilte er Aufgaben. Er würde mit Steierer nach Grünwald fahren, zu der Familie van Hauten. Womöglich hatten sie am Abend vor Amirs Tod mit ihm Kontakt gehabt. Mindestens die Tochter Julia. Vorher besuchte Kühn den Kollegen Scherer vom Kriminaldauerdienst.

Scherer war rein optisch das genaue Gegenteil von Kühn.

Praktisch haarlos, kaum größer als ein Meter siebzig und dazu kugelrund. Er sah aus wie eine Bowlingkugel mit aufgesetzter Billardkugel. Das war der Kopf. Scherer referierte über das Erpresserschreiben, dass man beim Supermarkt gefunden habe. Der Marktleiter habe sofort reagiert, die Zentrale informiert, und diese habe wiederum die Polizei eingeschaltet.

Man habe seit dem gestrigen Tag den Supermarkt überwacht und sich bemüht, verdächtige Personen zu überprüfen. Der Erpresser habe sich noch nicht mit Details zu einer Geldübergabe geäußert, aber man wisse leider bereits, dass er es ernst meine.

»Wieso?«, fragte Kühn.

»Weil es ein Opfer gibt. Ein junges Mädchen, das mit seiner Mutter in einem der Hochhäuser nahe den Weberarcaden wohnt. Vielleicht kennst du sie?«

»Ich kenne dort Leute, aber die Weberhöhe hat 15 000 Einwohner.«

»Janina Feige, sechzehn Jahre alt. Schon mal gehört?«

»Nein, kenne ich nicht. Vielleicht mein Sohn, aber ich nicht. Was ist mit ihr passiert?«

»Sie hat einen Joghurt gegessen und ist daran fast erstickt. Atemstillstand durch respiratorische Insuffizienz, dadurch entstand eine Hypoxämie. Sie liegt im Koma.«

Kühn war ebenso erstaunt wie genervt von der Gelassenheit, mit der sein Kollege die Fachbegriffe in den Raum warf. Er hatte aber überhaupt keine Lust nachzufragen und nickte nur.

»Und ihr seid sicher, dass es an dem Joghurt lag?«, fragte er.

»Der Notarzt, der sie erstversorgt hat, war ziemlich aufmerksam. Er hat einfach eins und eins zusammengezählt. Guter Mann. Neben dem Mädchen lag der leere Joghurtbecher. Er hat ihn gleich mitgenommen und die Lebensmittelvergiftung auch als Verdacht in seinem Bericht vermerkt. Und siehe da: Der Joghurt ist randvoll mit GBL.«

»Liquid Ecstasy?«

»Es ist genau gesagt eine Vorstufe davon, Gamma-Butyrolacton, die berühmten K.o.-Tropfen. Wir können froh sein, dass wir den Joghurt haben. Im Körper des Mädchens hätten wir das Zeug nicht mehr nachweisen können. Es wird zu schnell abgebaut. Ohne den Becher hätten wir keinen Beweis, wahrscheinlich hätten wir den Zusammenhang zu der Lebensmittelerpressung gar nicht herstellen können.«

»Und was macht euch jetzt so sicher? Kann das nicht in der Herstellung da reingekommen sein?«

»Nein. Das halten wir für ausgeschlossen. Ist auch der einzige bekannte aktuelle Fall einer Lebensmittelvergiftung mit Joghurt in München. Außerdem haben wir den Joghurtdeckel sicherstellen können. Er wurde eindeutig präpariert. Jemand hat das Zeug mit einer Spritze durch den Deckel in den Joghurt appliziert. Wir sind sicher, dass es der Erpresser war. Der Zufall, dass ausgerechnet in dem Supermarkt, der gerade erpresst wird, ein Joghurt auftaucht, der von jemand anderem vergiftet wurde, wäre mir zu groß.«

»Fingerabdrücke?«

»Zweifelsfrei nur vom Mädchen und dazu noch von mindestens einer weiteren Person. Vielleicht die Kassiererin. Der Täter hat vermutlich Handschuhe getragen.«

»Warum hat das Mädchen so intensiv reagiert? Ich meine, wenn man so eine Lebensmittelerpressung begeht, kommt es doch oft erst zu Warnschüssen.«

Scherer schob Akten hin und her und nickte. »Ja, das stimmt. Ist auch nicht auszuschließen, dass da noch weitere Produkte vergiftet sind. Wir suchen danach, mit hoher Diskretion. Ich denke, das Mädchen hatte vielleicht eine Allergie oder so. Wir wissen es nicht, weil die Abbaustoffe schon wieder aus dem Körper sind. Alles, was wir wissen, ist, dass sie diesen Joghurt gegessen hat.«

»Ihr könntet nun jemanden suchen, der vor Kurzem GBL gekauft hat.«

Scherer lachte. »Der ist gut! Das Zeug ist nicht einmal illegal. Das kannst du vollkommen frei im Internet kaufen, der Liter für hundert Euro. Wir haben schon vorbestrafte Vergewaltiger damit in Klubs erwischt und durften es ihnen nicht wegnehmen.«

»Nicht dein Ernst.«

Scherer hob die Schultern. »Ist so. GBL ist die Vergewaltigungsdroge Nummer eins. Es macht gefügig, es macht abhängig, und es ist saugefährlich. Schon eine geringe Überdosierung führt zum Atemstillstand. Wie bei Janina.«

»Und warum ist es nicht verboten?«

»Ganz einfach: Weil es in der Industrie tonnenweise gebraucht wird. Das ist in Putzmitteln drin und in Pflanzenschutzzeugs und Antibiotika und was weiß ich wo drin noch. Man könnte es mit einem Bitterstoff versetzen, dann wäre GBL als Zusatz für Getränke oder Joghurt unbrauchbar, weil man es sofort schmecken und ausspucken würde. Aber leider stoßen entsprechende Initiativen immer wieder auf politische Verhinderer. Die Lobby ist wohl ziemlich groß.«

Kühn fand das alles ziemlich interessant, fragte sich aber mit zunehmender Dauer, warum er hier saß, anstatt nach

Grünwald zu fahren. »Und was kann ich jetzt für euch tun?«, fragte er.

»Ja, genau. Es ist folgendermaßen: Wir glauben, dass der Erpresser aus deiner Gegend kommt. Die Fallanalyse sagt, dass diese Personen gerne dicht am Geschehen sind. Sie wollen überprüfen, ob ihre Tat Wirkung zeigt. Sie lassen sich sehen und schauen nach, ob nun sämtliche Joghurts aus den Regalen genommen werden. Wenn der Täter in Schwabing oder im Westend säße, müsste er dauernd die lange Tour zu euch raus unternehmen. Außerdem spricht die Ablage des Briefes für die Theorie. Wir glauben, dass sie praktischerweise auf dem Weg zur Arbeit erfolgt ist. Außerdem suchen wir nach jemandem, der womöglich von Schulden geplagt wird und ganz dringend viel Geld braucht. Und bei euch in der Gegend soll das der Fall sein. Durch diesen Bauskandal.«

Kühn nickte. Konnte alles sein. Oder auch nicht.

»Ich weiß, Martin, das ist letztlich dünne. Vielleicht ist der Erpresser auch aus Nürnberg angereist und hat den Joghurt in Hamburg gekauft. Aber es ist die einzige Theorie, die uns von der Ersatzbank ins Spiel holt. Und die Erfahrung spricht dafür, dass er den Joghurt in dem Markt gekauft hat, den er erpressen will. Auf diese Weise ist er sicher, dass es das Produkt, das er dort ablegt, dort auch zu kaufen gibt. Es fällt sicher nicht auf. Und er weiß, wo im Markt er es ablegen muss. Egal. Jedenfalls: Wenn dem so ist und unser Erpresser den Joghurt im REWEKA an der Weberhöhe gekauft hat, dann hat er Scheiße gebaut.«

Kühn setzte sich auf und sah in Scherers rundes Gesicht, das nun den Anflug eines Lächelns zierte. Ermittlerstolz. Kühn kannte das von sich selber und gönnte seinem Kollegen den Triumph, indem er fragte: »Was, lieber Peter, beschert dir diesen fröhlichen Gemütszustand?«

»Es ist relativ simpel: Er hat sich eine exotische Sorte ausgesucht. Apfel-Guave. Ich meine, wer isst den so was? Egal. Wenn er den Joghurt dort gekauft hat, dann finden wir ihn.«

»Aha. Und wie?«

»Auf jedem Kassenzettel dieser modernen Märkte steht nicht nur einfach Joghurt, sondern auch die Marke und die Sorte. Unser Erpresser hat sich für eine entschieden, die nicht so oft verkauft wird. Hätte er einen Erdbeerjoghurt oder einen Schokopudding gekauft, dann säßen wir hier bis zum Sankt-Nimmerleins-Tag. Aber so ist es ziemlich einfach.«

»Warum?«

»Weil auf den Kassenzetteln auch das Datum und die Uhrzeit des Kaufs stehen. Und jetzt rate mal, wie oft Apfel-Guave in den fünf Tagen vor der Tat im REWEKA übers Band ging?«

»Na?«

»Dreiundzwanzig Mal. Wenn wir ein bisschen Glück haben, ist unser Mann dabei. Und zwar mit Bild. Jede Kasse hat dort eine eigene Videoaufzeichnung.«

Kühn verstand, was seinem Kollegen so gute Laune bereitete: Man musste nicht einmal in quälenden Stunden sämtliche Aufzeichnungen aller Kassen aus fünf Tagen sichten, sondern konnte bequem anhand der Kassenabrechnung in die Minute scrollen, in der ein Apfel-Guave-Joghurt gescannt wurde. Was für eine Unachtsamkeit des Täters.

Kühn schob anerkennend die Unterlippe vor. »Poah!

Jetzt hoffe ich nur, dass der Joghurt nicht schon seit Wochen bei unserem Freund im Kühlschrank stand.«

»Das MHD spricht dagegen. Der Joghurt wäre erst übernächste Kalenderwoche abgelaufen. Der stammt aus einer Charge von letzter Woche.«

»Hoffentlich wurde er nicht geklaut«, versuchte Kühn weiter, seinem Kollegen die gute Stimmung einzutrüben.

»Kann sein. Wäre aber seltsam. Wenn ich der Täter wäre, würde ich nicht vorher durch Ladendiebstahl auffallen wollen.«

»Okay. Und wo komme ich ins Spiel?«, fragte Kühn, dem die Unterhaltung nun wirklich zu lange dauerte.

»Wir müssen sehr diskret vorgehen. Daher wollte ich dich fragen, ob du mal auf die Bilder draufgucken kannst, wenn wir was haben. Nur so. Ob dir jemand auffällt. Vielleicht gibt es ja einen Kandidaten, der dir aus irgendwelchen Gründen zusagt. Wenn wir gleich anfangen, wie die Wilden zu fahnden, setzt er sich vielleicht ab. Bisher weiß die Öffentlichkeit noch nicht einmal, dass jemand vergiftet wurde, und das wollen wir auch so halten.«

Kühn stand auf. »Klar, ich bin dabei. Aber du weißt, dass ich selber knietief in Ermittlungen bin, oder?«

»Jaja, ich rufe dich nur an, wenn es was zum Angucken gibt. Ich will dir nicht die Zeit stehlen.«

Sie verabschiedeten sich, und Kühn ging zurück in seine Etage. Wer Schulden hat, neigt zu Dummheiten. *Das ist vielleicht wahr. Aber dann wären wir alle verdächtig. Alle in der Tetris-Siedlung und viele auf der ganzen Weberhöhe. Und in ganz München. In der ganzen Welt. Wer hat es denn immer leicht? Wer hat überhaupt keine Sorgen? Ich habe noch nie jemanden getroffen, der nicht irgendwann mal einen Grund ge-*

habt hätte, ein Verbrechen zu begehen. So ein Scheißkerl. Ein sechzehnjähriges Mädchen. Das hätte auch Niko sein können. Wobei: Wer kauft denn bitte Apfel-Guave-Joghurt? Und was ist überhaupt eine Guave? Manchmal fühlte sich Kühn in der Welt, die ihn umgab, nicht mehr zu Hause. *Apfel-Guave. Mann, Mann, Mann.*

8. EINE KLEINE WELT FÜR SICH

Steierer hing am Telefon, Leininger war nicht da, Gollinger wühlte sich durch Akten, und Pollack zankte sich mit dem Praktikanten darum, ob dieser im Rahmen seiner Tätigkeit für ausreichend Kaffeebecher zu sorgen hatte oder nicht. Der Praktikant fand das nicht.

Kühn setzte sich auf seinen Stuhl und checkte Dienstmails. Von Globke kam eine Antwort auf die Facebook-Kommentare, die er ebenfalls dummdreist und strafbar fand. Er wolle sie an das zuständige Kommissariat weiterleiten, wenn dieses davon nicht bereits Kenntnis hatte.

Zu seinem großen Kummer öffnete Kühn gleich anschließend eine Mail des Polizeipräsidenten, der ihm mitteilte, dass er sich sehr ungern direkt an ihn wende, jedoch nicht ohne Grund darauf hinweisen wolle, dass morgen das Führungskräfteseminar stattfinde, zu welchem er, Kühn, sich bereit erklärt habe und welches also definitiv morgen sei, und zwar unter Mitwirkung aller dazu geladenen Kräfte, also auch seiner, Kühns, Person, die ihm noch einmal bestätigen möge, dass sie an diesem Seminar teilzunehmen gedenke, zumal er, der Präsident, darauf hinweise, dass er eine Absenz des Kollegen nicht dulden werde und Ausflüchte ebenfalls nicht und dass es darüber hinaus ein starkes Stück sei, dass er, der Präsident, wegen solcher Kinkerlitzchen bei einem Hauptkommissar überhaupt vorstellig werden müsse, und es aber für angebracht hielte, weil er sonst zu befürchten habe, dass Kühn wieder einmal nicht teilnehme, und bevor er, Kühn, nun Maßnahmen ergreife, um sich am Wochenende in der Dienststelle unersetzbar zu machen, sei ihm deutlich gesagt, dass für diesen Samstag, so es da etwas zu tun gebe, die Kommissariatsleitung in den Händen des Stellvertreters Steierer liege, wodurch sämtliche Versuche, sich mit Arbeitsüberlastung aus diesem Termin zu stehlen, von vornherein zum Scheitern verurteilt seien. Mit freundlichen Grüßen und der Bitte um kurze Bestätigung des Erhalts dieser Mail.

Kühn seufzte und quittierte die Mail mit »Dankend erhalten, HK Kühn« und drückte auf »Senden«.

Er stand auf, nahm seine Jacke und ging damit zu Steierer, der mit irgendwem von der Spurensicherung schimpfte. »Es kann nicht sein, dass wir dieses Zigarettenthema noch nicht gelöst haben«, blaffte er in den Hörer, nahm das Versprechen entgegen, spätestens am Montag mehr über die Zigaretten zu erfahren, und legte auf.

Dann fuhren sie in Steierers Auto in eine fremde Welt, nach Grünwald. *Ob die Menschen hier bisweilen auch Schulden haben? Ob hier irgendjemand Supermärkte erpresst? Nein, wahrscheinlich wird hier mit Supermarktketten gehandelt. Oder Apfel-Guave-Joghurt erfunden.* Das Navigationssystem von Steierers Wagen brachte sie direkt vor die geschlossene Einfahrt der van Hautens. Steierer parkte, dann klingelten sie. Nach einigen Sekunden hörten sie eine Frauenstimme fragen: »Guten Tag, was kann ich für Sie tun?«

»Polizei«, sagte Steierer routiniert. »Würden Sie bitte öffnen?«

»Ach, das ist ja eine Überraschung«, sagte die Stimme zur Überraschung der Beamten. »Polizei hatten wir wirklich noch nie da. Das ist ja aufregend. Warum sind Sie denn hier?«

»Können wir das bitte erörtern, wenn wir im Haus sind?«, fragte Steierer ungeduldig.

»Ich glaube nicht«, sagte die Stimme. »Auch wenn ich finde, dass Sie wirklich schon bilderbuchmäßig aussehen wie Polizeibeamte, kann ich es dennoch nicht sicher wissen. Ich möchte diese Anlage und das schwere Tor nicht eingebaut haben, um dann freiwillig irgendwelchen Strolchen zu öffnen.«

»Das ist sehr umsichtig von Ihnen. Machen Sie jetzt bitte auf.« Steierer suchte bereits nach Möglichkeiten, Mauer oder Tor zu überklettern. Es knackte im Lautsprecher, aber das Tor öffnete sich nicht. Nach wenigen Sekunden knackte es abermals.

»Van Hauten«, sagte eine männliche Stimme.

»Guten Tag«, sagte Steierer. »Mein Name ist Steierer, Kriminalpolizei München. Bei mir ist Hauptkommissar Kühn. Wir würden gerne mit Ihnen in einer dringenden Sache sprechen. Wäre das möglich?«

Es knackte noch einmal, dann öffnete sich das sechs Meter breite Rolltor und gab den Blick auf den Vorplatz des van Hauten'schen Hauses frei. Die Polizisten gingen hindurch, und Kühn sagte leise: »Super, Thomas. Warum nicht gleich so?«

Der Weg war ausgelegt mit einem Kopfsteinpflaster, das die van Hautens bei einem Spaziergang in Dubrovnik aufgetan hatten. Sie fanden es so schön, dass sie den Bürgermeister persönlich davon überzeugten, fünfzig Meter Altstadt auf Kosten der van Hautens zu asphaltieren und ihnen dafür die Steine zu überlassen. Sie wurden nach Grünwald transportiert und neu verlegt. Elfie freute sich jedes Mal, wenn sie von der Garage über das Pflaster zum Haus ging. Es war fast so schön wie das Parkett im Schlafzimmer.

Als Kühn und Steierer die Haustür erreicht hatten, stand dort Claus van Hauten, die Ärmel des weißen Hemdes hochgekrempelt, keine Schweißflecken oder Falten, vielleicht bügelfrei, oder er bewegte sich nicht in seinem Hemd. Blaue Chinos, ebenfalls leicht hochgekrempelt. Er ging barfuß und hatte keine Krampfadern an den gebräunten Beinen, wie Kühn sofort bemerkte. Der Mann sah überhaupt fantastisch aus und sorglos wie ein Baby. Kühn sah reflexhaft auf seine Hände und stellte fest, dass sich dieser Mensch sicher noch nie geschlagen hatte. Wenn man wie Kühn ständig auf der Suche nach Schuld war, so konnte man hier auf den ersten Blick feststellen, dass man bei diesem Mann nicht fündig würde. So sehr man auch suchte. Die Erscheinung dieses van Hauten war auf den ersten Blick so einnehmend, dass Kühn seinerseits sofort verbindlich erscheinen wollte. Als galten innerhalb der Grenzen dieses Grundstücks eigene Gesetze der Höflichkeit.

Van Hauten lächelte freundlich und sagte: »Bitte kommen Sie rein. Meine Frau ist immer ein wenig streng mit der Tür, dass müssen Sie ihr nachsehen. Ist nicht böse gemeint.« Das Letzte versah er mit einem Augenzwinkern, das beiden Beamten auffiel, das sie aber nicht deuten konnten. Es war ihnen im Grunde genommen egal, ob die Frau es böse meinte oder nicht.

Claus van Hauten ging voran durch das loftartige Erdgeschoss mit der offenen Küche und dem großzügigen Wohnzimmer, welches sich in unterschiedliche Bereiche gliederte, die der Architekt »Zeitkapseln« genannt hatte. Es gab Kapseln für die Familienzeit, für die Essenszeit und für die Entspannungszeit, die mit unterschiedlichen Materialien wie Bambus, Beton, Glas und nordamerikanischer Eiche individuell gestaltet waren, aber gleichzeitig fantastisch miteinander harmonierten, was ein ganz großes Kunststück von Innenarchitektur darstellte.

Elfie hatte bei der Ausstattung des Hauses viel Wert darauf gelegt, dass die unterschiedlichen Zonen passende Farbtemperaturen und Designstile aufwiesen, ohne dass sie sich gegenseitig in die Quere kamen. So ließ sich beispielsweise ein Lounge Chair ausgezeichnet mit einer Collage von Peter Beard verbinden, zumal wenn man noch Erdfarben bei den Polstern hinzukombinierte. Kaschmirdecken und Kissen wirkten Wunder, um Kontraste hervorzuholen. Ein Peter Beard passte hingegen gar nicht gut über einer Memphis-Kommode, da konnte man machen, was man wollte. Memphis erzwang als Kombination entweder Murano-Glas oder Plastik. Oder ganz verrückt: Sottsass *und* ein Jugendstilsofa. Da gab es wunderbare Möglichkeiten, man musste sie bloß finden. Das Einrichtungsthema, die ganze Feinjustierung war eine heikle Angelegenheit, und Elfie hatte Monate gebraucht, um auch nur in die Nähe zufriedenstellender Lösungen zu kommen. Ein normaler Mensch hätte gar nicht ahnen können, wie viele schlaflose Nächte, welchen Kummer ihr solche Fragen bereiten konnten.

Und nun standen zwei normale Menschen auf der Terrasse der van Hautens, und Elfie bekam sofort Mitleid, weil diese Männer offenbar nie eine Schule des Sehens durchlaufen hatten. Anders war ihr Jeans-und-Windjacken-Outfit nicht zu erklären. Hochgradig bedauerlich, fand sie, riss sich aber zusammen. Man musste die Leute nicht gleich mit seinem guten Geschmack brüskieren. Wer weiß, vielleicht steckten harte Schicksale hinter so einer Aufmachung. Das hatte sie in ihrer jahrelangen Arbeit beim »Münchner Sternenhimmel« gelernt: Don't judge the book by its cover – auch wenn's Spaß macht.

Elfie van Hauten bot zwei schattige Plätzchen auf der Terrasse an. Und zwei Gläser selbst gemachte Ingwer-Minze-Limetten-Limo. Oder Espresso. »Ich nehme beides«, sagte Steierer, und Elfie sagte: »Gerne, das freut mich.« Dann glitt sie ins Haus. Sie sah unglaublich aus, und sie roch, wie man sich einen Spätsommertag in Toledo vorstellt. Oder zumindest so ähnlich.

Während sie auf die Getränke warteten, bewunderte Kühn den Garten und den schwarz glänzenden Teich, der nicht im Erdboden versenkt war, sondern darüber zu schweben schien. »Schöner Teich«, sagte Kühn.

»Ja, wir haben uns ein wenig von Tadao Andō inspirieren lassen, vom Wassertempel auf der Insel Awaji, wissen Sie.«

»Ach ja«, sagte Kühn, der absolut nicht verstand, wovon der Mann redete.

»Ich dachte, ein japanischer Tempel wäre die richtige Umgebung für meine Koi-Karpfen.«

»Ja, sicher«, sagte Kühn, dem das völlig einleuchtete. Er stand auf und ging an den Teich, in welchem die großen weiß-roten Fische elegant und in souveräner Langsamkeit kreuzten, als seien sie Großgrundbesitzer, die ihre Ländereien durchmaßen. Von Koi-Karpfen hatte Kühn schon gehört. Sie waren teuer, das wusste er.

»Haben die auch Namen?«, fragte er und hoffte darauf, dass sie keine hatten, weil er nach etwas suchte, was ihm an van Hauten nicht gefiel. Aber er wurde enttäuscht.

»Ja, na klar. Die haben alle Namen. Der fast Weiße dahinten, der heißt zum Beispiel Van.«

»Van? Was ist denn das für ein Name?«

»Von Van McCoy. Kleines Wortspiel. Van McCoy, kennen Sie doch: *Do the hustle.* Van McCoy, weil er ein Koi ist.«

»Ach so. Ja. Und die anderen?«

»Die wurden von meinen Kindern getauft. Da ist Rüdiger, dahinten Feenstaub, und da links ist Gertrud. Nicht sehr nett. Meine Kinder finden offenbar, dass meine Mutter einen Mund hat wie ein Karpfen. Da kommen die Getränke.«

Kühn war nicht ganz sicher, ob dieser Frohsinn nun aufgesetzt war oder echt. Auf jeden Fall schienen diese Leute bei aller Merkwürdigkeit integer zu sein. Und sie kümmerten sich gut um ihre Gäste. Steierer und Kühn erhielten je ein Longdrinkglas mit drei großen, völlig klaren Eiswürfeln, und Elfie van Hauten goss die Limonade hinein. Einen Moment später dachte Kühn, dass er in seinem ganzen Leben nichts Besseres getrunken hatte.

»Das schmeckt toll«, sagte er. Er begann augenblicklich, sich bei den van Hautens wohl zu fühlen.

Steierer sagte: »Bevor wir uns jetzt alle liebend in die Arme fallen, müssen wir leider über eine ernste Sache reden.«

»Natürlich«, sagte Claus van Hauten gefasst und stellte sein Glas ab. »Wie und wobei können wir Ihnen helfen?«

»Kennen Sie einen Amir Bilal?«

»Natürlich«, sagte van Hauten. »Das ist der Freund unserer Tochter. Ich hoffe nicht, dass er in Schwierigkeiten ist.«

Steierer sagte nichts und trank. Kühn sah in die Runde und sagte: »Amir Bilal ist tot. Er wurde in der Nacht von Dienstag auf Mittwoch an der Tramhaltestelle Großhesseloher Brücke von mehreren Personen so zusammengeschlagen, dass er an den Folgen der Misshandlungen starb.«

Kühn hatte bewusst so ausführlich gesprochen, um währenddessen die Reaktion des Ehepaars van Hauten zu beobachten. Sie waren ehrlich erschüttert. Und sie hörten die Nachricht eindeutig zum ersten Mal.

»Amir ist tot?«, fragte van Hauten. Seine Frau begann sofort zu weinen. Sie legte eine Hand vor den Mund, und die Tränen liefen ihre Wangen hinab. Entsetzen und sofortige Trauer. Hilflosigkeit. Noch keine Wut, eher nur einschießendes Adrenalin. Kühn spürte, dass Elfie van Hauten den Jungen gemocht hatte. Der Mann blieb sachlicher, war aber ebenfalls tief betroffen.

»Ja. Können wir Ihnen einige Fragen zur Person Amir Bilal stellen? Ist das möglich?«

»Natürlich«, antwortete Claus van Hauten, dann nahm er seine Frau in den Arm.

»Wenn es für Ihre Frau gerade nicht passt, würden wir auch mit Ihnen allein sprechen«, sagte Kühn. Van Hauten nickte, stand auf und zog seine Frau aus dem Stuhl. Er brachte sie ins Haus und kam nach wenigen Minuten zurück, in denen die Polizisten schweigend Limo durch dicke

Strohhalme saugten und den Koi-Karpfen beim Nichtstun zusahen. Van Hauten setzte sich wieder, und Kühn bemerkte, dass seine Hände zitterten. Offenbar versuchte van Hauten, seine Aufregung in den Griff zu bekommen.

»Amir Bilal war häufiger bei Ihnen, oder?«

Van Hauten nickte und nahm sich Zeit für seine Antwort. »Ja. Meine Frau hat ihn bei ihrer ehrenamtlichen Tätigkeit für den ›Münchner Sternenhimmel‹ kennengelernt. Er hat an mehreren Programmen teilgenommen und war auf einem tollen Weg.« Er machte eine längere Pause, um nicht die Fassung zu verlieren.

»Was macht Ihre Frau bei diesem Verein genau?«

Van Hauten sagte, sie sei dort seit Jahren engagiert und sitze im Vorstand. Dann berichtete er vom Anliegen des »Sternenhimmels« und von Elfies Kampf um die vernachlässigten Kinder.

»Wir kennen den ›Sternenhimmel‹. Eine gute Sache«, sagte Steierer, der wie Kühn wusste, dass es sich um einen ziemlich elitären Klub handelte, dem allerdings auch der Polizeipräsident angehörte. Und Globke wahrscheinlich ebenfalls. Oder mindestens dessen Frau. Jedenfalls war ihnen bewusst, worüber sie sprachen.

»Sie machen ausgesprochen erfolgreiche Projekte«, fügte Kühn hinzu.

Van Hauten nickte bekräftigend und hielt weiterhin seine Linke mit der Rechten fest, um seine Unruhe zu verbergen.

»Wir tun damit der ganzen Gesellschaft einen Gefallen, nicht nur den Kindern. Sehen Sie: Es gibt überhaupt nur eine Sache, die noch mehr kostet als Bildung. Und das ist: keine Bildung.« Kühn hatte den Spruch schon mal irgendwo gehört. Aber es fiel ihm nicht ein, wo. Und es war egal, denn der Satz stimmte auf jeden Fall.

Dann erzählte van Hauten, wie Bilal in ihrem Leben aufgetaucht war. Wie sie ihn gemocht hatten, wie glücklich sie über die bereichernde Beziehung ihrer Tochter mit Amir waren. Wie gern sie ihn um sich hatten. Dass Amir auch mit Julias Bruder Florin eine gute Beziehung hatte. Und mit dessen Freundeskreis. Man habe miteinander Urlaub gemacht, Amir habe ihn auch mal um Rat gefragt und sei in den paar Monaten unglaublich aufgeblüht. Ein netter, kluger und reflektierter Junge sei er gewesen. Dazu wissbegierig und liebevoll mit der Tochter. *Himmelherrgott noch mal, ist das alles dufte hier. Das war ein Heiliger unter lauter Heiligen. Aber warum nicht? Was ist daran verkehrt? Sie haben dem Jungen offenbar gutgetan. Und sie haben es gern gemacht. Wenn es mehr Menschen wie diesen Mann gäbe, wäre die Welt ein besserer Ort.*

»Entschuldigen Sie, wenn ich das so offen frage, Herr van Hauten. Hatten Sie nie Angst, dass Bilal Sie beklauen könnte? Oder dass er Ihrer Tochter oder Ihrem Sohn etwas antun könnte vielleicht? Immerhin wurde er bis zum Sommer in einer Kartei für jugendliche Intensivstraftäter geführt. Bilal war wirklich ein harter Hund«, sagte Steierer, und Kühn ergänzte: »So wie Ihre Frau vorhin an der Gegensprechanlage geklungen hat, hätte sie so jemanden wie Amir Bilal doch nie hereingebeten. Das wirft schon Fragen auf.«

»Ja, das stimmt«, sagte van Hauten. »Es war auch das erste Mal, dass einer ihrer Schützlinge bei uns war. Elfie war auf eine bestimmte Art verrückt nach ihm. Also nicht so, wie Sie jetzt meinen.«

»Wie meine ich denn?«, fragte Kühn und hob die Augenbrauen. An eine erotische Komponente hatte er tatsächlich nicht gedacht.

»Ach nichts. Nein. Egal. Sie empfand Amir einfach als große Herausforderung. Ihn zu resozialisieren war auf eine gewisse Art ein Meisterstück. Er war für meine Frau ein ungeschliffener Diamant, als sie ihn kennenlernte.«

»Und es hat sie gar nicht gestört, dass er etwas mit Ihrer Tochter hatte? Eltern sind in dieser Hinsicht doch eigentlich sehr vorsichtig.«

Van Hauten machte eine wegwerfende Handbewegung. Ein winziger Tropfen Wasser von seinem Glas fiel auf sein Hemd.

»Wir hatten ihn ja hier. Unter Kontrolle. Wir haben ihn sozusagen veredelt. So wie er hier wurde, war er doch für niemanden eine Gefahr. Und glauben Sie mir: für Julia erst recht nicht.«

»Wo ist denn Julia. Können wir sie sprechen?«

»Nein. Leider nicht. Sie ist noch in der Schule. Und es wäre mir auch lieber, man könnte sie mit dieser Nachricht verschonen.«

Van Hauten nippte an seiner Limonade und überprüfte die Wirkung seiner Worte. Hinten im Garten nahm ein Wassersprenger die Arbeit auf. Fffft. Fffft. Fffft. Ein seltsames Geräusch und für ein paar Sekunden das einzige. Steierer suchte mit den Augen den Garten ab, fand die Ursache des Fffft jedoch nicht.

»Ich fürchte, das wird nicht gehen. Irgendwann wird sie es sowieso erfahren. Und wir müssen mit ihr über Amir reden. Das leuchtet Ihnen doch ein, oder? Sie stand ihm am nächsten«, sagte Kühn.

»Können wir es so machen, dass ich es ihr beibringe und Sie uns ein bisschen Zeit geben, bevor Sie meine Tochter vernehmen?«

»Es ist keine Vernehmung, nur eine Befragung«, sagte Steierer.

»Sprechen Sie mit ihr, und halten Sie ihre Tochter ab morgen zur Verfügung.«

Kühn spürte, dass diese Aufforderung in dem Vater schwere Gedanken auslöste. Während die Gläser von Steierer und Kühn immer noch von Tautropfen bedeckt waren, schien die Kälte aus van Hautens Glas entwichen zu sein. Er hielt das trockene Glas wie ein Zepter. Claus van Hauten war aufgeregt, sein Körper strahlte Wärme ab, denn er kochte innerlich. Und er blinzelte mit den Augen. Offenbar dachte er darüber nach, wie er seiner Julia die furchtbare Nachricht vom Tod ihrer großen Liebe beibringen sollte. Dazu die Vorstellung des grässlich zerschlagenen Amir, die sicher gerade in seinem Kopf entstand. Kühn konnte gut verstehen, dass van Hauten nur mühsam die Fassung wahrte.

»Können wir noch mal auf Amir zurückkommen?«, fragte Kühn. Van Hauten goss ein, nahm die Frage des Kommissars vorweg und sagte: »Sie möchten wissen, wann er das letzte Mal hier war. Das war am Dienstag.«

»Am Dienstag von wann bis wann«, fragte Steierer. Da kam hinter ihnen ein Junge aus dem Haus. Groß, schlank, in weißen Leinenhosen und leichten Segelschuhen. Er hatte den länglichen Kopf des Vaters mit den widerspenstigen Haaren, die von beiden, Vater und Sohn, an den Schädel gegelt wurden. Florin trug ein hellgraues kurzärmeliges

Hemd, darunter ein geripptes Unterhemd und ein schmales Lederbändchen um den Hals. Kühn fand, dass er wie ein Hollywoodschauspieler aus den Vierzigerjahren aussah. Der Junge machte etwas, was Kühn sonderbar, auf eine befremdende Weise unpassend fand, nicht nur in dieser Situation, sondern generell. Es sah merkwürdig aus: Florin ging in schnellen Schritten zu seinem Vater, umschlang den Hals des sitzenden Mannes, wofür er sich tief bücken musste, und küsste ihn. Vergrub dann den Kopf in der Halsbeuge seines Vaters und ließ sich von ihm wiegen. Die beiden Körper, innig ineinander verdreht, und das vor den fremden Polizeibeamten, deutete für Kühn darauf hin, dass diesen Menschen jede Distanz fehlte. Oder dass sie ein fantastisches Verhältnis hatten. Sofort dachte er an Niko und die völlige Unmöglichkeit einer solchen Geste, besonders vor Leuten, die man nicht kannte.

Florin ließ seinen Vater los und stellte sich hinter ihn. Er hatte Tränen in den Augen. Dann sagte er: »Meine Mutter hat es mir gerade gesagt.«

»Guten Tag«, sagte Kühn. »Es tut mir leid, dass Sie einen Freund verloren haben.«

»Danke«, sagte Florin.

»Bitte, Florin, setz dich doch zu uns. Wir sprechen über Amir, und ich denke, du wirst den Herren Kühn und Steierer besser weiterhelfen können. Mein Pulver ist bereits verschossen.«

Damit erhob sich van Hauten und ging ins Haus. Kühn bemerkte, dass van Hauten seinen und Steierers Namen behalten hatte. Die meisten Menschen vergessen Namen sofort, nachdem sie vorgestellt werden. Der einzige Grund, Namen von Fremden zu behalten, ist die Mutmaßung, dass sie wichtig sein oder werden könnten. Für van Hauten waren Kühn und Steierer offenbar wichtig.

Florin setzte sich und sagte: »Ist es ganz sicher Amir?«

»Ja«, sagte Kühn nickend. »Ihr Vater sagte eben, er sei am Dienstag noch hier gewesen. Stimmt das?«

»Ja«, sagte Florin tapfer. »Wir haben gegrillt und hier auf der Terrasse zusammengesessen.« *Es gab Schwein vom Grill, ich weiß. Und Salat und Brot.*

»Wer genau?«

»Wir. Julia, Amir, ich und ein paar Freunde. Meine Eltern sagen immer, es ist ein offenes Haus. Wer zu unserem Kreis gehört, kann immer kommen.«

»Wer war denn alles da?«

»Mal überlegen. Kleine Runde. Josefine. Tobi natürlich, Gregor und Hannah, Max, aber der ist ganz früh gegangen. Und dann noch Darian.«

»Ist Ihnen irgendwas an Amir aufgefallen an diesem Abend? War er anders als sonst?«

»Nein, gar nicht. Er hatte ein Geschenk für Julia dabei.«

Da bin ich aber mal gespannt, was Amir hierher mitgebracht hat. Und wofür er seiner Mutter den Fernseher weggenommen hat.

»Was denn für ein Geschenk?«

»Warten Sie, ich hole es.« Florin stand auf und ging ins Haus, wobei ihm sein Vater entgegenkam, der mit einem Glas in der Hand auf die Terrasse trat. Er hatte es für seinen Sohn geholt, damit er auch Limonade trinken konnte. Diese Menschen waren ausgesucht höflich miteinander. Aufmerksam. Kühn scheute sich nicht, an das Horrorwort »achtsam« zu denken, das seine Frau seit einiger Zeit öfter gebrauchte. *»Achtsam« ist das neue »Nachhaltig«. Vater* *holt Glas. Sohn holt Geschenk, beide werden später die Mutter streicheln. Es ist ein großes Gekuschel und Geschmuse hier. Komische Menschen. Oder sollte es vielleicht so sein? Anderswo schlafen die Frauen im Wohnzimmer auf der Couch, und die Nachbarn erpressen Supermärkte.* Kühn kam sich für einen Moment klein vor. Ein sinnloses Leben lebend. Aber auch behütet, solange er auf dieser Terrasse saß. Kühn spürte diesem Gefühl nach, ließ es sich gefallen, sich hineinfallen, um darauf zu kommen, was daran nicht stimmte. Aber er bemerkte nichts und schloss daraus, dass diese Welt hier am Ende vielleicht ganz einfach noch in Ordnung war.

Florin kam wieder zurück. Er hielt ein Bild in der Hand. Bruce Lee auf einem Spiegel. *Das war es also, was Amir seiner Freundin gekauft hat. Der Mathelehrer hat es gesagt: Er war ein Bruce-Lee-Fan.*

»Offenbar hat Bruce Lee Amir sehr viel bedeutet, und deshalb hat er Julia diesen Spiegel geschenkt. Wir waren davon sehr gerührt«, sagte Claus van Hauten.

»Sie fanden es scheußlich«, sagte Steierer, und Kühn kam das sehr direkt vor. Aber in Anbetracht der Umgebung hatte Steierer sicher recht.

»›Scheußlich‹ ist nicht das richtige Wort«, sagte Florin sehr sanft. »Wir fanden es lieb. Und es spielt gar keine Rolle, ob dieses Spiegeldings nun hässlich ist oder nicht. Es kam von Herzen, das zählt. Und beim Aufhängen spielt der Kontext eine Rolle«, fuhr Florin in einem Tonfall fort, der kein bisschen belehrend klang, sondern eher fürsorglich und um Verständnis für Amir werbend. »Sie können so ein Bild auch ironisch hängen. Oder in eine gestalterische Ebene einfügen, in die es passt. Julia hat gleich gesagt, es könne zum Boxsack in den Sportraum.« Florin stellte das

Bild auf den Boden und lehnte es an den Servierwagen, auf dem die Limonade stand. Er bediente sich und trank.

»Sie haben einen Sportraum?«, entfuhr es Steierer.

»Ja, aber nur einen kleinen. Wer beruflich oft Entscheidungen aus dem Bauch heraus fällt, sollte den Bauch gut trainieren«, sagte Claus van Hauten und lächelte.

Kühn stellte sein Glas ab.

»Wissen Sie noch, wie lange Amir bei Ihnen geblieben ist?«

»Es löste sich alles so gegen Mitternacht auf«, sagte Florin. »Mittwoch war ja Schule. Und Amir wollte deswegen nicht hier übernachten. Er wollte nach Hause. Ich konnte ihn nicht mehr fahren, das mache ich sonst manchmal.« Er verbesserte sich: »Das habe ich manchmal gemacht. Aber ich hatte was getrunken. Amir war es auch egal. Er wollte einen Spaziergang machen und mit der Tram fahren.«

Kühn holte sein Handy heraus und gab seine PIN ein, gleich zweimal, weil das Gerät den Bildschirm nicht entsperrte. Dann bemerkte er, dass er Susannes Smartphone dabeihatte. Offenbar hatte sie morgens versehentlich seins eingesteckt und ihres liegen lassen. Er fluchte innerlich und gab dann ihre PIN ein, sein Geburtsdatum. Auf seinem Telefon musste man Susannes Geburtstag eingeben. Hatten sie mal so ausgeknobelt. Als Spielschutz gegen die Kinder. Und um gegenseitig nie den Geburtstag des anderen aus dem Blick zu verlieren.

Kühn rief Google Maps auf und gab die Adresse der van Hautens ein. Dann fügte er Großhesselohe hinzu und wählte aus den Optionen die Trambahnhaltestelle. Das war ein ordentlicher Fußmarsch.

»Das ist ja wirklich merkwürdig«, sagte Kühn. »Sehen Sie mal, Florin.«

Florin erhob sich, machte einen Schritt zu Kühn und sah von der Seite auf das Display. Er roch nach Zitrone und leichten Rauchnoten, vielleicht nach etwas Zimt. Florin griff mit der rechten Hand nach dem Handy, weil es spiegelte und drehte es ein wenig zu sich, während Kühn es festhielt. Diese Überschreitung der intimen Distanzzone schien ihm leichtzufallen, und er vollführte sie mit einer Selbstverständlichkeit, als sei Kühn ein Verwandter, ein Onkel vielleicht, der ihm ein Snapchat-Video zeigen wollte.

Kühn schaute sich die Hand des Jungen an und stellte fest, dass sie keinerlei Kampfspuren aufwies, nicht einmal Unreinheiten. Florin van Hauten war so gepflegt, als wollten seine Eltern ihn zum Verkauf anbieten. Er war geradezu poliert. Auf dem Display war in einer blauen Linie der Weg vom Haus zur Haltestelle eingezeichnet.

»Amir Bilal wurde an der Haltestelle in Großhesselohe aufgefunden und dort auch ermordet. Sehen Sie, Florin, das ist weit, mehr als vier Kilometer. Dafür braucht man eine Weile zu Fuß.«

»Das stimmt«, sagte Florin und ließ das Handy los.

»Es wäre viel naheliegender gewesen, wenn er von Ihnen zur Haltestelle am Derbolfinger Platz gegangen wäre. Dorthin sind es kaum mehr als fünfzehn Minuten.«

Florin sah in den Garten. Er dachte nach. »Darauf kann ich mir auch keinen Reim machen. Kurz vor Mitternacht war hier Schluss. Er hat noch mit Julia am Tor gestanden, sie haben sich ganz normal verabschiedet, und wir haben die Terrasse aufgeräumt. Er hat auch nichts gesagt. Nur, dass er nach Hause wollte. Mehr kann ich Ihnen beim besten Willen nicht sagen, Herr Kühn.«

»War irgendjemand auf der Straße, fuhren Autos herum, haben Sie eine Beobachtung gemacht, irgendetwas, was nicht passt? Könnten Sie darüber nachdenken?«

Florin nickte. Alles an ihm war Konzentration und Zugewandheit. »Ja, sicher. Aber da war nichts. Gar nichts. Ein total normaler Abend.«

Kühn warf Steierer einen Blick zu, und die Männer erhoben sich. Steierer sagte: »Bitte teilen Sie uns noch alle Namen und bitte auch die Kontaktdaten Ihrer Freunde mit. Am besten, Sie setzen sich gleich hin und schreiben uns eine Mail.« Er übergab Florin seine Karte. »Und wenn Ihnen noch etwas einfällt zum Dienstag, dann melden Sie sich bitte.«

Kühn legte seine Karte auf den Tisch. Claus van Hauten nahm seine Hand und drückte sie fest. Er sagte: »Schade, dass man sich aus solch einem traurigen Grund kennenlernt. Darf ich Sie beide vielleicht einladen?« Es klang nicht wie eine Frage, eher schon wie die Rückbestätigung einer Einladung.

»Wozu?«, fragte Steierer.

»Wir geben am Sonntag hier bei uns eine kleine Matinee. Mein Großvater wäre übermorgen 114 Jahre alt geworden. Zu seinem Geburtstag gibt es bei uns traditionell einen Frühschoppen, wir nennen es mit einem kleinen Augenzwinkern Augusts Austernfrühstück. Dazu spielt eine kleine Band seine Lieblings-Jazzstandards. So ab elf Uhr. Aber man muss nicht pünktlich sein. Ich würde mich freuen, wenn ich Sie und gerne auch Ihre Gattinnen oder Lebensgefährten dazu begrüßen dürfte. Wirklich.«

»Ich bin nicht verheiratet«, sagte Steierer in abwehrbereitem Ton. An der Einladung schien ihn alles zu erschrecken: der tote Großvater, der Jazz und vor allem die Austern.

»Dann kommen Sie alleine. Das macht doch nichts.«

»Ich muss am Sonntag mein Aquarium reinigen. Die Koi-Karpfen können kaum noch rausgucken«, sagte Steierer ernst. Kühn schüttelte unmerklich den Kopf und sagte: »Ich werde sehen, was Frau Kühn dazu sagt. Es klingt auf jeden Fall sehr interessant.«

Natürlich spürte er, dass Claus van Hauten versuchte, ihn mit einem Lasso der Gastfreundschaft und Zuvorkommenheit einzufangen, aber es fühlte sich gut an. Viel besser jedenfalls als die Einladungen zum Champagner, die er früher bei Razzien in Bordellen immer ausgeschlagen hatte.

Sie verabschiedeten sich von Vater und Sohn, der sie noch bis zum Tor brachte, dort eine vierstellige Kombination eintippte und so lange wartete, bis die Polizisten im Auto saßen, um dann kurz zu winken und wieder ins Haus zu gehen.

»Und? Was sagst du«, fragte Steierer, während er langsam durch das Wohngebiet fuhr.

»Nette Leute«, sagte Kühn. »Wir wissen jetzt, was er gemacht hat. Er hat dieses Bild gekauft, dann ist er nachmittags irgendwann bei den van Hautens aufgetaucht. Er bleibt bis gegen 0 Uhr und läuft dann zur Haltestelle. Aber nicht zur nächstgelegenen. Oder er trifft unterwegs jemanden, der ihn mitnimmt. Es geht um diese Stunde. Und über die wissen wir nichts.«

»Und was sagst du über diese Leute? Der Typ mit seinen Superfischen? Die irre Frau? Und dieser Sohn. Mein Gott, so einen Stratzer hätten wir früher über den Schulhof geprügelt«, sagte Steierer.

»Warum machen sie dich so aggressiv? Die lösen in dir was aus. Einen antibürgerlichen Impuls, würde ich fast sagen. Man könnte meinen, du hättest etwas gegen Adlige.«

»Wenn die überhaupt adlig sind«, sagte Steierer dumpf.

»Die machen nichts, was einem missfallen könnte. Der Mann mag seine Fische, die Frau engagiert sich sozial, und der Junge hat Manieren. Was stört dich so daran?« Kühn konnte seinen Ärger nicht verbergen. Er mochte es nicht, wenn Steierer seine persönlichen Vorbehalte zum Maßstab für die Beurteilung von Zeugen oder Verdächtigten oder Tätern oder Opfern machte. Es hatte so etwas Würstchenhaftes, es war so kleinkariert. Und das Kleinkarierte, das Kühn auch in seiner Siedlung so oft antraf, das machte ihn zornig. Besonders jetzt, nachdem sie dieses Haus und diese Familie verlassen hatten.

»Na, hör mal. Augusts Austernfrühstück. Geht's noch? Und dann diese komische Limonade. Gibt es bei denen irgendwas, was nicht super-hyper-duper-pupertoll ist?«

»Sag mal, Thomas, kann es vielleicht sein, dass du ein kleines bisschen neidisch bist auf die Leute?«

»Neidisch? Ich? Worauf denn?«

Darauf sagte Kühn nichts. Ihm wäre einiges eingefallen, worauf man bei den van Hautens hätte neidisch sein können. Einiges. Vieles. Er sah lange aus dem Fenster.

»Sag mal, der Junge muss ja hier rumgelaufen sein. Er ist ja nicht weggeflogen«, sagte Kühn.

»Vermutlich nicht, nein. Wieso?«

»Schau mal hier. Und hier. Und hier. Siehst du das?«

»Ja. Thujahecken, Zäune, Mauern, Einfahrten. Und?«

»Hier sind überall private Kameras. Die Gegend ist bewacht wie die Sicherheitskonferenz. Wenn hier jemand entlangläuft, geht er von einem Kamerasichtfeld ins nächste. Wenn es also stimmt, dass Amir Bilal zu Fuß bei den van Hautens losmarschiert ist, dann muss er irgendwo gefilmt worden sein. Und wenn wir die Aufnahmen bekommen, können wir vielleicht seinen Weg nachvollziehen oder sehen, ob er jemandem begegnet ist.«

»Das kann sein. Aber wie wollen wir das so schnell rausfinden?«

Kühn lächelte und sagte: »Da findest du sicher einen Weg mit Gollinger und Pollack. Ihr könnt ja noch Personal anfordern. Ihr solltet euch jedenfalls gleich heute noch in Bewegung setzen.«

»Muss das denn am Wochenende sein? Hat das nicht bis Montag Zeit?« Kühn antwortete nicht, und Steierer wusste selber, dass seine Frage nicht besonders klug war. Die Aufnahmen, wenn es welche gab, wurden in modernen Systemen nie länger als ein paar Tage gespeichert, man würde sich beeilen müssen, und man war auf die Kooperation privater Hausbesitzer in Grünwald angewiesen, was unter Umständen eine gewisse Überredungskunst erforderte. Natürlich musste man mit der Recherche sofort beginnen.

»Und was machst du bitte schön so lange?«

»Ich? Bin morgen auf dem Führungskräfteseminar. Und am Sonntag bin ich bei Augusts Austernfrühstück.«

»Das kann ja wohl nicht wahr sein.«

Irgendwie machte Kühn die Unterhaltung Spaß. Sie fuhren an der Bavaria Filmstadt vorbei und passierten den Tatort. Amir, wir kriegen raus, was dir hier passiert ist, dachte Kühn.

Im Büro informierten sie die Kollegen, dann berichteten diese von ihren Fortschritten. Wobei es nicht viel zu berichten gab. Die Rechten in der Stadt hielten die Füße still. Keine Bekenntnisse, nur die betont gleichmütige Zurkenntnisnahme des Verbrechens. Zeugen hatten sich weiterhin nicht gemeldet. Das Mädchen Janina lag immer noch im Koma, zum Erpresser gab es keinen Kontakt. Das Labor hatte keinerlei Neuigkeiten von der Haltestelle zu vermelden.

Kühn verteilte die Aufgaben für das Wochenende. Es gab zwei Routen, die für Amirs letzten Spaziergang logisch erschienen. Die eine führte vom Haus der van Hautens zur Endhaltestelle der Straßenbahn in Grünwald. Und die andere führte am Rande des Wohngebietes entlang zur Haltestelle Großhesseloher Brücke, Zahl- und Stadtgrenze. Die Haltestelle befand sich bereits auf Münchner Gebiet.

Die Beamten würden nun sämtliche Gebäude auf den beiden Strecken abklappern und nach Bildern suchen, die den letzten Weg des Amir Bilal dokumentieren könnten. Das würde dauern, mindestens bis Sonntag.

Thomas Steierers Laune besserte sich auch dadurch nicht, dass Kühn ihm vertretungsweise die Leitung des Kommissariats für die Dauer seiner Fortbildung übertrug. Er brummte nur: »Die hatte ich schon vertretungsweise«, und meinte damit die Zeit, in der Kühn weg gewesen war. Und Kühn hörte durch, dass Thomas Steierer sich dieses Amt mehr als zutraute. Außerdem gefiel es dem offensichtlich nicht, dass er sich mindestens den Samstag mit Klinkenputzen herumschlagen musste. Es gab zu wenig Personal, als dass Steierer wenigstens hätte Fußball ansehen können, auch weil Ulrike Leininger ebenfalls zu diesem Führungskräftetag berufen worden war. Für Steierer war das Wochenende gelaufen. Und obwohl das in seinem Job häufig vorkam, schien es ihn zu verärgern, regelrecht zu treffen. Kühn nahm sich vor, demnächst in einer ruhigen Minute mal mit Steierer zu reden. Beim Bier. Unter Freunden. Irgendwie so.

Kühn sortierte seinen Schreibtisch, und dabei fiel ihm das Bild von sich und Susanne auf. Er widerstand dem inneren Drang, ihr Handy zu entsperren und sich ihre SMS-Botschaften, Mails und WhatsApp-Nachrichten anzusehen. Er war so dicht davor, so nahe dran. Aber dann ließ er es, weil er wusste, dass er damit etwas tat, was er später nicht würde zurücknehmen können. Und er dachte an Elfie und Claus van Hauten, die so etwas auch nicht machten. Die sich gegenseitig in den Arm nahmen und miteinander fühlten, wie es sich gehörte. Er wollte nicht zu denen gehören, die ihren Frauen hinterherschnüffeln. Er fand es armselig, sich auf diese Art Gewissheit zu verschaffen.

Andererseits war er Polizist. Ein guter. Er hatte einen Verdacht, und diesem hatte er nachzugehen. Das war ein alter Konflikt, der bei ihnen öfter zu Streit geführt hatte. Dann sagte sie: »Sei doch bitte einmal nicht Bulle. Sei doch nicht immer gegen jeden und alles misstrauisch.« Er empfand das gar nicht so, er hatte bloß ein Gespür für Ungerechtigkeiten und Unrechtmäßigkeiten. Er rang zwanzig Minuten mit sich, dann klingelte Susannes Handy. Sie rief ihn mit seinem Telefon an. Auf dem Display stand »Blondie«. Das war mal sein Kosename bei ihr gewesen. Früher. Sie hatte es lange nicht mehr zu ihm gesagt, ihn aber unter diesem Namen eingespeichert. Er ließ es dreimal klingeln, dann ging er dran. »Hallo?«

»Hallo! Ich wollte eigentlich nur wissen, ob du mein Handy hast.«

»In der Tat. Du hast meins heute mitgenommen.«

»Und? Hat jemand für mich angerufen?« Sie klang besorgt.

»Nein. Niemand. Und bei mir?«

»Nein. Wann hast du es denn bemerkt?« *Komische Frage.*

»Vorhin. Bei einem Termin. War nicht so schlimm. Ich habe es kaum benutzt.« *Wenn du mich jetzt fragst, ob ich deine Mails gelesen habe, lese ich sofort deine Mails.*

»Aha. Na gut. Ich wollte auch eigentlich nur wissen, ob du es hast. Wann kommst du nach Hause?«

»Ich wollte noch eine kleine Sache machen. Ich muss zu diesem Leitz.«

»Warum?«, fragte sie schnell, als befürchtete sie etwas Schlimmes.

»Dienstlich. Es geht um diese Sache in Großhesselohe. Ich mache es auf dem Heimweg und komme dann nach Hause.«

Sie verabschiedeten sich voneinander, dann drehte Kühn noch eine Runde. Auf dem Gang traf er Ulrike Leininger, die regelrecht aufgekratzt wirkte, weil sie zum ersten Mal an einem Führungskräfteseminar teilnehmen durfte.

Kühn nahm die S-Bahn und sortierte seine Gedanken. Er versuchte es jedenfalls. Auf der Weberhöhe schlug er nicht den Heimweg ein, sondern ging am Kulturhaus vorbei und dann scharf links in den Astrid-Lindgren-Weg, wo Leitz in einem Reihenhaus mit einem winzigen Vorgärtchen wohnte. Der Vorgarten wurde von einer völlig überdimensionierten Fahnenstange dominiert, an welcher eine Deutschlandfahne in der Windstille hing.

Es widerstrebte ihm, dort zu klingeln, so wie es ihm überhaupt widerstrebte, mit Leitz zu sprechen. Er hatte ihm immerhin die Nase und noch mehr gebrochen, und nach wie vor wunderte es ihn, dass Leitz ihn nicht dafür zur Rechenschaft zog. Der einzige Reim, den er sich darauf machte, war, dass Leitz vielleicht so etwas wie eine Schlägerehre besaß. Sie hatten einen Streit unter Männern gehabt, und den trug man nicht vor Gericht aus. Das war zwar eine fromme Hoffnung von Kühn, angesichts der schmächtigen Figur seines Kontrahenten aber die einzige, die ihm einfiel.

Er drückte auf die Klingel, und im Inneren des kleinen Hauses erklang frenetischer Applaus. Offenbar hatte Leitz einen Sinn für Humor, der Kühn bisher verborgen geblieben war. Er wartete zwanzig Sekunden, dann klingelte er noch einmal. Frenetischer Applaus. Ein junger Mann mit einer streng gescheitelten Frisur öffnete: »Ja bitte?«

Kühn sagte: »Tag. Ich möchte bitte mit Herrn Leitz sprechen.«

»Sagt wer«, fragte der Mann.

»Kühn. Kriminalpolizei München.«

»Ach was«, sagte der Mann und schloss die Tür.

Gerade als Kühn ein weiteres Mal klingeln wollte, öffnete sich die Tür wieder, und Leitz stand darin. Ein Männlein in einem etwas zu großen Anzug, dessen Jacke er wahrscheinlich extra angezogen hatte, um den Besuch zu begrüßen. Leitz sah den viel größeren Kühn mit beinahe schon lächerlich schlecht gespielter Herablassung an und sagte: »Die Polizei! Die Staatsmacht steht auf der Schwelle der Gerechtigkeit. Kommen Sie etwa, um Abbitte bei mir zu leisten, Herr Kühn?«

Kühn leckte mit der Zunge über seine Oberlippe. Dieses Selbstbewusstsein, selbst wenn es gespielt war, machte ihn schon wieder rasend.

»Herr Leitz, ich hätte ein paar Fragen an Sie, ihren Facebook-Auftritt betreffend.«

»Schießen Sie los, aber schnell. Ich habe zu tun.«

»Können wir das drinnen besprechen?«

»Nein, tut mir leid. Solange es mir möglich ist, suche ich mir meine Gäste selber aus. Wir können das sehr gut hier an der Tür bereden.« Er drehte den Kopf nach hinten und sagte: »Achim, bleib drinnen. Mit dem komme ich alleine klar.« Der junge Mann hinter ihm verschwand, und Kühn sagte: »Wie Sie möchten. Sie sind doch so stolz auf Ihren Informationsstand zum Mord an dem jungen Mann in Großhesselohe.«

»Sie sprechen von der außergerichtlichen Einigung mit einem Intensivstraftäter?«

Du bekommst gleich noch einen Schwedenkuss, du Drecksack.

»Wie Sie wollen. Darf ich fragen, woher Sie eigentlich Ihre Kenntnisse über den Fall beziehen?«

»Fragen dürfen Sie ruhig. Aber wie heißt es doch so schön bei der Lügenpresse? Quellenschutz ist alles.«

»Wir haben die Geschwindigkeit bewundert, mit der Sie in der Sache an die Öffentlichkeit gegangen sind. Entweder Sie kennen jemanden, der in der Sache ermittelt. Oder jemanden, der in die Sache verwickelt ist. Das ist jedenfalls unser Eindruck.«

»Schön für Sie. Noch was?«

»Wie geht es eigentlich Ihrer Nase?« Das war ihm rausgerutscht. Er konnte diesen Zwerg mit seiner Riesenklappe einfach nicht ertragen.

»Herr Kühn, jetzt mal sachlich: Wenn Sie wirklich glauben, dass sich unser Wirkungskreis nur auf die Weberhöhe beschränkt, dann haben Sie eine naive Vorstellung von den bürgerlichen Kräften dieser Stadt. Wir sind viele. Wir werden immer mehr. Und zwar überall. Und wir wissen Bescheid. Und wenn Sie möchten, können Sie unseren Facebook-Kanal gerne abonnieren. Vielleicht lernen Sie noch etwas. Und jetzt ist die Unterhaltung beendet.«

Er setzte ein schiefes Grinsen auf und schloss die Tür. Kühn ärgerte sich schon jetzt, dass er überhaupt versucht hatte, mit Leitz ins Gespräch zu kommen. Er zog Susannes Handy aus der Tasche und schaltete das Display ein, um zu sehen, wie spät es war. Und dann starrte er auf das Bild. Oben links zeigte das Handy nicht etwa an, dass es sich im LTE-Netz befand, sondern in einem WLAN. Wie konnte das sein? Kühn entsperrte das Telefon und ging in die Einstellungen. Er sah in den Verbindungsstatus. Da stand: »Norbert Privat«.

9. FÜHRUNGSKRÄFTE

Wenn man einmal das Passwort eingegeben hat, wählt sich das Handy später immer automatisch ins WLAN. Also war Susanne schon mal bei Leitz. Ihr iPhone hat sich dort eingeloggt. Susanne war da. Seit wann geht das so? Wann hat das angefangen? Im Sommer? Als ich weg war? Oder vorher schon. Jetzt weiß ich, warum das Schwein mich nicht angezeigt hat. Wegen Susanne. Sie betrügt mich seit Monaten mit diesem Würstchen. Warum ausgerechnet er? Warum dieser Vogel? Dieser Nazi? Dieser Abschaum? Ich hätte dir einen besseren Geschmack gewünscht. Sie sagt, sie geht zum Yoga, und in Wahrheit macht sie die Beine breit bei dieser Drecksau. Leitz. Ich breche dem Kerl alle Knochen. Ganz einfach. Soll er mich doch anzeigen. Die ganzen Abende, an denen sie später kam als ich. Und immer diese Heimlichtuerei. Und wenn ich sie anspreche, wird sie es abstreiten. Immer alles abstreiten. So macht man das. Aber du ziehst dich nicht aus dieser Affäre. Natürlich hat er mich nicht angezeigt. Ich haue ihm aufs Maul, und er geht nicht zur Polizei. Warum? Weil er ja Susanne hat. Und sie? Was macht sie? Ich werde wahnsinnig. Susanne. Warum machst du das? Warum tust du uns das an? Weil ich nicht mehr heile bin? Aber das weißt du doch gar nicht. Weil es irgendwie geil ist, was mit einem Soziopathen anzufangen? Ich war so ein Trottel. Da passt natürlich alles zusammen. Wie oft hast du mir gesagt, ich solle die Sache endlich ruhen lassen. Nicht mehr über diesen Leitz sprechen. Der sollte bei uns kein Thema mehr sein. Und unser Niko wurde auch von Leitz und seinen Leuten völlig in Ruhe gelassen. Ich dachte, die würden sich nicht mit einem Polizistensohn anlegen, aber das war es gar nicht. Susanne hat dafür gesorgt. In der Horizontalen. Ich mache das Schwein fertig. Und wenn es mich den Job kostet. Wie kann man nur so dämlich sein. »Norbert Privat« heißt das Netz. Da hat sie ihn wahrscheinlich gefragt: Du, Norbert, wie ist dein Passwort. Und er kam in Unterhose aus dem Bad und hat es ihr ins Ohr geflüstert. Wahrscheinlich irgendwas mit Odin oder Thor oder Wolfsschanze oder so eine Scheiße. Verdammt noch mal. Und sie checkt ihre Mails und guckt, ob ich ihr geschrieben habe. Wahrscheinlich hat sie mir von dort irgendwelche Einkaufslisten geschickt. Schnippikäse und Weißwein bitte. Ich Idiot. Renne wie der dümmste Stiesel mit den Einkaufstüten durch die Weberhöhe, und Leitz' Leute stehen da rum und kichern hinter meinem Rücken, weil der Chef die Alte von dem Bullen vögelt. Aber das kann doch nicht sein. Das ist doch nicht so. Susanne betrügt mich doch nicht. Wir haben immer eine gute Ehe geführt. Ich habe nie in der falschen Garage geparkt und sie auch nicht. Wir waren nicht so. Es ist komplizierter geworden. Wir sind verschämter als früher. Ich weiß manchmal nicht, wann der richtige Moment ist. Du bist müde, ich bin müde. Aber deshalb macht man doch nicht mit einem Arsch wie Leitz rum? Deshalb haut man doch nicht alles in die Tonne, was uns etwas bedeutet? Oder habe ich da etwas vergessen? Ja, ich war nicht gut drauf im Mai. Die Grübelei nächtelang, die Probleme, das ganze Blut, die Sache mit Dirk von nebenan. Steierer hat ihm am Ende ins Herz geschossen, und der Spuk war vorbei. Es war doch danach alles gut oder jedenfalls okay. Ich habe das Leben wieder in den Griff bekommen. Ich habe an mir gearbeitet. Wir hatten doch einen super Sommer. Und sogar Sex manchmal. Aber da musst du ja schon bei Leitz gewesen sein. Wer hat wohl wen angesprochen? Du ihn? Glaube ich nicht. Er hat sich an dich rangemacht. Als ich weg war, bei der Reha. Er hat dich zu sich geholt, wie er Niko zu sich holen wollte. Als Rache. Oder ist es Liebe? Susanne? Susanne? Ist da mehr? Willst du ihn?

Kühn wälzte sich im Bett hin und her. Betrachtete seine Frau, die neben ihm ganz ruhig schlief und nur von Zeit zu Zeit die Lippen bewegte, wenn sie träumte. Er kam nicht zur Ruhe, fing immer wieder neu an und entschied sich gegen Viertel vor drei in der Nacht, dass er um sie kämpfen würde. Dann stand er auf, ging auf die Toilette, kam zurück, legte sich wieder hin, berührte ihren Arm, den sie langsam, aber bestimmt unter die Decke zog, und fing wieder von vorne an: *Wenn man einmal das Passwort eingegeben hat, wählt sich das Handy immer automatisch ins WLAN. Also war Susanne bei Leitz. Ihr iPhone hat sich dort eingeloggt. Susanne war da.*

Ein Auf und Ab, mal voller Gewissheit über einen ordinären und in jeder Beziehung ekelhaften Betrug. Dann wieder Zweifel. *Oder ist es ein freies Netz, in das sich jedes Handy einfach so einwählt. So etwas gibt es doch auch. Ich werde morgen mit meinem Telefon vorbeigehen und es ausprobieren. Wenn es sich einwählt, ist gar nichts geschehen. Da hätte ich auch früher drauf kommen können. Natürlich ist das alles Unsinn. Es ist ein lokales Netz ohne Passwort. Für Leitz' Leute, weil sie zu doof sind, ein Passwort einzugeben. Mann Gottes, so einfach kann es doch auch sein. Ich schlafe jetzt. Susanne, es tut mir leid. Ich bin ein Idiot. Vielleicht unter Stress. Ich probiere es aus, und wir reden nicht darüber. Und wenn es sich nicht einwählt? Dann hat sie das Passwort eingegeben.* Und wieder ging alles von vorne los.

Am Morgen war Kühn durcheinander und fühlte sich, als hätte er keine Sekunde geschlafen. Das stimmte nicht, es waren sogar fast vier Stunden, aber ihm kam es vor, als habe ihn ein Bus überfahren. Susanne fragte ihn, warum er so unruhig gewesen war, aber er brachte kein Wort heraus, trank seinen Kaffee und starrte aus dem Fenster. Er wollte nicht reden, nicht bevor er die Gewissheit hatte, dass sie wirklich bei Leitz gewesen war.

Dann stand er vor seinem Schrank und suchte nach dem Cordsakko, das er immer trug, wenn er zu offiziellen Anlässen verdammt war. »Siehst aus wie ein Erdkundelehrer«, hatte Susanne damals gesagt, als sie es kauften. Er fand das keine Beleidigung, denn Erdkundelehrer sind Akademiker, und wenn er so aussah, war es ihm recht.

Dann ging er los zum Führungskräftetag. Mit Übernachtung im Hotel. Er packte, was er zu packen hatte, und verabschiedete sich von seiner Frau mit einem widerwilligen Kuss. »Du musst nicht so angewidert gucken, bloß weil du einmal zu diesem Führungskräftedings musst. Am Ende wird es interessant, und du lernst ein paar Kollegen kennen. Nimm es nicht so tragisch.« Die Aufmunterung seiner Frau empfand er als Hohn. Vermutlich würden die Drähte glühen, sobald er in der S-Bahn saß. Susanne und Leitz hatten sich vermutlich längst verabredet.

Er ging zu Leitz' Haus und holte sein Smartphone aus der Manteltasche. Wenige Meter vor der Haustür entsperrte er es. Er stellte sich in den Vorgarten und tat so, als würde er telefonieren. Dann sah er auf das Display, aber es sprang nicht von LTE in den Internetmodus. Kühn wechselte in die Einstellungen und wartete, bis sämtliche verfügbaren Netze angezeigt wurden. Er wählte »Norbert Privat«, und wenige Momente später erschien ein Anmeldefenster, in welches das Passwort eingegeben werden musste. In Kühn stieg innerhalb von Sekundenbruchteilen eine unfassbare Wut auf, er biss die Zähne zusammen, so fest, dass es wehtat. In diesem Moment hörte er Leitz' Stimme hinter sich. »Guten Morgen, Herr Kühn. Herr Leutnant. Inspektor. Ich vergesse immer, welchen Titel die Ihnen versehentlich verliehen haben. Haben Sie noch Fragen? Soll ich Ihnen vielleicht eine Broschüre von unserer Bewegung mitgeben?«

Kühn drehte sich um und sah in das absichtlich dümmlich grinsende Gesicht des kleinen Leitz, der mit zwei Gefolgsmännern auf dem Gehweg stand. Die golemartigen Riesen hielten Einkaufstüten in den Händen, und einer sagte: »Norbert, die schweren Tüten schneiden ganz schön in die Haut.«

»Wir gehen sofort rein, wenn die Staatsgewalt uns lässt. Das hier ist übrigens bereits Hausfriedensbruch, Sportsfreund«, sagte Leitz.

Kühn stand ganz dicht vor einem alles vernichtenden Vulkanausbruch. Ihm war fast schwindlig vor Zorn, er spürte sein Herz unter dem Cordsakko pochen und begann, tief zu atmen. Er öffnete den Mund, aber es kam nichts heraus. Wie in Zeitlupe näherten Leitz und seine Männer sich Kühn, der wie angewurzelt im Weg stehen blieb, unfähig, etwas zu sagen. Gleichzeitig wurde ihm die Absurdität der Situation bewusst. In den wenigen Sekunden der ganzen Begegnung durchlief Kühn emotional vier

Phasen: anschwellende Wut, gefolgt von dem Impuls, Leitz sofort das Genick zu brechen, einer plötzlichen inneren Leere und schließlich dem Wunsch, die Kontrolle über die Situation zurückzuerlangen, was ihm dadurch gelang, dass er beiseitetrat und zu Leitz sagte: »Ich möchte Sie auf dem Präsidium sprechen. Bitte kommen Sie am Montag um elf zu mir. Hier ist meine Karte, da steht alles drauf.«

»Warum sollte ich das tun?«

»Weil ich es Ihnen sage. Wie Sie eben schon bemerkt haben, bin ich die Staatsgewalt. Und Sie kommen am Montag um elf zu einer Befragung. Wenn nicht, lasse ich Sie abholen. Ist das klar?«

Leitz schien abzuwägen, ob er es auf eine Kollision ankommen lassen sollte. Beim letzten Mal hatte Kühn ihm mit einem Kopfstoß den ganzen Sommer verdorben. Also nahm Leitz die Visitenkarte an sich und drückte das Kreuz durch. »Kann ich noch etwas für Sie tun?«, fragte er gespreizt. »Ich würde sonst gerne mein Anwesen betreten.« Kühn drehte sich zur Seite und ließ Leitz und die beiden jungen Männer mit den Einkaufstüten passieren. Nachdem Leitz die Tür geöffnet hatte, gingen zunächst die Glatzköpfe hindurch, dann ihr Anführer. Er grinste Kühn zu und sagte: »Und grüßen Sie bitte Ihre sympathische Frau.«

Innerlich verlor Kühn auf der Stelle die Beherrschung und war froh, dass Norbert Leitz seine Haustür zuwarf und damit schweren Verletzungen entging. Auch wenn Leitz nicht wissen konnte, was Kühn vor wenigen Minuten herausgefunden hatte, so war dieser Abschiedsgruß dennoch nicht einfach nur unverfroren, sondern lebensgefährlich. Kühn würde seinen Kontrahenten von nun an nicht mehr aus den Augen lassen. Er würde ihn vernichten. Mit allen legalen Mitteln. Mindestens. Jetzt musste er sich nur noch einen Grund ausdenken, warum er den verdammten Leitz überhaupt im Präsidium haben wollte. Aber damit hatte es ja noch bis Montag Zeit.

Die Tagung fand in einem Hotel in der Nähe des Flughafens statt. Zu nah an der Stadt, um so etwas wie Abstand zum Alltag zu gewinnen, und zu weit weg, um einfach zwischendurch abzuhauen und später wiederzukommen. Als Kühn die Lobby betrat, sah er vereinzelte Cordsakkos in Braun und Grün, offensichtlich ließen die Beamten beim selben Schneider fertigen. Am Gang zu den Konferenzräumen, in denen diverse Fachleute bereits Beamer, Flipcharts und Anschauungsmaterial deponiert hatten, um später Neuigkeiten aus der Welt der Spurensicherung oder der Vernetzung der europaweiten Fahndung sowie neueste Varianten des sogenannten Enkeltricks und dessen soziokultureller Bedeutung in der zweiten Moderne vortragen zu können, befand sich ein langer Tisch, auf dem Namensschildchen bereitlagen und eine Liste, in der man seine Anwesenheit quittieren konnte. Kühn leistete seine Unterschrift, steckte sich sein Schild ans Revers und gab sich trüben Gedanken hin, die von Leitz' dümmlichem Grinsen beherrscht waren und von der Vorstellung, ihm dieses Grinsen aus der Visage zu meißeln. Dabei fiel ihm wieder Amir Bilal ein, dem genau das vor wenigen Tagen passiert war. Und ihr Ermittlungsstand war immer noch dürftig. Er schickte eine SMS an Steierer und bat ihn darum, ihn auf dem Laufenden zu halten. Insgeheim hoffte Kühn, dass etwas geschah, was seine sofortige Abreise vom Führungskräftetag erforderlich machte.

Er aß Konferenzgebäck und war gerade dabei, sich in das unausweichliche Tagesschicksal zu fügen, als Ulrike Leininger auf ihn zukam. Er hatte ganz vergessen, dass die junge Kollegin zum ersten Mal zu so einem Seminar eingeladen war. Für sie war der Tag Ausdruck ihrer Beförderung zur KK, also Kriminalkommissarin, eingereiht in die Besoldungsgruppe A 9 als Ermittlungsperson der Staatsanwaltschaft.

»Schicke Jacke«, sagte sie, und Kühn freute sich darüber, dass ihr aufgefallen war, dass er sich dem Anlass entsprechend gekleidet hatte. »Und? Lust darauf, noch etwas zu lernen?«

»Und wie«, sagte Kühn, dem dabei auffiel, dass er sich in den zwei Jahren, die die Leininger schon auf der Dienststelle war, noch nie mit ihr unterhalten hatte. Wenn überhaupt, dienstlich. Thomas Steierer hatte ganz zu Anfang einmal den Verdacht geäußert, die Kollegin sei »tausendpro lesbisch«, was er mit ihrer Kurzhaarfrisur begründete. Kühn hatte darauf entgegnet, dass seine Mutter dann ebenfalls lesbisch sei, denn sie trüge ebenfalls kurze Haare, habe aber immerhin noch einen Sohn geboren. Später hatte Steierer seine Vermutung immer wieder mit Indizien untermauert: Leininger führte keine privaten Telefonate, schminkte sich nicht, wurde niemals von einem Lebensgefährten abgeholt. Sie ging zweimal in der Woche zum Kickboxen und schmückte den Arbeitsplatz nicht mit Kinderbildern. Außerdem hatte sie sich einmal in den Urlaub verabredet und die Frage nach dem Reiseziel dahingehend beantwortet, dass sie mit einer Freundin ins Wallis zum Wandern wolle. Für Thomas Steierer war die Sache somit klar. Und weil Kühn weder die Kraft noch das Interesse besaß, sich gegen Steierers investigative Bemühungen zu stemmen, stimmte er schließlich zu. Wahrscheinlich war Ulrike Leininger gleichgeschlechtlich orientiert. Na und?

Nun stand sie ihm gegenüber, gut gelaunt und an einem privaten Plausch interessiert. Man komme ja bei der Arbeit nie ins Gespräch, sagte sie. Und dass der Kaffee hier eindeutig um Klassen besser sei als im Präsidium. Sie kriege von der Brühe dort Magenschmerzen und sei im Allgemeinen auf Tee umgestiegen. Überhaupt sei eine gesunde Lebensweise im Dienst so schwer durchzuhalten. Sie habe einmal bei einer Observation sechs Stunden nichts gegessen, bloß weil gegenüber ein McDonald's gewesen sei und sie ihm habe widerstehen wollen. Das waren in weniger als fünf Minuten mehr Informationen, als sie in den vergangenen zwei Jahren von sich preisgegeben hatte. Kühn spürte mit einer gewissen Freude, dass er die vermeintliche Homosexualität der Kollegin in Zweifel zog. Freude deshalb, weil er seit seiner Diagnose um seine Libido fürchtete. Dass ausgerechnet Ulrike Leininger nun zumindest geringe Spuren von Interesse auslöste, hellte seine düstere Stimmung um einige Nuancen auf. Auch wenn er sich über ihre plötzliche Zugänglichkeit wunderte. Das war ja keinesfalls die Ulrike Leininger, die er aus der Dienststelle kannte und immer als fleißige, aber überaus spröde vor sich hin ermittelnde Kollegin wahrgenommen hatte.

Nach einer allgemeinen Begrüßung durch den Leiter der Fortbildungsabteilung wurden die teilnehmenden Beamten in Gruppen geteilt und genossen Vorträge sowie etwa eine halbe Europalette Konferenzkekse, von welchen am Ende in jedem Raum dieselben Sorten unverzehrt zurückblieben.

Es folgte das Mittagessen, das zur Förderung der Gruppendynamik an zwei langen Tafeln eingenommen wurde. Es gab kein Büfett, weil Büfetts dem Gruppengedanken widersprachen und das Eigenbrötlerische im Beamten förderten, wie die Seminarleiter fanden. Sie achteten darauf, dass Schüsseln mit Beilagen und die Fleischplatten möglichst ungleich und schlecht verteilt an die Tafeln kamen, damit die Polizistinnen und Polizisten füreinander sorgten, möglichst sogar an andere Tische gingen, um dort Bohnen gegen Kartoffeln oder Schweinelende gegen Hackbraten zu tauschen. Sie nahmen sehr wohl zur Kenntnis, welche Kollegen sich für den Austausch und eine ausgewogene Ernährung in ihrer Tischnachbarschaft engagierten und welche nicht. Kühn, der von einem an den Magenwänden nagenden Hunger in den Raum getrieben worden war, durchschaute dieses Spiel möglicherweise als Erster und machte schon deswegen nicht mit. Aus lauter Trotz und einer allumfassenden Ablehnung der ganzen Veranstaltung bunkerte er eine Schüssel glasierte Möhren auf seinem Teller und aß sie ganz alleine auf. Sonst aß er nichts. Hinterher war ihm schlecht.

Dann wurden die Beamten nach einem unverständlichen, wahrscheinlich aber nicht willkürlichen Plan in Teams aufgeteilt und stellten sich diversen gruppendynamischen Herausforderungen. Kühns Team erhielt einen Stapel Zeitungen, mehrere Rollen Klebeband, einige Packungen Kaffeefilter und sechs Äpfel sowie die Aufgabe, aus den Materialien ein Boot zu bauen, welches mindestens für zehn Sekunden eine Person der Truppe über Wasser halten könnte. Während sich die Gruppe unter Anleitung eines Kollegen aus der Sitte wiederum in Logistiker und Praktiker teilte und als Erstes das Gewicht der leichtesten Person ermittelte, nahm sich Kühn einen Apfel, um den Karottengeschmack aus seinem Mund zu vertreiben, setzte sich auf einen Stuhl und ließ seine Gedanken kreisen. *Susanne. Was macht sie jetzt? Ist er schon gekommen? Natürlich. Es ist immerhin nach 14 Uhr, da können sie schon seit Stunden bei ihm rummachen. Oder bei uns. In meinem Bett. Wo die Kinder sind? Wahrscheinlich hast du sie fortgeschickt. Bei Niko ist das ja kein Problem. Der würde nicht einmal etwas mitbekommen, wenn er da wäre. Und Alina. Ist bei Emily. Oder sonst wo. Verdammt. Die van Hautens haben solche Probleme nicht. Ich wette, Claus und Elfie haben immer noch sagenhaften Sex. Diese gesunden ungeschundenen Körper. Wahrscheinlich ein Riesenbett. Und ein Bad direkt nebenan. Amir hat sich wohlgefühlt bei denen. Dann geht er nach Hause, und auf dem Weg von dort oben zu sich nach unten wird er erschlagen. Die Ratte damals. Genau so hat er dagelegen. Nazis wie Leitz finden das wahrscheinlich komisch. Die van Hautens waren ehrlich betroffen. Aber was bedeutet das schon? Ihr Leben geht einfach weiter. Ein Amir mehr oder weniger ist für sie keine Katastrophe. Was ist, wenn Vater van Hauten am Ende doch etwas gegen ihn hatte. Immerhin hat der Junge ihm das Töchterchen entrissen. Elfenbeinchen. Ist das so abwegig? Ich habe schon Väter erlebt, die haben jugendlichen Verehrern aufgelauert, sie bedroht, miesgemacht. Wenn Alina mit so einem Amir ankäme, wäre ich vielleicht auch nicht begeistert. Muss ich mich schämen bei solchen Gedanken? Nein, warum denn? Ich bin Polizist. Ich kenne das Leben. Diese Jungs sind kleine Pulverfässer. Und nein, die van Hautens sind offene Menschen, da war nichts. Oder Eifersucht, weil Elfie sich so für diese Kinder engagiert? Dass er seiner Frau eins auswischen wollte? So liebevoll, wie die miteinander umge-*

hen, kaum vorstellbar. Und wenn es Amirs alte Freunde waren? Wütend, weil er sie im Stich gelassen hat, weil er plötzlich etwas Besseres sein wollte? Aber sie hätten nicht extra aus ihrer Gegend wegfahren müssen, um ihm aufzulauern. Sie hätten auf ihn warten, ihn in einen Hauseingang zerren und fertigmachen können. Leitz, ich mach dich auch fertig. Und wenn ich selber dabei untergehe. Was soll's denn noch? Wenn du mich anzeigst, bin ich eh am Arsch. Und das Haus und der Keller und die ganze Siedlung gehen auch unter. Keiner von uns hat doch das Geld, sich diese Sanierung zu leisten. Dafür müsste man schon eine Bank überfallen. Und das kann ich kaum mit meinem Job vereinbaren.

»Herr Kühn, haben Sie vielleicht eine Idee für unser Boot?«

»Nein.«

Gegen 16 Uhr war Kuchenzeit, die dazu genutzt werden sollte, die Zwischenergebnisse der anderen Gruppen zu betrachten und ins Gespräch zu kommen, was Kühn weitgehend vermied. Ihm war immer noch übel von den Möhren. Er stellte sich zu angenehm schweigsamen Computerspezialisten und begutachtete ein sagenhaftes Diagramm, das in ihrem Raum entstanden war und die Verflechtungen diverser krimineller Vereinigungen darstellte, soweit man das am Rechner in Gruppenarbeit innerhalb von zwei Stunden zusammentragen konnte. Während er versuchte, die Zusammenhänge zwischen einer Heidelberger Rockergang und dem Industrieklub München nachzuvollziehen, sah er sich noch einmal seine Kollegin Leininger an, die wenige Meter von ihm entfernt stand und sich mit dem Leiter einer Hundestaffel unterhielt, der tatsächlich genauso aussah, wie Kühn sich Hundeführer vorstellte: Irgendwie immer schmutzige Schuhe, schwielige Hände und nachlässige Frisur, weil es darauf in der Beziehung zwischen Hund und Führer am wenigsten ankommt. Es berührte Kühn seltsam, dass er so etwas wie einen Stich darüber verspürte, wie angeregt sich Ulrike Leininger mit diesem Kollegen unterhielt. Sie war immerhin ihm unterstellt, und er fand durchaus, dass sie sich mit ihm unterhalten sollte, auch wenn er nicht wusste, worüber.

Der zweite Teil des Nachmittags verlief für die Gruppe Blau nicht besonders erfolgreich. Am Ende, kurz vor 18 Uhr, hatte es trotz erheblicher Bemühungen in Planung und Ausführung nicht zu einem tragfähigen Boot gereicht. Bei der Vorstellung der Arbeitsergebnisse trat Teamleiter Bock vom Einbruchsdezernat vor und erläuterte, wie die Arbeitsgemeinschaft zunächst die leichteste Person ermittelt und dann durch Erprobung des zur Verfügung stehenden Materials herausgefunden hatte, dass ein Kaffeefilter reißt, wenn man ihn mit mehr als einem Apfel beschwert. Dass man dann Zeichnungen gemacht und gleichzeitig probiert habe, die Zeitung durch Bekleben mit Tesafilm wasserdicht zu machen. Dass es hernach gelungen sei, ein größeres Boot zu falten, welches auch mit Klebefilm habe stabilisiert werden können. Das Boot sei jedoch bei Probefahrten im Pool nicht belastbar gewesen, nicht einmal mit Äpfeln. Er, Bock, müsse einräumen, dass die Aufgabe nicht gelöst werden konnte. Aber, immerhin, es sei eine sehr schöne Gruppendynamik entstanden. Auch wenn es einen Teilnehmer gegeben habe, der sich nicht dazu habe entschließen können, mitzuarbeiten. Das sei schade gewesen, denn man habe sehr auf die Erfahrung des Kollegen

Kühn gebaut. Aber der habe sich zum Problem nicht geäußert.

Für einen Moment herrschte Stille, und die Seminarleiter schauten Kühn fragend an. Der hob die Schultern und sagte: »Stimmt nicht ganz. Bock hat mich gefragt, ob ich eine Idee hätte. Und ich habe gesagt, nein. Denn es gibt dazu keine Idee. Ich denke, die ganze Versuchsanordnung diente nur dazu, den gesunden Menschenverstand herauszufordern. Man kann aus Zeitungspapier, Klebeband, Kaffeefiltern und Äpfeln kein Boot bauen. Jedenfalls keines, in dem man einen erwachsenen Menschen transportieren kann. Ganz einfach. Geht nicht. Die Aufgabe bestand eigentlich darin, dies möglichst schnell einzusehen und die Gruppendynamik nicht dafür zu missbrauchen, diesen Quatsch hier zu basteln. Habe ich nicht gemacht. Ich würde sagen, ich bin deswegen der einzige Teilnehmer, der die Aufgabe gelöst hat.«

Einige Polizisten aus anderen Gruppen kicherten, dann nickte der Leiter der Fortbildungsabteilung und sagte: »Herr Kühn, das ist schon richtig. Aber warum haben Sie Ihre Kollegen in dieses Desaster laufen lassen? Wäre es nicht Ihre kollegiale Pflicht gewesen, Ihr Team auf den Widersinn der ganzen Aufgabe hinzuweisen?«

»Ich wollte ihnen nicht den Spaß verderben. Sie haben sich alle so aufs Basteln gefreut. Wer bin ich, ihnen das kaputt zu machen?«

Dann Abendessen, diesmal Büfett. Zwangloses Beisammensein. Danach durfte jeder machen, was er wollte. In die Sauna gehen. Schwimmen. Fitness. Kamingespräche. Auf dem Zimmer warten, dass der Tag endete und die Probeminuten auf den Pay-TV-Kanälen anschauen, ohne das Angebot durch Eingabe der Zimmernummer zu buchen. Um das Networking auch in der Freizeit zu befeuern, hatte man in allen Zimmern Getränkegutscheine ausgelegt, die man ab 21 Uhr an der Hotelbar einlösen konnte.

Gegen 21:20 Uhr war die Bar gut gefüllt mit Münchner Kommissarinnen und viel mehr Kommissaren. Das Geschlechterverhältnis lag bei nahezu 80 zu 20 Prozent, was zu einer gewissen Unruhe bei Männern und Frauen führte, wenn auch aus unterschiedlichen Gründen.

Kühn hatte sich lange überlegt, ob er den freien Abend auf seinem Zimmer verbringen sollte, um zu grübeln, oder ob er einfach nach Hause fuhr, um am nächsten Morgen wieder zurückzukommen und mit den Kolleginnen und Kollegen zu frühstücken. Er entschied sich dagegen, denn erstens wusste er nicht, was er zu Hause sollte. *Was für eine traurige Feststellung.* Und zweitens würde er am Sonntag zu Augusts Austernfrühstück fahren, einer Veranstaltung, die sich fundamental vom Frühstücksbüfett im Kongresshotel unterschied und dienstlich betrachtet eindeutig Vorrang hatte. Wenn er Glück hatte, bekam er bei den van Hautens noch einmal Limonade oder zumindest einen Einblick in das Leben dieser Familie, die ihn anzog und faszinierte, worauf er sich bei dem Gedanken, mit seinem Cordsakko vor den japanischen Fischen zu stehen und mit Elfie über dies und das ins Gespräch zu kommen, so sehr entspannte, dass andere kürzlich zurückliegende Ereignisse freundlich nickend in den Hintergrund traten.

Außerdem entschied er, dass ihm Abwechslung guttun würde. Ein Pils, vielleicht auch sieben oder acht und womöglich ein kleiner Streit mit einem anderen Polizisten, das würde ihn ablenken. Außerdem war Leininger immer noch da, und wer weiß, vielleicht würde man mal ins Gespräch kommen. Er dachte nicht an einen Flirt, das nicht. Aber er dachte an angenehmes Rumstehen, Nüsschen-Einwerfen und Plaudern. Er war in früheren Zeiten gut dafür gewesen, auch wenn er sich kaum daran erinnern konnte, wann er zum Beispiel das letzte Mal getanzt hatte. Wahrscheinlich vor Nikos Geburt. Früher waren sie manchmal in der Stadt gewesen. Im Sugar Shack zum Beispiel. Susanne tanzte am liebsten auf »Like the way I do« von Melissa Etheridge. Sie tranken Helles und hatten Spaß, auch wenn der Polizist in Kühn immer mitfeierte. Er betrachtete die Gäste, entspannte sich niemals völlig und legte einmal nach dem Pinkeln einen Koksdealer auf den Bauch. Als ihr Mann ewig nicht von der Toilette kam, ging Susanne nachsehen, und da kniete er auf diesem Typen. Die Kollegen waren schon verständigt und erschienen dann auch öffentlichkeitswirksam zu zehnt, was die Stimmung im Klub und vor allem bei Susanne Kühn deutlich eintrübte, zumal ihr Mann noch eine Aussage machen musste, die Kollegen nach draußen begleitete und erst nach einer Dreiviertelstunde zu seinem Bierglas nahe der Tanzfläche zurückkehrte. Da war Susanne schon zu Hause.

Kühn duschte, zog sich ein frisches Hemd über, sah die Nachrichten an und überlegte, ob er onanieren sollte, entschied sich dann aber dagegen, weil es ihm zu klischeehaft erschien und er zudem befürchtete, dass seit der Diagnose etwas mit ihm geschehen war, was ihm den Spaß an der Selbstbefriedigung hätte verderben können. Er hatte keine Ahnung, was das sein könnte, aber er war befangen, seit er wusste, dass sich am unteren Endes seines Rumpfs etwas entwickelte, was dort nicht hingehörte.

Bis vor einigen Jahren hatte er ein gutes Körpergefühl besessen, sich immer okay gefunden und jedenfalls nicht unattraktiv. Aber der Beruf, der Alltag, die Mühen der Erziehung und der Schuldendienst an der Reformbank hatte jede körperliche Selbstwahrnehmung einstauben lassen, und Kühn machte sich schon lange keine Gedanken mehr darüber, ob er ein guter Typ war. Ein interessanter Mann. Ein Kerl, mit dem man sich was auch immer vorstellen konnte.

Die funkelnde Aura, die er als junger, großer, schlanker und blonder Hardrockfestivalgänger einmal gehabt haben mochte, war einem matten Funzeln gewichen. Und es störte ihn nicht einmal. Er war ja nicht mehr auf dem Markt. Wobei: Vielleicht würde er es ja bald wieder sein? Jetzt. In dieser Situation mit Susanne. Er wischte den Gedanken beiseite, zog seinen Gürtel an und die Adidas-Sneaker, die er mit Niko vor Monaten gekauft hatte und die ihm nach Aussage seines Sohnes zumindest ein klein wenig »Swag« verliehen. Dann ließ er die Tür hinter sich ins Schloss fallen und ging, von 2500 Energiekapseln in der patentierten Dämpfungseinheit seiner Schuhsohle beschwingt, in die Bar, bereit für sieben oder acht Pils.

Kühn bahnte sich einen Weg durch das Gedränge der bereits anwesenden Ermittler und Ermittlerinnen, und als er das erste Glas sowie ein paar irritierend grüne Wasabi-Nüsse absolviert hatte, sah er Ulrike Leininger, die von einer Gruppe Männchen umringt wurde. Zwei von ihnen sülzten je eines ihrer Ohren voll, wobei sich der kleinere währenddessen auf ihrer Schulter abstützte. Ein Dritter unterhielt sich frontal mit ihr, und zwei weitere warteten auf einen günstigen Moment, ins Gespräch einzugreifen. Leininger trug den Wortschwall der Beamten mit Fassung und nippte von Zeit zu Zeit an ihrem Glas, ohne selber irgendwas zu sagen. Kühn sah seinen Kollegen dabei zu, wie sie sich an der jungen Kommissarin abmühten, dann trat er heran und hob sein Glas, um ihr zuzuprosten. Sie hielt ihr Weinglas in die Luft, und sie stießen an, was vier der fünf anderen Männer dazu veranlasste, ebenfalls ihre Gläser gegen das von Leininger zu klimpern. Der fünfte rief: »Ich hol mir auch mal eben was zu trinken«, und verschwand damit vom Spielfeld. Kühn trat an seine Stelle und sagte: »Guten Abend, Ulrike Leininger. Kommt nichts im Fernsehen?«

»Jedenfalls nichts, was noch skurriler wäre als diese Veranstaltung«, sagte sie und wandte sich wieder einem Kollegen zu, der ein bemerkenswert grauenhaftes kurzärmeliges Hemd mit Karomuster trug. Und weite Jeans und gelöcherte beigefarbene Schuhe mit atmungsaktiver Sohle. Und den inzwischen selbst unter Polizisten verpönten sogenannten Bullenschnäuzer, der wie eine haargewordene Dienstmarke unter seiner großporigen Nase vor sich hin wucherte. Der Mann war an einem Kennenlernen interessiert und hatte dafür offenbar den Ehering vom wurstigen Ringfinger geschraubt. Während er sein Bierglas hielt, erkannte Kühn die Einkerbung, die der Ring über die Jahre in die Haut gedrückt hatte, und die starke Rötung von der mühseligen Prozedur, mit welcher der Kollege Winfried Klauber den Ring abgenommen hatte. Vermutlich lag er jetzt in der Seifenschale der Duschkabine. Und es konnte gut sein, dass Klauber ihn morgen dort vergaß. Er würde nach Hause kommen, und seine Frau Sonja würde ihn abends fragen, wo eigentlich der Ring sei. Er würde einen Spaß machen und behaupten, den habe er abgenommen, um auf dem Seminar besser flirten zu können, und sie würden lachen. Er würde dann hinzusetzen, dass sie die Ringe für ein Motivationsspiel abgenommen hätten und er seinen irgendwo im Kulturbeutel habe. Später würde er hektisch im Hotel anrufen und das Housekeeping aufscheuchen und den Ring in die Dienststelle schicken lassen, wenn er denn noch aufzufinden war. Es würde eine hohe kriminalistische Energie vonnöten sein, um die Sache zu bereinigen. Und das alles, ohne das Abenteuer erlebt zu haben, das er sich von der schmerzhaften Entfernung des Ringes versprochen hatte, denn Klauber machte an dieser Bar keinen Stich. Jedenfalls nicht bei Ulrike Leininger

»Was ich mich schon immer gefragt habe, ist: Welche Sorte Mann kann bei einer Frau wie Ihnen landen?«, fragte Klauber und wedelte Ulrike Leininger seine Weißbierfahne ins Gesicht. In seinem Schnurrbart zitterten kleine Biertröpfchen.

»Ich mag schöne Zähne«, sagte Leininger, worauf Klauber den Mund fest schloss. Er rauchte gerne Pfeife und nebelte seine Dienststelle mit dem Qualm seines Lieblingstabaks Bagpiper's Dream ein. Klaubers Gebiss sah aus wie der stark bemooste Eingang zu einer karpatischen Waldhöhle, in die man allerdings nur hineinblicken konnte, wenn er sich wie heute Abend den Bart getrimmt hatte, was er in diesem Augenblick bereute.

Während Klauber sich einen halben Schritt zurückzog, drängte ein jüngerer Polizist nach vorne und bleckte die Zähne wie ein Dressurwallach bei der Pferdeauktion. Er besaß tatsächlich ausgesprochen weiße, wenn auch sehr große Zähne. Ulrike Leininger sah sich dazu veranlasst, in einer Art Übersprungshandlung ihr Getränk zu leeren und sich in milder Panik nach einem Retter umzuschauen. Sie blieb dabei in Kühns amüsiertem Grinsen hängen und lächelte zurück, was Kühn wiederum als Einladung auffasste, sie aus dem Pulk verbeamteter Blödmänner zu befreien. Er nahm sie einfach an der Hand und zog sie zu sich heran. Den umstehenden Kollegen sagte er, er müsse Frau Leininger in einer dringenden Dienstsache mal eben entführen. Nach seinem bemerkenswerten Auftritt bei der Präsentation am Nachmittag hatten die Polizisten nicht den leisesten Zweifel daran, dass es dem Kollegen Kühn vom Morddezernat ernst war. Der junge Mann mit den großen Zähnen sagte noch, er warte an der Bar auf sie, dann waren Kühn und Leininger verschwunden.

Auf der Suche nach Getränken durchquerten sie die Lobby und fanden eine zweite Bar, die für die normalen Hotelgäste gedacht war und keine Getränkegutscheine annahm. Das hatte zumindest den Vorteil, dass kein einziger Polizist auf Fortbildung anwesend war. Kühn und Leininger setzten sich in eine plüschige Sitzecke und bestellten. Der Vorgesetzte lud ein, was ihm für einen Moment seltsam glamourös und dann schmerzhaft vorkam, als er die Preise in der Getränkekarte sah. Leininger bestellte einen Hugo, Kühn blieb beim Bier. Er wusste noch nicht genau, wohin dieses Gespräch führen würde, aber er fand die Vorstellung, dass er mit einer Frau in einer Hotelbar saß und dass beide ein Zimmer hatten und dass man nicht unbedingt, aber zumindest theoretisch gemeinsam in einem der Zimmer landen konnte, also die vage Möglichkeit eines solchen Abenteuers, so unerhört aufregend, dass ihm die Kosten dieses Gesprächs durch weitere Hugo-Bestellungen für den Moment egal waren. Er dachte eher schon darüber nach, ob auf dem Boden seines Zimmers eine Unterhose herumlag.

Leininger schien einem außerdienstlichen Plausch nicht abgeneigt und erzählte nach dem zweiten Drink von ihrer unglücklichen Jugend in Landshut, vom Motorradfahren und vom Kampfsport.

Während sie sprach, bemühte sich Kühn, irgendwie herauszuhören, was daran womöglich nach gleichgeschlechtlicher Orientierung klang. Motorrad schon irgendwie, Kampfsport auch, Landshut eher nicht. Als erfahrener Verhörspezialist versuchte er, das Gespräch auf die Probleme des Alltags in der Polizei unter Bezugnahme auf das private Beziehungsleben zu lenken, aber Ulrike Leininger blieb vage, bestellte jedoch noch eine Runde und berührte sein Bein, was ihm gefiel. Schließlich wurde er leicht müde und auf eine Art ungeduldig, weil er mit irgendeinem Ergebnis in welches Zimmer auch immer wollte. Wenigstens mit Gewissheit. Also fragte er sie ganz direkt, ob sie liiert sei, und sie antwortete, dass sie zur Zeit keinen Partner habe. Sie sei einige Jahre mit einem Glaser aus Dingolfing zusammen gewesen, aber ihr Job und sein Alkoholismus in Kombination mit unterhaltspflichtigen Kindern, die sie nicht leiden konnten, hätten der Sache vor drei Jahren ein Ende bereitet. Sie habe danach kurze Sachen gehabt, mehrmals Verheiratete, weil die sich bei ihren Freundinnen immer besser benähmen als bei ihren Frauen. Und dann sei da noch eine unausgestandene Affäre mit einem Ausbilder der Bereitschaftspolizei. Man sehe sich ab und an, aber dieser Mann sei leider ausgesprochen dumm. Er sei tatsächlich zu blöd, um eine Banane zu schälen, aber für Sex sei das gerade gut, dabei wolle sie nämlich nichts lernen. Gerade als Kühn begann, darüber zu sinnieren, ob er wohl erstens klug genug für diese Frau sei und zweitens geeignete Zähne habe, und während ihre Attraktivität aufgrund des Gesprächsthemas ebenso zunahm wie beider Trunkenheit, sagte sie plötzlich: »Stell dir mal vor, in der Dienststelle denken sie, ich sei lesbisch.«

»Was du nicht sagst. Auf die Idee wäre ich nie gekommen«, log er.

»Doch. Und warum? Kampfsport, kurze Haare, kein Freund. Ich sag's dir.«

Also war das auch geklärt. Kühn fiel auf, dass sie im Gespräch immer näher an ihn herangerückt war. Sie hatte nun eine gewisse Schwere, die Vertraulichkeiten plumpsten aus ihr heraus, und er konnte sie riechen. Sie hatte etwas leicht Buttriges an sich, eine dunstige Wärme strömte aus dem Dekolleté unter ihrem T-Shirt. Dort zeichnete sich ihr BH ab, und Kühn dachte kurz daran, sie ganz direkt zu fragen, ob man nicht noch auf seinem Zimmer an die Minibar wolle. Aber dann zog er es vor, dem Barkeeper mit seinem leeren Glas zu signalisieren, dass sie je ein fünftes Getränk wünschten.

Obwohl er wusste, dass es zum guten Ton gehörte, in so einer Situation auch etwas von sich selbst preiszugeben, hielt er mit eigenen Geschichten hinterm Berg. Er war ja auch der Vorgesetzte. Dann sagte sie: »Deine Frau und du, ihr seid ein hübsches Paar.« Er wusste nichts damit anzufangen, denn Leininger und Susanne waren sich nie begegnet. Er schaute sie nur fragend an, und sie fügte hinzu:

»Auf dem Foto. An deiner Wand. Ihr seid ein hübsches Paar.«

»Ach das. Ja. Ach so.« Und dann wurde er plötzlich traurig und wusste nicht, ob es am Alkohol lag oder am Schmerz oder daran, dass neben ihm eine junge Frau saß, die ihn vielleicht begehrte; er hatte sich ein Vierteljahrhundert nicht um solche Chancen bemüht, und nun lag seine Susanne wahrscheinlich im Bett von diesem Leitz, während er, angetrunken und mit einem Makel an oder in der Prostata, zusehen konnte, wo er blieb. Der Kummer wuchs erst, schlug dann in Trotz um und schließlich in albernen Übermut, mit dem er seine Tugendhaftigkeit bezwingen wollte.

»Ich will gehen«, sagte sie plötzlich und bestimmt. »Ich kann diesen Bargeruch nicht mehr ertragen.«

Sie standen auf, er ging an die Bar und zahlte mit seiner EC-Karte die ungeheure Summe von dreiundneunzig Euro für sechs Bier und sechs Hugos, wobei er sich fragte, wo die kleine Frau neben ihm das Zeug überhaupt gelassen hatte. Während er sich nach dem Bier und den zwei Gläsern in der ersten Bar ziemlich angezählt fühlte, schaffte sie es mühelos, ihre Jacke anzuziehen und in gerader Haltung Kurs auf die Hotellobby zu nehmen. Er hatte ein wenig Mühe, ihr hinterherzukommen. Als er sie eingeholt hatte, fragte er: »Und was nu?«

»Ich gehe nach Hause.«

»Ach so.« Er kam sich ein wenig abgehängt vor. Schlagartig wurde ihm bewusst, dass sie seine Spekulation auf ein Abenteuer im Hotel vermutlich längst durchschaut hatte. Wahrscheinlich war er für sie auch nicht wesentlich interessanter als dieser Klauber. Ein säftelnder mittelalter Sack mit der Libido eines Vierzehnjährigen. Kühn lächelte, um die Situation gleich zu entschärfen. Im Grunde tat sie ihm einen Gefallen und führte ihn nicht in Versuchung. Er war ihr sofort dankbar.

»Na dann«, sagte er ein wenig hilflos.

»Du kannst ja mitkommen«, sagte sie beiläufig. »Ich kann in Hotels nicht schlafen. In einem Zelt schon, aber nicht in Hotels. Ich habe mein Zimmer gar nicht erst angesehen und auch nichts dabei, weil ich wusste, dass ich noch heimfahre.«

»Okay.« Kühn wusste absolut nicht, was er sonst sagen sollte.

»Willst du denn hier übernachten?«, fragte sie ihn, und ihre Hand fuhr über seinen Ärmel.

»Ich? Ach, nein, nicht unbedingt. Ich habe ein paar Sachen hier, ich wusste vorhin noch nicht, wie ich später und ob ich noch, aber nein. Ich wollte eigentlich auch nicht hier schlafen.«

»Also auch nach Hause?«

Kühn wusste nicht, ob sie ihn testen wollte. Eigentlich wusste er gar nichts, außer dass er sehr dringend auf die Toilette musste. Er wartete lange mit einer Antwort und war froh, dass sie etwas sagte.

»Wir können ja noch auf einen Sprung zu mir gehen, und du fährst nach Hause, wann du magst.«

»Ja, genau, so machen wir das«, sagte Kühn erleichtert. Sie verabredeten sich an der Ausfahrt der Tiefgarage, er fuhr in sein Zimmer, ging auf die Toilette, überprüfte seinen Zahnstand, packte seine Sachen und fuhr nach unten. Dort begegnete er einer Horde Polizisten, die ihn aufforderten, Teil ihrer Nachtpatrouille zu werden, aber er murmelte, dass er dafür nicht betrunken genug sei. Er wartete, bis die

Truppe sich entfernt hatte, und verließ das Hotel durch einen Nebeneingang. Neben der Einfahrt zur Garage stand Leininger in einem roten Kleinwagen. Er faltete sich auf den Beifahrersitz, und Leininger fuhr los.

»Du kannst doch gar nicht mehr fahren«, sagte er nach ein paar Hundert Metern.

»Doch! Klar kann ich. Ich kann noch super fahren. Kann sein, dass ich nicht mehr darf. Aber können kann ich«, sagte Leininger und grinste ihn an. »Außerdem ist es nicht weit. Höchstens zwanzig Minuten.«

Die Fahrt verbrachte Kühn damit, sich eine Haltung zu allem zu ergrübeln, was jetzt kommen konnte. Möglich, dass sie noch ein bisschen in ihrer Küche sitzen würden. Diese und jene Dinge besprechend, einen Kaffee trinkend. Und dass es ihm am Ende guttun würde. *Ich schlafe ja nicht mit ihr. Ich könnte, aber ich werde nicht. Und hinterher werde ich mich gut fühlen, weil ich standhaft geblieben bin. Was sollte die auch mit mir wollen. Verheiratet. Kinder. Vorgesetzter. Bla bla. Und dann noch mindestens dreizehn Jahre älter. Sage ich mal so. Vielleicht schlafe ich auf ihrer Couch. Außerdem ist sie nicht mein Typ. Wenn ich auf sie stehen würde, hätte ich das vielleicht in den vergangenen zwei Jahren bemerkt. Und ich muss morgen noch zu Augusts Austernfrühstück. Mein Gott, klingt das schräg. Erst sitze ich betrunken bei Ulrike Leininger im Daihatsu, und in wenigen Stunden muss ich bei den van Hautens sein. Und ich muss zu Hause eine Nachricht hinterlassen. Am besten sage ich, dass ich im Hotel bleibe. Oder ich warte noch damit. Vielleicht fahre ich ja später ins Hotel zurück. Auch denkbar. Ich trinke bei Ulrike einen Kaffee, wir reden unter Kollegen, ich nehme ein Taxi ins Hotel, und morgen frühstücke ich bei den Kollegen und fahre nach Grünwald. Nichts passiert.*

Außerdem: Nur weil ich mit zu ihr fahre, heißt das ja noch nicht, dass wir auch miteinander im Bett landen. Mal andererseits: Meine Frau betrügt mich. Ich habe das Recht dazu. Ich bin ein erwachsener Mann. Und wenn Ulrike will, bekommt sie es auch. Wenn es überhaupt klappt. Früher haben wir ja was Fettiges gegessen, damit wir nicht so besoffen wurden. Keine Ahnung, ob das nur ein Mythos ist. Ist auch egal. Kein Alkohol mehr, heute Nacht. Wie spät ist es überhaupt?

»Woran denkst du? Du bist so still.«

»Wie spät ist es?«

»Zwanzig nach eins«, sagte Ulrike Leininger.

»Schon ganz schön spät.«

»Oder früh. Vielleicht schwenken wir auf Weißwein um.«

Die will, Tatsache, noch mehr trinken!

Leininger parkte vor einem Mehrfamilienhaus in Berg am Laim und rief: »Voilà, sag ich doch. Kaum zwanzig Minuten.« Sie wirkte derart beschwingt und selbstbewusst, dass Kühn der Gedanke kam, die Kollegin würde mehrfach die Woche mittelalte Väter zu sich nach Hause einladen. Dann standen sie verlegen vor dem Aufzug. Er immer noch unsicher, ob er das wirklich wollte, und sie mit dem Schlüsselbund in der linken Hand herumklimpernd.

Vor der Wohnungstür eine beschriftete Fußmatte: »Crime scene, do not enter«. Kühn wunderte sich einmal mehr darüber, dass die Menschen dazu übergegangen waren, ihr ganzes Leben zu beschriften. Er hatte in Ausübung seines Berufes schon Hunderte von Wohnungen gesehen und sämtliche Einrichtungstrends der vergangenen fünfundzwanzig Jahre intensiv wahrgenommen. Und zurzeit neigten Opfer, Zeugen und Täter zur Gestaltung mittels sogenannter Wandtattoos. Vor einem Jahr hatte er zum Beispiel vor einer erdrosselten Prostituierten gestanden. Ihr Leichnam lag in einem zerwühlten Doppelbett, und oberhalb des Kopfteils an der Wand stand in verschwenderisch geschwungener Schrift: »Träume nicht Dein Leben, sondern lebe Deine Träume.« Darüber flogen Schmetterlinge, und darunter lag die junge Frau. Sehr häufig sah Kühn auch beschriftete Badezimmertüren, beschriftete Spiegel und beschriftete Sofakissen. Es wunderte ihn daher nicht, dass über der weißen Landhauskommode in Ulrike Leiningers Flur ebenfalls ein Sinnspruch an der Wand klebte: »Ein positiver Gedanke am Morgen kann den ganzen Tag verändern.« Er hatte nicht die Muße, dem Sinn dieses Satzes nachzuspüren, der ihm sonst Rätsel aufgegeben hätte, denn er bedeutete immerhin, dass das Schicksal der Menschen jeden Morgen im Grunde genommen vorherbestimmt war, sich diese Determination jedoch durch die Kraft der Gedanken aushebeln ließ, was nicht sehr wahrscheinlich war. Außerdem stand dort nicht, ob sich der Tag zum Positiven oder Negativen ändern würde. Auch Letzteres war möglich. Kühn kam nicht dazu, diese Schleife zu absolvieren, denn erstens war er dafür zu betrunken, zweitens zu aufgeregt, und drittens fiel er über eine Katze, die seinen Weg kreuzte, um Ulrike Leininger auf den Arm zu springen.

»Pippo«, rief die Polizistin und streichelte den Kater am Kopf, während Kühn sich mühsam aufrappelte. »Der kleine Bandit hat Hunger, was?« Kühn nahm den charakteristischen Katzenduft wahr, der in Leiningers Wohnung hing und sich typischerweise aus Tierfutteraroma, Katzenklogeruch und der mangelnden Bereitschaft zum Lüften zusammensetzte. Ulrike trug das Tier in die Küche, in die Kühn schleppend folgte und sich den Ellbogen rieb. In dem schmalen Raum befand sich gegenüber der knallgrün gehaltenen Küchenzeile ein kleiner Tisch mit zwei Stühlen. Der eine war schon besetzt, es lagen Magazine, geöffnete Post sowie Werbeprospekte dort. Wahrscheinlich wurde der Stuhl nicht fürs Sitzen gebraucht, Leininger hatte wohl nicht oft Besuch. Also nahm er auf dem anderen Stuhl Platz und sah seiner Kollegin dabei zu, wie sie eine Dose Katzenfutter öffnete und den Inhalt in eine Schale plumpsen ließ, die auf einem abwaschbaren, aber stark verschmutzten Tischset vor dem Küchenbalkon stand. Pippo drängte durch ihre Beine heran und begann sofort damit, das Futter hinunterzuschlingen.

»Manchmal ist es blöd, alleine mit Katze. Sie muss immer warten«, sagte Ulrike Leininger und stellte die leere Dose in die Spüle. Sie wischte sich die Finger an ihrer Jeans ab und öffnete den Kühlschrank. »Und was trinken wir beiden Hübschen jetzt?«

Kühn schob den lästigen Gedanken an die Abstinenz, die er sich geschworen hatte, beiseite. Außerdem war das letzte Bier schon fast eine Dreiviertelstunde her. »Egal. Was ist denn da?«

Sie hob eine angebrochene Flasche Weißwein aus der Kühlschranktür und zog den Korken heraus. Dann füllte sie zwei Wassergläser und gab Kühn das vollere. »Cheerio«, sagte sie und trank ihr Glas auf ex. Kühn nippte an seinem Wein und sagte: »Du trinkst echt viel für eine Frau.«

Sie ignorierte diese leise Kritik und lehnte sich an den Kühlschrank. »Wollen wir ins Wohnzimmer gehen? Hier ist es zu ungemütlich.«

»Klar«, sagte Kühn, nahm noch einen Schluck und stand auf, um ihr zu folgen. Im Flur sah er ihr auf den Hintern und entschied, dass er diesem Po in den vergangenen Jahren zu wenig Aufmerksamkeit geschenkt hatte. Er verstand gar nicht, warum. Kühn stellte sein Glas auf dem Couchtisch ab und zog die Jacke aus, die er auf einen kleinen Sessel legte, bevor er sich auf die Couch setzte. Alles in und an dieser Wohnung war ziemlich neu. Womöglich hatten die Eltern aus Landshut etwas zur Einrichtung beigesteuert. Der Vater vielleicht Handwerker, womöglich Maler, der Ulrikes Wände nach ihren Vorstellungen gestrichen hatte. Im Wohnzimmer ein frohes Gelb. An der Wand ein Kombinationsmöbel, welches die Aufgaben eines Regals, einer Vitrine und eines Fernseherschrankes dekorativ miteinander verband. Kaum Bücher, aber Souvenirs von Reisen und eine alte Stereoanlage. Ein Röhrenfernseher, darunter Satellitenempfänger und DVD-Player. Auf dem Tisch lag Schokolade. Und auf der Couch ein weinender Clown.

Kühn setzte sich. Er verstand diese Wohnung und das Leben darin. Sie hatte wie die meisten Anwärter für die Kommissarebene in Sulzbach-Rosenberg studiert und als Diplom-Verwaltungswirtin abgeschlossen. Danach Praktika und nun eben A 9. 2400 Euro und ein paar Zerquetschte, keine Familienzulage. In München zu wohnen kostete sie selbst auf diesen knapp 60 Quadratmetern wahrscheinlich 900 Euro, eher 1000. Dazu das Auto. Und die Ratenzahlungen für die Möbel und die Mitgliedschaft im Fitnessklub. Sie kaufte gutes Katzenfutter, wahrscheinlich der einzige richtige Luxus, wenn man von den teuren Joggingschuhen absah, die im Flur standen. Der Sport und die Katze ersetzten die Familie. Was übrig blieb, verschwand in der Urlaubskasse. Kühn sah die gerahmten Reiseimpressionen an der Wand an. Ulrike mit einer Freundin beim Wandern. In Südtirol. Im Zentralmassiv. In Spanien. Nichts in dieser Wohnung sah danach aus, dass Ulrike für ein anderes Leben plante als dieses hier. Vor dem Fenster ein Balkon, davor ein Netz, damit Pippo nicht abstürzen konnte. Kühn kam es vor wie ein Gefängnis, dabei unterschied sich dieses Zuhause nicht sonderlich von seinem eigenen.

Ulrike nahm den weinenden Pierrot und warf ihn neben die Couch auf den Boden. Sie setzte sich im Schneidersitz auf die Couch und trank von Kühns Wein. »So wohnst du also«, sagte Kühn etwas hilflos. »Ja, mir reicht's. Man ist ja mehr oder weniger mit dem Beruf verheiratet.« Das galt nur für sie, denn Kühns Frau lag ja vermutlich zu Hause im Ehebett. Oder neben Leitz. Aber das konnte Ulrike nicht wissen. Sie bot Schokolade an und sagte: »Ich gehe mal eben ins Bad. Bin gleich wieder da.«

Kühn nahm von der Schokolade und überlegte, ob er wirklich noch ein Taxi nehmen sollte. Die Fahrt würde gut und gerne fünfzig Euro kosten, nach Hause sogar sechzig. Oder ob er einfach einschlafen sollte. Das erschien ihm eine gute Idee. Er machte es sich bequem und zog die Schuhe aus. Bis Ulrike zurückkam, konnte er es schaffen, ohne zu simulieren in einen erholsamen Trunkenheitsschlaf zu entkommen. Aber es gelang ihm nicht.

Schließlich kam Ulrike zurück. Sie trug ein Tanktop, darunter einen BH. Und einen schwarzen Slip. Bevor er sich wieder aufrichten und ihr versichern konnte, dass er auf keinen Fall hier war, um mit ihr zu schlafen, hatte sie sich auf ihn gesetzt und drückte ihren Schoß gegen seine Hose.

»Immerhin hast du die Schuhe schon ausgezogen«, sagte sie, und ihre Stimme klang ganz anders als sonst. Auf der Dienststelle. Sie nahm seine Handgelenke und drückte seine Arme hinter seinen Kopf. Auf diese Weise kam sie mit ihrem Gesicht ganz nahe an seines. »Du bist süß«, sagte sie leise. »Viel schüchterner, als ich mir das immer vorgestellt habe.« Dann küsste sie ihn auf den Mund. Einmal und noch einmal. Küsste er sie zurück? Vielleicht ein bisschen. Zu seinem größten Schrecken und zu seiner gleichzeitig größten Freude spürte er, wie eine Erektion kapitalen Ausmaßes zunächst von seiner Boxershorts und dann von seiner Jeans Besitz ergriff. Raumforderung in seiner Hose, die Ulrike Leininger nicht entging, da sie sich fester an ihn drückte.

Und dann verschwand sein Verstand, er wurde einfach in einem Strom aus Geilheit und Trunkenheit aus seinem Gehirn gesogen, und der Kommissar und die Kommissarin umschlangen und verschlangen einander auf der zu kleinen Couch. Er fasste ihren Po an, drückte ihn, streichelte und drückte wieder, während sie, über ihn gebeugt, ihn küsste und ihre feuchte Zungenspitze in seinen Mund schob. Kühn hatte fast schon vergessen, wie unglaublich wundervoll das sein konnte. Er und Susanne kamen bei ihren rituellen Sexmanövern weitgehend ohne leidenschaftliche Küsse aus. Sie wussten, welche Knöpfe sie im Lustapparat des anderen zu drücken hatten, und absolvierten dies in der sturen und unabänderlichen Reihenfolge, die sich mit den Jahren ihrer Ehe bewährt hatte. Manchmal war ihm ihr Sex vorgekommen wie das tausendfach wiederholte Programm ihrer Waschmaschine: Waschen, Spülen und irgendwann Endschleudern.

Aber hier gab es kein Programm, nichts war erprobt oder auch nur vage festgelegt. Und je länger sie, sich küssend und drückend, umschlungen auf der Couch lagen, desto unsicherer wurde Kühn. Es war ihm nicht recht klar, was nun als Nächstes zu kommen hatte. Außerdem war er noch bekleidet. Sollte er »Pause« rufen, um sich auszuziehen? Oder einfach damit beginnen? Oder warten, ob sie ihn auszog? Er wusste einfach nicht mehr, wie das ging. Es war ein Vierteljahrhundert her, dass er einer anderen Frau als der seinen eine Hand unters Hemd geschoben hatte. Aber zumindest das, fand er, konnte er jetzt machen. Es fühlte sich gut an. Dann zog er ihr Top aus und sah im gedimmten Licht von Leiningers Wohnzimmer die Brüste in ihrem BH an, die er kleiner vermutet hätte. Er fasste mit beiden Händen an ihren Busen, und es schien ihr zu gefallen, jedenfalls schloss sie die Augen und hob das Kinn an. Also griff er um ihren Oberkörper, um den Verschluss ihres Büstenhalters zu öffnen. Sicherheitshalber mit beiden Händen. Früher, bei Susanne, da konnte er das einhändig und in weniger als einer Sekunde. Er war damals ein Paganini des BH-Verschlusses, und seine Frau war davon immer ganz beeindruckt. Er hatte sozusagen ein Händchen dafür. Früher. Jetzt nicht mehr. Er zog die beiden Enden des BHs zusammen, um den Häkchen den Spielraum zu geben, den sie benötigten, um aus den Ösen zu springen, aber es sprang nichts. Also drehte er die Enden, weil er annahm, dass es sich um einen Patentverschluss neuerer Bauart handelte, mit einem trickreichen Öffner, den man eben nicht nach alter Jungssitte aufschnappen lassen konnte. Doch auch Verdrehen klappte nicht, und Kühn begann, an seinen Fähigkeiten zu zweifeln. Er rang sich das peinsame Eingeständnis ab, da nicht weiterzukommen, aber Ulrike lächelte und sagte: »Das macht nichts.« Dann griff sie sich zwischen die Brüste und öffnete den BH. Der Verschluss befand sich auf der Vorderseite. Sie lachte, streifte den Halter ab und warf ihn auf den Boden.

Ihre Brüste waren tatsächlich größer und zudem weißer als erwartet. Kühn sah sie an und dazu den Leib, zu dem sie gehörten. »Jetzt du«, sagte sie leise und begann, sein Hemd zu öffnen. Knopf für Knopf. Es dauerte ein wenig, und es entstand eine kurze Phase der Geschäftigkeit zwischen beiden. Jetzt war der Moment, in dem er noch zögern, zweifeln und sie freundlich bitten konnte abzusteigen. Aber er ließ ihn verstreichen, weil es sich gut anfühlte, dieses große Abenteuer. Und weil er sich lange nicht mehr so stark gefühlt hatte, so angenommen, so angekommen, so begehrt und geil.

Sie zog sein Hemd aus, und er machte sich daran, seinen Gürtel zu öffnen. Da sagte sie: »Ich will rüber ins Bett. Das ist mir zu ungemütlich hier«, und stieg von ihm ab, das Hemd wie eine Trophäe schwenkend. Sie ging schnell ins Schlafzimmer, er hinterher, an seiner Hose herumnestelnd. Frische Unterhose? Ja. Vorhin gewechselt. Vor ihrem Bett zog er sich aus, behielt aber die Boxershorts an und auch das T-Shirt und die Socken. Sie beobachtete ihn im Schein der Nachttischlampe, angelehnt an die Wand mit angezogenen Beinen. Kühn hatte die Kollegin nie besonders attraktiv gefunden, aber nun erschien sie ihm plötzlich aufregend und herausfordernd. Sie war für ihn in etwa der Nanga Parbat des bayerischen Beamtenwesens, und er selbst fühlte sich wie der Tiroler Hermann Buhl bei der Erstbesteigung im Jahre 1953. Eine furiose alpinistische Glanztat, die jener Buhl in einem einundvierzigstündigen Alleingang zuwege gebracht hatte. Ohne Sauerstoffmaske. Kühn wusste über die Erstbesteigung des Nanga Parbat sehr gut Bescheid, weil sein Vater ihm gefühlte dreitausend Mal dessen Geschichte erzählt hatte. Meistens beim Unkrautzupfen im Schrebergarten.

Also stand er vor ihr mit der wunderbarsten, denn seit Jahren nicht mehr als so köstlich wie jetzt gerade empfundenen Erektion, und sie lächelte und sagte: »Los, komm her.« Kühn zog sein T-Shirt aus und krabbelte auf das Bett. Sie sagte: »Bitte. Ohne Socken«, was ihn irgendwie nervte, weil es ihm den Eindruck vermittelte, ihr käme es in diesem Moment auf lächerliche Nebensachen an, aber er zog sie aus, denn sie hatte ja recht. Mit Socken ins Bett, das macht man ja normalerweise auch nicht.

Dann legte er sich auf sie, und sie küssten sich, er küsste ihre Brüste, begann an ihnen zu lecken und fuhr mit der Hand an ihrem Bauch herab, was sie dazu veranlasste, die Beine zu öffnen. In ihm kam eine Erinnerung daran zurück, was nun zu tun war, doch als er es tun wollte, stellte er mit nicht geringer Überraschung fest, dass die Kollegin rasiert war. Im Gegensatz zu seiner Frau, was ihn für einen kurzen Moment in die Nähe einer Besinnung brachte, die jedoch sofort wieder verschwand, als Ulrike Leininger mit ihrer Hand in seine Hose fuhr.

Sie zog die Shorts herunter und nahm ihn in die Hand, schob ihn sich ein und stöhnte laut auf. Wenn es vorher womöglich ein Zurück, ein Nein, ein Doch-nicht gegeben hätte, so war es damit jetzt sicher vorbei. Kühn schob sein Glied tiefer in sie hinein, sehr langsam und abwartend, und sie sagte gedehnt und halblaut: »Schön.« Dann wieder raus und wieder hinein. »Schön.« Und dann etwas schneller, drei Mal. Und sie stöhnte: »Schönschönschön.« Das irritierte ihn maßlos. Kühn war es nicht gewohnt, dass beim Sex gesprochen wurde.

Er bewegte sich schneller, und sie reagierte bei jedem einzelnen Stoß: »Schön. Schön. Schönschönschön. Schöön.« Sie schönte sozusagen in seinem Rhythmus, was ihn dazu veranlasste, abwechselnd langsam und schneller zu werden, um auszuprobieren, ob sich dieser Effekt beliebig steuern ließ, was absolut der Fall war. Mit jedem einzelnen Eindringen ein »Schön«. Wie eine Belohnung. Eins mit Sternchen. Aber auch irgendwie seltsam. »Schön. Schön. Schönschönschönschön. Schööön. Schön. Schön. Schön. Schööön. Schönschönschönschön. Schön. Schön. Schön. Schön. Schön. Schön Schön. Schön. Schön. Schön. Schön. Schön. Schön. Schön. Schön. Schön. Schön. Schön. Schön. Schön. Schön. Schön. Schön. Schön. Schönschönschönschönschönschönschönschönschön. Schön. Schöööön. Schöööön. Ahhhh.«

»Was ist?«

»Nichts. Mach weiter!«

»Okay.«

»Schön. Schön. Schön. Schön. Schön. Schön. Schön. Schön. Schön. Schön. Schön. Schön. Schön. Schön. Schön. Schön. Schööön. Schönschönschönschön.« *Irgendwie fängt es an zu nerven. Kann sie nicht auch mal was anderes sagen? Wobei: Am besten wäre, sie würde gar nichts sagen. Ich meine, man ist ja gerade dabei, etwas zu machen, da muss man doch nicht noch reden.* »Schön. Schön. Schön. Schön. Schön. Schön. Schön. Schön.« *Wie lange ich das wohl durchhalte? Ich will auf keinen Fall zu früh kommen. Auf keinen Fall. Wenn schon, denn schon. Zum Glück bin ich betrunken. Sie aber auch.*

Sie wird nicht kommen. Frauen kommen ja bei so was nicht. Da muss man sich schon kennen. Aber ich komme. Hoffentlich nicht so schnell. Ich muss an irgendwas denken. An irgendwas komplett Abseitiges, irgendwas komplett Abtörnendes. Und ich könnte mehr Gas geben. »Schöön! Schöön! Schöön! Schönschön. Schönschönschönschönschönschön-schönschönschönschönschönschönschön-schönschönschönschönschönschönschön-schönschönschönschönschönschönschön-schönschön. Schön. Schön. Schön.« *Ob sie vielleicht möchte, dass ich sie umdrehe. Oder vielleicht will sie mich ja umdrehen? Ich meine, so viele Stellungen gibt es ja nicht. Also drei halt. Ich mache erst mal so weiter. Wenn sie irgendwas will, kann sie ja was sagen.* »Schön! Schön. Schööön. Schön. Schön. Schön. Schöön. Schönschönschönschön. Schönschönschön-schönschönschönschönschönschönschön-schönschönschönschönschönschönschön. Schön.« *Also ewig halte ich das nicht mehr durch. Es ist ja im Prinzip auch nichts anderes als mechanische Reibung. Junge, denk an was. An irgendwas!* »Schön. Schööön. Schönschön-schönschön. Schön Schön.

Schön. Schööön. Schönschönschönschön. Schööön. Schönschönschönschön. Schööön. Schön. Schön. Schön. Schön. Schön. Schön. Schön. Schön. Schön.

Schön Schön.« *Helmut Schön! Der Mann mit der Mütze! Der war ja der Nationaltrainer nach Sepp Herberger und vor Jupp Derwall. Also ewig lange irgendwie. Vater hat den nie gemocht. Der sei aus Dresden, hat Vater immer gesagt. Ein Sachse. Und darf unsere Nationalmannschaft trainieren. Und dann war die WM in Argentinien ja auch nicht so toll. Aber er hat Franz Beckenbauer groß gemacht. Und Gerd Müller. Berti Vogts. Paul Breitner. Wolfgang Overath. Das muss man anerkennen. Der Mann mit der Mütze. Wer hat das noch mal gesungen? Jürgen Marcus? Peter Alexander? Udo Jürgens! Der hat ja ein paar Fußballlieder gesungen. »Buenos Dias, Argentina!« und so. Wobei: Der war ja Österreicher. Vielleicht hat er die Lieder ja nur gemacht, um unsere Mannschaft zu schwächen. Die mussten ja immer dabei mitsingen. Die Armen. Das letzte Lied, in dem die Nationalmannschaft mitgesungen hat, war bei der WM in den USA. 1994. Mit den Village People. Kein Wunder, dass sie rausgeflogen sind.*

»Alles okay?«

»Was?«

»Ich meine, weil du aufgehört hast. Ist alles okay?«

»Ja, natürlich«, sagte Kühn und fügte hinzu: »Es ist schön.« Dann machte er weiter. Er hatte bisher die Augen geschlossen gehalten. Die ganze Zeit. Nun entschied er, Ulrike anzusehen, während er, den Oberkörper auf der Matratze abgestützt, wieder in sie eindrang, was sie nun aber nicht mehr mit »schön« quittierte. Als er wiederum tiefer kam, beobachtete er, dass sich ihre Gesichtshaut mit jedem Stoß von ihrem Schädelknochen abhob und nach oben rutschte. Dabei wurde jedes Mal ihr Oberkiefer samt Zahnfleisch sichtbar, und je stärker er sich in sie hineinbewegte, desto grotesker sah das aus, zumal sich ihre Wangenhaut für einen kurzen Moment über ihre geschlossenen Augen schob.

Kühn war absolut fasziniert von diesem Bild und von der Tatsache, dass er dieses Schauspiel selber herbeiführte. Er wurde schneller und die Gesichtshaut von Ulrike Leininger hob und senkte sich ebenfalls zügiger. Immer wenn das Zahnfleisch zum Vorschein kam, wurden die Augen halb von der überschüssigen Wangenhaut verdeckt. Wenn er das Tempo herausnahm, ergab sich lediglich ein leichtes Zittern ihres Gesichtes, was ihn so sehr erregte, dass er wieder schneller und tiefer in sie eindrang.

Dann wurde er sich bewusst, dass er zuvor selbst die ganze Zeit die Augen geschlossen gehalten hatte, und er begann, sich für seinen eigenen Anblick zu schämen. Womöglich hatte sie ihn die ganze Zeit angesehen, und vielleicht sah er furchtbar beim Geschlechtsverkehr aus oder mindestens blöd. Er hatte sich nie die Frage danach gestellt, aber mit Ulrike Leininger unter ihm wurde ihm mit einem Mal die Absurdität seines Auftritts in ihrer Wohnung bewusst. Gut möglich, dass sie ihn zuvor die ganze Zeit angestarrt und seine Nasenhaare gezählt hatte. Er konnte nicht ausschließen, dass sie während des Aktes auf seinem Rücken nachfühlte, ob sich dort lange Haare oder Fibrome oder gar Schorf ertasten ließen.

Ulrike öffnete die Augen und sah in das entsetzte Gesicht Kühns, der aufgehört hatte, sie zu penetrieren, wodurch auch das elastische Gesicht der Frau aufgehört hatte, von unten nach oben zu schwappen und wieder zurück. »Was ist?«, fragte sie. »Stimmt was nicht? Warum hörst du wieder auf?«

»Ist es richtig, was wir hier machen?«, fragte Kühn, der nicht darüber sprechen wollte, was er gerade gesehen hatte.

»Es ist nicht richtig, aber richtig gut«, sagte sie und lächelte. Dann machte sie eine schnelle Körperdrehung, drehte ihn mit und saß auf ihm. Sie lächelte ihn an, und Kühn sah auf ihre Brüste, was ihn wieder zurück in die Spur brachte. Sie griff nach seinem Glied und schob es sich ein. Dann begann sie damit, auf ihm zu reiten. Erst langsam, dann schneller. Kühn verschränkte die Arme über seinem Kopf und hatte Angst um seine Prostata, deren Verletzung er durch die immer ungestümer werdende Kollegin befürchtete. Sie beugte sich zu ihm herunter, und ihre Brüste hingen schwer und warm vor ihm, beruhigend, wie er fand.

Dann setzte sie sich kerzengrade auf und bewegte nur das Becken. Sie legte den Kopf in den Nacken, und er betrachtete ihren Oberkörper. Ulrikes Brustwarzen sahen im Restlicht aus wie Augen und ihr Bauchnabel darunter wie ein kleiner Mund. Dieser Effekt wurde dadurch verstärkt, dass eine Bauchfalte längs durch diesen Mund führte. Wenn sie ihren Oberkörper anhob, öffnete sich der kleine Bauchnabelmund, und im Zusammenspiel mit den gleichfalls angehobenen Brüsten sah ihr Rumpf plötzlich für einen kurzen Moment aus wie ein empörtes Gesicht. Sobald sie sich wieder auf ihn niederließ, entspannte sich der Ausdruck, um dann wieder einen Ausdruck maßlosen Entsetzens anzunehmen. Obwohl sie ihn sehr gut ritt und seine Erregung keineswegs nachließ, wurde er von diesem Phänomen stark abgelenkt, zumal ihn dieses Gesicht an seine Tante Mechthild erinnerte, die in der Familie Kühn vor allem durch ihren unberechenbaren Zorn berüchtigt gewesen war. *Tante Mechthild hat sich furchtbar aufgeregt, wenn man kleckerte. Einmal hat Vater Gurkenwasser über das frische Tischtuch verteilt. Das war bei ihrem achtzigsten Geburtstag. Da hat sie genau so geguckt. Starr mich nicht so an!* Kühn entschied sich dafür, die Augen wieder zu schließen und fasste Ulrike Leiningers Hintern an, um ihr Tempo zu regulieren, und auf einmal sah er gar nichts mehr, spürte nur die Lust und ihre Ekstase auf ihm, und nach kurzer Zeit kam er so heftig, dass er sich über die Geräusche wunderte, die aus ihm drangen. Sie legte sich auf ihn, und eine Weile lagen sie einfach nur still da. Dann stand sie auf und ging ins Bad. Noch bevor er Gewissensbisse bekommen konnte, schlief er ein.

Er wachte auf, weil der Kater über sein Gesicht stieg. Es war schon hell, Ulrike Leininger schlief neben ihm, und Kühn spürte ein heftiges Brennen im Kopf. Und ein Pochen, Schlagen, Hämmern in seinen Schläfen. Er benötigte eine gute Minute, bis er sich vergegenwärtigt hatte, was Stunden vorher zweifellos geschehen war. Sich allmählich sammelnd, wurde ihm klar, dass er offensichtlich mit Leininger geschlafen, dass ihn die Erkrankung seiner Prostata nicht davon abgehalten hatte. Und dass er nicht mehr daran gedacht hatte, seiner Frau eine SMS zu schicken, bloß um sich zwischendurch mal zu melden. So machte man das, so machten sie das, und er hatte es völlig vergessen. Dann übermannte ihn ein Gefühl von Scham, Schuld und Ehrlosigkeit. Was war da bloß in ihn gefahren? Und was sollte daraus werden? Er schlug die Decke zurück und suchte nach seiner Unterhose, die am Fußende auf dem Boden lag und offenbar Pippo als Nachtlager gedient hatte. Er zog die von Katzenhaaren übersäte Shorts an, fand sein T-Shirt und die Socken und war von dem Wunsch durchdrungen, sofort, in dieser Minute, die Wohnung zu verlassen. Er konnte sich nicht vorstellen, mit Ulrike zu frühstücken oder irgendein zwangloses Gespräch zu führen. Andererseits fühlte er sich nicht abgebrüht genug, einfach so zu verschwinden. Und er musste duschen, entschied sich jedoch dagegen, weil er Ulrike nicht aufwecken wollte. Wegen der zu erwartenden Peinlichkeiten. Er schämte sich. Sein Mund schmeckte abgestanden, und auf den Zähnen spürte er mit der Zunge geradezu apokalyptischen Säufer- und Nachtbelag.

Nachdem er sich angezogen hatte, ging er auf Socken ins Wohnzimmer und suchte nach einem Stift und einem Stück Papier, um ihr irgendwas zu schreiben. Aber er fand nichts. Er sah auf seine Uhr, und es war zwanzig nach neun. Er schätzte, dass die Reise zu Augusts Austernfrühstück eine gute Stunde dauern würde, den Fußmarsch von der Tramhaltestelle zum Haus der van Hautens eingerechnet. Er würde dort ungeduscht und mit Katzenhaaren in der Unterhose auftauchen. Oder er fuhr zurück ins Hotel, machte sich dort frisch und fuhr anschließend nach Grünwald. Das erschien ihm passender, zumal er dafür Kleidung eingepackt hatte.

Während er nach Papier und einem Kugelschreiber suchte, die ganze Zeit von dem offenbar eifersüchtigen Kater beobachtet, nahm Kühn zur Kenntnis, dass Leininger nicht viel las. Der Ermittler in ihm war zu routiniert und viel zu stark Teil seiner Persönlichkeit, als dass er die Möglichkeit hätte verstreichen lassen, etwas über seine Sexpartnerin der letzten Nacht in Erfahrung zu bringen. Wenige Bücher im Regal, darunter Reiseberichte und Führer durch verschiedene Länder. Einige DVDs, romantische Komödien, dazu ein paar Boxen mit Serien. Keine Topfpflanzen, keine Likörflaschen oder anderer Alkohol. Leininger war, ihrer sagenhaften Standfestigkeit des vorangegangenen Abends zum Trotz, keine regelmäßige Trinkerin. Kühn schaute die CDs durch. Es waren nicht viele, aber Kühn wusste, dass der Musikgeschmack eine Menge über die Menschen aussagte. *Bravo Hits. Kuschelrock. Tabaluga. Pur. Mannometer. Phantom der Oper. Cats. Ed Sheeran. Coldplay. Sie ist ein Maffay-Mädchen. Susanne und ich waren immer Metal. Oder zumindest Gitarre. Aber das hier ist ja nicht auszuhalten. Nicht einmal Lindenberg. Sondern Maffay, und dann noch Tabaluga. Nicht vorstellbar, mit Ulrike auf ein Konzert zu gehen, sie bei einer Ballade von hinten zu umarmen und sie auf den Hals zu küssen. Das wollte er nur mit Susanne erleben. Mit seiner Susanne.* Er brachte Ulrike Leiningers Musikgeschmack zudem nicht mit dem Wesen in Übereinstimmung, das einige Stunden zuvor auf ihm gesessen hatte. Kurz überlegte er, ob er in der Küche nach Kopfschmerztabletten suchen sollte, fand dies jedoch übergriffig und den Schmerz eine gerechte Strafe.

An der Wand hingen tibetische Gebetsfahnen, die auf eine melancholische Art gleichzeitig Ausdruck von Fernweh und einer gewissen, sich selbst überlassenen Stillosigkeit waren, denn die Fahnen passten überhaupt nicht zur Wandfarbe.

Dann ging er ohne eine Notiz, einfach so, zog die Tür

hinter sich ins Schloss und atmete tief durch, wobei ihm bereits die Schuldgefühle durch den Kopf sausten. Während Kühn auf seinem Handy nachsah, wo er war und wie er mit öffentlichen Verkehrsmitteln am schnellsten ins Hotel kommen würde, lag Ulrike Leininger mit offenen Augen im Bett und sah an die Decke. Martin hatte sich nicht verabschiedet, aber das konnte sie verstehen. Wahrscheinlich wollte er sie einfach nicht stören. Das fand sie süß. Später würden sie sich vielleicht noch auf dem Präsidium sehen. Sie freute sich darauf, drehte sich auf die Seite, schob sich die Bettdecke zwischen die Beine und schlief lächelnd wieder ein.

10. SONNTAGSMATINEE

Auf dem Weg zum Hotel jagten Kühns Gedanken im Kreis, bissen sich in den Schwanz und flüchteten vor Erkenntnissen. Er dachte pointenlos mal in die eine Richtung, dann in die andere. Er fühlte sich schuldig, das schon. Aber dann auch wieder nicht. Er war stolz, irgendwie, weil er bei Ulrike Leininger zum Zug gekommen war. Andererseits: War das wirklich ein Verdienst? Hatte nicht eigentlich sie ihn verführt und er sich, dankbar für das Interesse, geschmeichelt also und auch verletzt vom Seitensprung seiner Frau, als dankbares Opfer erwiesen? Er hätte nach Hause fahren sollen, wo er hingehörte. Jedoch: Es war gut gewesen. Es hatte sich fantastisch angefühlt. *Quatsch. Ich bin ihr Vorgesetzter. Wie albern ist das eigentlich? Mit einer Untergebenen zu vögeln. Ich bin wirklich das Letzte. Auch nicht besser als dieser Klauber. Ich Idiot. Ich muss mit Susanne darüber reden. Wir haben immer über alles gesprochen. Und ich werde ihr das mit dem Arzttermin sagen. Es geht sie was an. Oder ich warte noch damit. Ich habe hier immer noch einen Job. Und was ist, wenn es doch ein Irrtum ist? Ärzte können irren.*

Er einigte sich kompromisshalber darauf, seine Frau anzurufen, um ihr mitzuteilen, dass es doch spät geworden sei und er nun noch in Sachen Ermittlung unterwegs. Er werde am Nachmittag zu Hause sein. Er erreichte Susanne, die fröhlich entgegnete, dass man dann auf ihn warten werde. Er fragte, womit sie warten werde, und sie erinnerte ihn daran, dass sie noch gemeinsam zu Alinas Pony wollten. Striegeln, reiten, Möhren geben. Diese Aussicht auf völlige Normalität rührte ihn beinahe zu Tränen, aber er ließ sich nichts anmerken.

Kühn betrat das Hotel, fuhr in sein Zimmer, duschte und zog sich um. Dann packte er seine Tasche und checkte aus, ohne mit den Kollegen zu sprechen, die mehr oder weniger verkatert in der Lobby herumstanden. Niemand wunderte sich über ihn, was ihn wiederum wunderte.

Dann fuhr er mit der S-Bahn in die Stadt und von dort mit der Straßenbahn nach Grünwald. In dieser Linie hatte auch Amir immer gesessen, pochenden Herzens, verliebt und schließlich am letzten Tag seines Lebens mit einem etwas scheußlichen Geschenk auf dem Schoß. Kühn versuchte, dem Gefühl nachzugehen, dem Eindruck, von einer Welt in die andere zu fahren, seine Existenz hinter sich lassend, in Vorfreude auf die Zukunft. Er versuchte zu verstehen, wie Amir Bilal sich gefühlt haben mochte, und er hatte den Eindruck, dass ihm das gelang. Die Stadt im Rücken, passierte er den Tatort und jene grüne Bretterbude an der Haltestelle, an der Kinder standen und Eis kauften.

Er stieg schließlich aus und ging durch die stillen Wohnstraßen Grünwalds, vorbei an hohen Hecken und schön gestalteten Zäunen, hinter denen Menschen saßen, die er nicht sehen, aber spüren konnte. Die Aura ihres Reichtums war ebenso präsent wie jene der Armut, die ihm schon oft in Hausfluren und Wohnzimmern begegnet war. Der prekäre Dunst von billigem Fett, Zigarettenrauch, Schweiß und getragenen Kleidern war letztlich nicht intensiver als die Reinheit, als die völlige Nichtanwesenheit von abgründigen Lebensrisiken in dieser Gegend. In einem kurzen Moment durchfloss ihn ein Gefühl von Angst, weil er mit dieser Leichtigkeit nicht zurechtkam und im Grunde wusste, dass überall im Leben Schluchten gähnten, sogar hier. Kühn wusste, dass man nur einen falschen Schritt machen muss, um abzustürzen. Und dass es letztlich egal war, ob man diesen falschen Schritt in einer Sozialwohnung im Norden Münchens machte oder in einer Villa im Süden der Stadt. Auf der anderen Seite waren die Folgen nicht ganz dieselben. Bei Alkoholikern war es zum Beispiel zwar unwichtig, ob sich einer mit Asbach und Aldi-Cola abschoss oder ob er einen regionalen Gin mit einer exotischen Tonic-Marke mischte. Es gab im Rausch erst einmal keinen Unterschied zwischen einem betrunkenen Direktor und einem betrunkenen Penner. Beide lagen irgendwann in ihrer Kotze. Der Unterschied wurde erst Stunden später deutlich, wenn der Penner auf dem Bürgersteig und der Direktor in einem Boxspringbett mit extraweichem Topping und sieben Kissen aufwachte.

Vor dem Anwesen der van Hautens standen viele Autos, die meisten davon mit Münchner Kennzeichen, auch ein paar Starnberger. Der Gehweg war in beiden Richtungen auf hundert Metern zugestellt. Als er den Klingelknopf drückte, fühlte er sich deplatziert. Er glaubte nicht, dass außer ihm jemand mit der Straßenbahn hergefahren war. Aber er erschien immerhin frisch geduscht und angemessen gekleidet. Er trug sein Sommersakko und darunter ein gebügeltes hellblaues Hemd. Seine Jeans waren sauber und die Lederschuhe zumindest nicht durchgelatscht, eher im Gegenteil. Er trug sie so selten, dass sie drückten. Das Tor öffnete sich, und er ging hinein, über den Vorplatz zum Haus, dessen Tür offen stand.

Im Haus war niemand, aber er hörte Musik und Stimmen, die von der Terrasse kamen. Als er heraustrat, wurde er von der Sonne geblendet. Er hielt die Hand vor die Stirn und verschaffte sich einen Überblick. Links von ihm spielte ein Jazzquintett leise, aber virtuos. Vermutlich Studenten, jedenfalls jung und fabelhaft gut gelaunt. Rechts befand sich eine Bar, hinter der weiß gekleidete Menschen Champagnerflaschen aus mit Tau beschlagenen Edelstahlwannen zogen und beinahe geräuschlos öffneten. Korken und Agraffen landeten in einem Körbchen unter dem Buffet. Andere pressten Orangensaft und ließen die Schalen durch eine Öffnung in einen unsichtbaren Müllbehälter verschwinden. Sie verschütteten nichts, sie machten keinen Schmutz, sie warfen beim Abstellen der Flaschen keine Falten auf der Tischdecke. Der Champagner floss, ohne überzuschäumen, in schmale Gläser, die, ohne zu klirren, auf Tabletts zu den Gästen getragen wurden. Der ganze Vorgang hatte nichts Angestrengtes, nicht einmal Geschäftiges an sich, er vollzog sich gleichsam unaufgeregt und elegant. So als befassten sich diese Menschen ihr Leben lang mit nichts anderem als dem lautlosen Öffnen von Champagner und dem höflichen Umgang mit Orangen. Die Achtsamkeit für die Details nährte ein Momentum von Liebe, das in der Luft lag wie ein Duft. Oder wie eine Creme, die langsam in die Haut zog. Kühn spürte dieses Gefühl des Umsorgtseins so deutlich, dass es ihn schmerzte, weil ihm jene Aura der Zuwendung zwar wohltat, ihm jedoch für sein Leben außerhalb dieses Gartens unerreichbar schien. Kühn dachte an Feiern, wie er sie kannte. Noch Monate später fand man dann Kronkorken im Blumenbeet, und alleine die durchnässten Papierservietten, verkokelten Würstchen und Kippen füllten einen Müllsack, wenn sie in der Weberhöhe ein Nachbarschaftsfest feierten. Hier an diesem Ort würde am Abend nichts mehr von Augusts Austernfrühstück zu sehen sein. Helferlein würden die wenigen Spuren des Vormittags innerhalb von Minuten beseitigt haben und sich selbst dazu. Die van Hautens sind Meister im Unsichtbarmachen, dachte Kühn.

Er nahm ein Glas Champagner vom Tablett einer sehr freundlichen Kellnerin und machte sich auf die Suche nach den Gastgebern, was eine Weile dauern sollte, weil der Garten weitläufig und voller Gäste war. Es entging ihm nicht, dass er gegen eine vermutlich unausgesprochene, aber eindeutige Kleiderregel verstieß. Die Herren trugen fast ausnahmslos schmale Sommerschuhe und helle Hosen mit Textil- oder unauffälligen Ledergürteln in Zopfoptik und ohne große Schnallen, dazu weiße Hemden oder Poloshirts mit umgehängten Sommerpullovern aus Kaschmir oder leichter Baumwolle. Zwei Männer hatten sich für rosa Hemden entschieden, was ihnen in Kühns Augen ausgezeichnet stand, einige andere für gestreifte. Die wenigsten dieser eindeutig auf der Gewinnerseite des Lebens stehenden Menschen hatten ein Figurproblem, eigentlich schienen sie hier überhaupt gar kein Problem zu haben. Er dachte an Bilder vom jungen Kennedy beim Segeln.

Die Gäste schienen die unaufgeregte Betriebsamkeit des Personals gar nicht wahrzunehmen. Sie begegneten ihm jedenfalls freundlich und keineswegs nach der Gutsherrenart, die Kühn ihnen zu unterstellen bereit gewesen wäre. Kühn ahnte, dass jeder, der hier heute arbeiten musste, dafür gutes Geld bekam. Und gut behandelt wurde. Für einen kurzen Augenblick dachte Kühn, dass er hier lieber Kellner wäre als Gast in Jeans und in einem unpassend verknitterten Sommerjackett von unbestimmter Farbe. Er fand, dass er aussah wie ein Bulle auf einem Sommerfest bei reichen Leuten.

Bei den Frauen, die auf unterschiedlich hohen Absätzen durch den Garten schwebten, rechnete er sich als Mann keine Chancen aus. Sie trugen Sommerkleider, plissierte oder bedruckte, fast durchsichtige oder raffinierte, sich bei jedem Schritt hebende und teilweise unerhört dekolletierte Stoffe. Und sie rochen atemberaubend. Er versuchte, sich Susanne an diesem Ort vorzustellen. Dann Ulrike. Aber es gelang ihm nicht. Die einzige Frau, die er kannte und die halbwegs hierher gepasst hätte, war seine Nachbarin, Martina Brunner. Und die, Lilith, war eine Cyber-Prostituierte. Darauf trank er einen Schluck und erinnerte sich an die von ihm auf die Zahl Zehn geschätzten Biere vom Vorabend. Er stellte sich an eine Ecke des Koi-Teiches und besah sein Spiegelbild in dessen stillem Wasser, aber er erkannte sich selber nicht, erblickte nur eine dunkle Gestalt mit einem Glas und fand das sinnbildlich, auch wenn ihm nicht einfiel, wofür.

Gerade als er darüber nachdachte, dass er nicht gefrühstückt hatte und sich fragte, wann es wohl etwas zu essen, von ihm aus sogar Austern, geben würde, stellte sich jemand auf die andere Seite der Teichecke. Er blickte hoch und direkt in das offene Gesicht der Gastgeberin.

»Guten Morgen, Herr Kühn«, sagte Elfie van Hauten

so freundlich und so offensichtlich angetan von seiner Anwesenheit, dass er sogleich zurücklächelte.

»Guten Morgen, Frau van Hauten«, sagte er und hob sein Glas.

Sie tat es ihm gleich, und sie stießen an, ohne jedoch zu trinken.

»Schön, dass Sie es einrichten konnten«, sagte Elfie. »Immerhin haben Sie ja eigentlich Wochenende.«

»In meinem Job habe ich nie Wochenende, leider«, sagte Kühn mit einem gekünstelt gequälten Lächeln.

»Dann sind Sie dienstlich hier? Das erklärt die Abwesenheit Ihrer Frau.«

Daran hatte er gar nicht mehr gedacht. Susanne wäre ja theoretisch auch eingeladen gewesen. Er überging die Äußerung und sagte: »Na ja, irgendwie bin ich schon halb dienstlich. Ohne den Fall Bilal wäre ich ja nicht in den Genuss Ihrer Einladung gekommen.«

Augenblicklich wichen Farbe und Frische aus dem Gesicht der Frau.

»Ja, das ist wohl richtig«, sagte sie. »Gibt es denn Neuigkeiten, die Sie uns erzählen dürfen?«

»Nicht direkt, wir ermitteln in alle Richtungen. Und ich dachte, dass ich heute für ein paar Minuten mit Julia sprechen kann.« Er sah sich suchend um, erblickte das Mädchen aber nicht.

»Das geht nicht«, sagte Elfie van Hauten schnell und in einer Weise bestimmt, die Kühn irritierte. Was sollte das bedeuten? Wenn er das wollte, dann würde das natürlich gehen. Er lächelte und sagte: »Na ja, ich denke schon, dass das gehen wird.«

»Nein, es geht nicht. Sie ist nicht da.«

»Aha. Aber sie wird ja doch im Laufe des Tages wieder nach Hause kommen.«

»Sie ist weg.«

Kühn bemerkte, wie Elfie van Hauten mit dem Daumen den Stiel ihres Glases auf und ab fuhr. Es war ihr unangenehm, über Julias Abwesenheit zu sprechen. Kühn mochte es, die selbstbewusste Frau zu verunsichern. Dass sie nun mit der Zungenspitze über ihre Unterlippe fuhr, um sich ihrer zu vergewissern, und mehr Luft in die Lungen saugte, als sie musste, zeigte ihm deutlich, dass Elfie van Hauten aus der Rolle fiel. Minimal, aber für ihn deutlich spürbar. Er wusste, was sie als Nächstes tun würde, nämlich den Kopf drehen, um in der Ferne nach Rettung aus dieser Situation zu suchen. Kühn liebte Körpersprache, und diese Frau brüllte ihn geradezu an. Also ließ er sie weiter nach ihrem Mann Ausschau halten und sagte nichts. Schließlich erspähte sie Claus und winkte ihn heran.

»Freut mich, Sie zu sehen«, sagte Claus van Hauten und stieß mit Kühn an. Der nippte an dem Champagner, der ihm irgendwie vergoren vorkam, und sagte: »Ich habe eben schon zu Ihrer Frau gesagt, dass ich gerne ein paar Minuten mit Julia hätte. Sie haben doch mit ihr gesprochen, oder?«

»Das geht nicht«, sagte van Hauten.

»Hat Ihre Frau schon gesagt, und ich muss Ihnen sagen, dass es natürlich sehr wohl geht, wenn es für die Ermittlungen vonnöten ist. Bei allem Verständnis, aber ich muss sie sprechen.«

»Sie ist in Schottland.«

»Sie ist verreist? Außerhalb der Schulferien?« Kühn trank sein Glas aus und bereute es sofort, weil ein schmerzhafter Stich in seine Schläfen fuhr.

Elfie van Hauten sagte: »Ich lasse euch beide mal alleine.« Dann drehte sie sich um und ging. Kühn fand, dass ihr Gang auf eine Art zögerlich, fast schon unsicher wirkte, als wisse sie nicht genau, wohin sie sich wenden sollte. Sie entschied sich dafür, ins Haus zu gehen. Van Hauten beugte sich vor, als habe er Kühn etwas Vertrauliches mitzuteilen, und sagte: »Sie ist nicht verreist. Wir haben miteinander beschlossen, dass sie ihr Abitur in Schottland ablegt. Sie ist unterwegs zu einem Internat in den Highlands, das wir mit ihr ausgesucht haben.«

»Ich verstehe das nicht ganz, entschuldigen Sie«, sagte Kühn. »Knapp zwei Wochen nach Beginn des Schuljahres fällt Ihnen ein, dass Ihre Tochter von hier wegmuss.«

»Nein, nein«, sagte van Hauten. »Das hatten wir schon längst mit ihr beschlossen. Sie möchte auch im UK studieren. Und da dachten wir, es sei hilfreich, dort gleich auch in die Schule zu gehen.«

»Im was will sie studieren?«, fragte Kühn.

»Im UK. Im Vereinigten Königreich.«

Kühn nickte. Für ihn war das England, und das galt auch für Schottland. Das war für ihn auch England. Er hatte Mühe, die Ausführungen des hoch gewachsenen und nun sehr nervösen Mannes richtig einzuordnen. Einerseits hatte er gar keine Zweifel daran, dass van Hauten es gut mit seiner Tochter und auch mit Amir meinte. Andererseits: »Herr van Hauten, Sie müssen schon bitte verzeihen, dass ich diesen Zusammenhang sehr merkwürdig finde. Julias Freund wird getötet, und drei Tage später sitzt sie im Flugzeug nach Schottland. Und da soll es keinen Zusammenhang geben? Für wie dumm halten Sie mich eigentlich?«

Es kam ihm schroff vor, so mit dem Gastgeber dieses perfekten Vormittages zu reden, aber manchmal wirkten Grobheiten im Gespräch Wunder.

»Sie haben recht. Ich komme mir vor wie ein Idiot, wenn ich Ihnen was vormachen will.« Ein Lächeln zog schnell über sein Gesicht hinweg. »Wir haben es ihr nicht gesagt, nicht sagen können. Stattdessen haben wir das, was wir erst im nächsten Jahr machen wollten, vorgezogen.«

»Und Julia hat das akzeptiert?«

»Offen gestanden habe ich sie angelogen.«

Und dann erzählte van Hauten, wie er seiner Tochter eine SMS gezeigt hatte. Darin hatte sich Amir von ihm verabschiedet und mitgeteilt, dass er nichts mehr von seiner Tochter wolle, vielmehr in sein altes Leben zurück. Dass er sich nicht mehr melden werde. Amir bedanke sich für alles, traue sich jedoch nicht, Julia Lebewohl zu sagen, und bat um Verzeihung für seine Feigheit. Voller Kummer und Zorn über diesen miesen Abgang hatte Julia eingewilligt, nach Schottland zu gehen, weil es nun egal sei und sie nichts mehr in München halte. Man habe sie daher am gestrigen Samstag gemeinsam zum Flughafen gebracht, wo sie nach Edinburgh abgeflogen sei.

»Warum haben Sie das gemacht?«, fragte Kühn. Van Hauten winkte eine Kellnerin heran, die die Gläser der Männer füllte. Dann sah er Kühn in die Augen und sagte: »Das Böse ist in unsere Nähe gekommen. Sie verstehen das vielleicht nicht, aber ich will mein Kind beschützen. Ich will nicht, dass Julia jemals erfährt, was Amir passiert ist. Ich will, dass sie niemals mit so einer Gewalt, so einer Verrohung, solch einer Entmenschlichung konfrontiert wird. Ich weiß, das klingt in ihren Ohren naiv. Sie haben damit tagtäglich zu tun. Aber Julia nicht. Ich will es nicht.«

Noch immer sah van Hauten fest in Kühns Augen. Und Kühn sann den Worten des Juristen hinterher. Natürlich konnte man die Kinder nicht vor der Scheiße, vor dem Aas und dem Verwesungsgeruch der zugrunde gehenden Moral bewahren. Es war naiv zu glauben, dass Kinder, egal wo sie aufwuchsen, nicht irgendwann mit Gewalt und Brutalität konfrontiert wurden. Doch er sah auch ein, dass van Hauten den Moment der Erkenntnis über den immer fragiler werdenden moralischen Zustand der Gesellschaft bei seinem Kind möglichst weit hinauszögern wollte. Er verstand, dass Elfenbeinchen tatsächlich das Kostbarste war, was die van Hautens besaßen.

»Und was ist mit Florin?«, fragte Kühn, dessen Kopfschmerzen unter dem Eindruck des Gesprächs abgeklungen waren, wie er dankbar feststellte.

»Florin ist robuster. Er kann damit besser umgehen. Und außerdem: Beide Kinder zu verlieren, das könnte Elfie nicht ertragen.« *Du sagst wirklich allen Ernstes »verlieren«? Hamida Bilal hat ihr Kind verloren. Deines geht jetzt auf ein Internat in den Highlands, und wahrscheinlich ist es kein schottisches Verlies. Erzähl mir nichts von Verlust.*

Van Hauten las in Kühns Gesicht und sagte: »Wobei ›verlieren‹ in diesem Zusammenhang natürlich ein etwas unklug gewählter Begriff ist. Aber ich hoffe, Sie verstehen meinen Punkt. Möchten Sie noch mit Florin sprechen?«

Kühn nickte, und van Hauten schickte einen Kellner los, um den Sohn zu holen, der wenige Augenblicke später vor Kühn stand. In seiner makellosen Erscheinung war er ein so erfreulicher Anblick, dass Kühn unwillkürlich davor zurückschreckte, ihm die Hand zu geben, weil er befürchtete, er könne etwas an Florin kaputt machen. Das war ein so einfältiger Gedanke, dass Kühn selber darüber schmunzeln musste, Florins Hand nahm und recht fest drückte, was der Junge zurückgab. Der Vater entschuldigte sich mit dem Hinweis, er müsse sich für die Vorstellung umziehen. Kühn verstand zwar nicht, was damit gemeint war, nickte aber jovial und sagte an Florin gewandt: »Es muss schlimm für Sie sein, dass Ihre Schwester jetzt fort ist.«

»Ja«, sagte Florin. »Aber noch schlimmer ist, was Amir passiert ist. Wie stehen die Chancen, dass Sie die Täter finden?«

»Ganz gut, würde ich sagen«, sagte Kühn, auch wenn er gerade nicht wusste, woher er die Zuversicht nahm. »Mord ist ein ziemlich komplexes Verbrechen. Als Täter steht man unter Stress. Man muss sich ständig darüber Gedanken machen, ob es nicht doch Spuren gibt. Zufälligkeiten, die man nicht bedacht hat. Zeugen, die man nicht bemerkt hat. Das löst in vielen Tätern unüberlegte Handlungen aus.«

»Kann ich verstehen«, sagte der Junge. »Und wenn aber ein Täter einfach gar nichts tut, also gar nicht handelt?«

»Das ist selten«, sagte Kühn. »Die Tat verändert den Täter. Man ist nicht mehr der, der man vorher war. Man ist ein Mörder. Ich sage es mal so: Das ist eine einschneidende Erfahrung.«

Florin nickte und sagte leise: »Ich kann mir das gar nicht vorstellen.« Für einen Moment schien es Kühn, als sei der Garten ganz still geworden, als stünden sie ganz alleine unter einer Glashaube. Nur er und der schöne, empfindliche Junge, der zu Boden sah und sachte den Kopf schüttelte, wie um seine Worte zu unterstreichen.

Kühn wusste, dass es manchmal gut war, gar nichts zu sagen. Das musste ein Gegenüber erst einmal aushalten. Aber Florin hatte damit keine Mühe. Sie standen eine Weile still da, dann hörte Kühn wieder die Musik der Band und das Klirren der Gläser, die vielen Stimmen und das meckernde Lachen einer unnatürlich bemuskelten Vorstandsgattin, die mehrere Tausend Stunden Arbeit in ihren Körper investiert hatte, um nun auszusehen wie ein Männlein aus geöltem Wurzelholz.

»Holen Sie sich noch ein Glas, gleich geht es los.«

Florin legte den Kopf schief, lächelte ein schüchternes Lächeln und sagte: »Mein Vater hat gleich seinen großen Auftritt.«

Damit ließ er Kühn stehen, der Kurs nahm auf die Bar, um sich noch ein Glas Champagner zu besorgen. Nachdem er es aus der Hand eines offenbar indischen Barmannes mit beinahe unnatürlich weißen Zähnen empfangen hatte, stoppte die Musik der Jazzband plötzlich mitten während »Polka Dots and Moonbeams«. Applaus hob an, und sämtliche Gäste drehten sich in Richtung des Hauses, aus welchem Claus van Hauten in einer überaus lächerlichen Aufmachung trat.

Er trug einen breitgestreiften, braun-weißen Dreiteiler. Die Hose hatte einen Schlag, und darunter kamen Lederschuhe mit Gamaschen zum Vorschein. Van Hauten hatte sich einen weißen Spitzbart angeklebt und einen ebenfalls gestreiften Zylinder aufgesetzt. Aus der zugeknöpften Weste baumelte eine Taschenuhr. Kühn fand, dass van Hauten aussah wie ein amerikanischer Jahrmarktsgaukler, was tatsächlich in etwa dem Charakter der Verkleidung entsprechen sollte, wie er wenig später feststellte.

Van Hauten breitete die Arme aus und rief: »Ladies and

Gentlemen, ich, der sagenhafte August van Hauten« – er sprach den Namen englisch aus – »freue mich über euren Besuch!«

Wieder Applaus, dann rief einer von hinten: »Hunger!«, was für einen Lacher sorgte. Claus van Hauten machte eine abwehrende Handbewegung und rief: »Gemach, gemach, Freunde. Zunächst wollen wir wie jedes Jahr mein Lebenswerk ehren.«

»Ja doch«, rief wieder einer. »Her jetzt mit den Austern.«

Van Hauten überging die Äußerung und sprach weiter. »Ich möchte heute über einige Erfindungen sprechen, die ich höchstpersönlich im Jahr 1936 patentiert habe und die euch und euren Kindern und Kindeskindern bis ans Lebensende Freude machen. Ich weiß ja nicht, ob ihr es wisst, aber vor euch steht der Erfinder«, er machte eine Geste in Richtung der Band, und der Schlagzeuger setzte zu einem kurzen Trommelwirbel an, »der mehrfarbigen Zahnpasta!« Wieder erhob sich Applaus, begleitet von vereinzelten Lachern. »Alle kennen gestreifte Zahnpasta, aber niemand kennt ihr Geheimnis. Und das ist nicht die einzige Sensation, die es heute zu feiern gilt. Ich nenne nur den nichtklebenden Zitronendrops, die von mir erdachte Salatschleuder mit Fadenzug und den Rasensprenger mit Teleskopdrehmechanismus.« Applaus. Kühn hörte fasziniert zu, konnte sich aber keinen Reim auf den Vortrag des Mannes im Anzug machen. Irgendwie erschien ihm van Hautens Auftritt zunehmend bizarr.

»Egal. Ich erwähne diese bahnbrechenden Leistungen urdeutschen Erfindergeistes lediglich, um euch an meinem 114. Geburtstag in Feierlaune zu versetzen. Denn tatsächlich bin ich ja nun bereits seit über zwanzig Jahren tot, und das ist wahrlich kein Grund für überschäumende Freude. Daher möchte ich wie in jedem Jahr lieber an meine Verdienste als an mich denken. Also: ein Hoch auf Drops, Salatschleuder, Zahnpasta und Rasensprenger.« Wieder Applaus, dann nahm van Hauten ein Glas und prostete seinen Gästen zu, die ihrerseits »Prost!« riefen und Champagner tranken. »Wie in jedem Jahr werden wir meine wunderbaren und überaus nützlichen Patente mit meinem Lieblingsessen feiern, das ich euch wie immer persönlich kredenze!« Van Hauten stellte das Glas ab und zog einen großen glitzernden Handschuh aus der Hosentasche, den er über seine linke Hand stülpte und mit einem Klettverschluss an seinem Handgelenk befestigte. Aus der anderen Hosentasche holte er einen Austernbrecher hervor und rief: »Man bringe die Austern!«

Die Band spielte einen Tusch, er trat zur Seite, und von innen wurde ein Tisch herangerollt, auf dem eine metallene Badewanne stand. Das Publikum drängte näher heran, gierig auf die Austern, die in der Wanne auf Eis lagen. »Nur die Ruhe, es ist für alle genug da«, rief van Hauten, der nun den Hut abnahm und die Jacke auszog, um jede Dame und jeden Herrn persönlich zu bedienen. Er brach die Austernschale vorsichtig, aber schnell und mit Kraft genau an der richtigen Stelle, durchtrennte den Muskel des noch lebenden Tieres und legte je vier Austern pro Gast auf kleine Teller. Florin gab eine geviertelte Zitrone dazu. Wie Vater und Sohn dort standen, der eine mit dem Austernhandschuh, der andere mit einer kleinen silbernen Zange für die Zitronenschnitze, gaben sie das Bild eines routinierten Operationsteams ab. Die Freundinnen und Freunde des Hauses stellten sich artig an, es wurde gelacht, und die Band begann wieder zu spielen.

Kühn fragte sich, ob er auch mal so eine Auster probieren sollte. Er kannte Muscheln, hatte dafür jedoch nie ein Faible entwickeln können. Meeresfrüchte waren ihm grundsätzlich verdächtig. Und er war noch ganz benommen vom skurrilen Auftritt des Gastgebers, den er zwei Tage zuvor als besorgten Familienvater kennengelernt hatte. Das emotionale Wechselbad zwischen der ehrlichen Betroffenheit van Hautens und der konsequenten Entscheidung, Julia von dem fernzuhalten, was er als »das Böse« bezeichnet hatte, stand in einem für Kühn unverständlichen Widerspruch zu der offensichtlichen Albernheit des Mannes, der seinen Freunden mit großer Geste Meeresfrüchte auftischte.

»Sie sehen aus, als hielten Sie nicht viel von Austern«, sagte der Mann, der die ganze Zeit neben ihm gestanden hatte. Kühn sagte: »Keine Ahnung, ich habe noch nie eine probiert.« Der Mann gab ihm seine Hand und sagte: »Frank Becker.«

»Martin Kühn.«

»Ich habe Sie hier noch nie gesehen, sind Sie neu im Cast?«

»Im was?«

»Sie kennen die van Hautens noch nicht so lange, oder? Darf ich raten? Sie sind bestimmt vom ›Sternenhimmel‹, oder?«

»Nein, nicht direkt. Aber es stimmt, ich kenne die van Hautens erst seit Kurzem.« Kühn nippte an seinem Champagner.

»Na, dann fanden Sie diesen Auftritt sicher gerade ziemlich eigenartig, habe ich recht?«

»Allerdings, ja.«

»Das ging mir beim ersten Mal auch so. Aber irgendwann gewöhnt man sich an dieses Ritual. Und man bekommt immerhin frische Austern von David Hervé. Und zwar bis man platzt.«

»Können Sie mir erklären, was es mit dieser seltsamen Rede auf sich hat?«, fragte Kühn, immer noch verstört von der Situation, verunsichert und daher auch in gewisser Weise verärgert.

»Natürlich kann ich das. Was wissen Sie von den van Hautens?«

»Nicht viel, fürchte ich. Adlig, irgendwie im Krieg gewesen, und er ist Patentanwalt.«

»Na gut. Dann werde ich Sie mal aufklären. Es stimmt, ja, Claus ist Patentanwalt. Und seine Familie ist in den Dreißigerjahren zu viel Geld gekommen. Der eine Teil von denen war tatsächlich so eine Art Armeeadel. Aber das traf auf den berühmten August nicht zu. Der war eigentlich ein kleiner Verwaltungsbeamter. Und nun fragen Sie sich bestimmt, wie so einer es zu einem derartigen Vermögen bringen kann?«

Kühn nickte, sagte aber nichts, also fuhr Becker fort. »Er hat, sagen wir es mal so, Patente erworben.«

»Aha. Also diese ganzen Dinge, die da vorhin aufgezählt wurden, die hat er nun also patentiert oder nicht?«

»So ähnlich. Als damals immer mehr Juden Deutschland verließen, verschaffte ihnen van Hauten sichere Schiffspassagen nach Amerika. Er konnte sie gewähren oder auch nicht. Zuerst ließ er sich ganz normal dafür schmieren. Aber das war nicht ungefährlich, denn Bestechung war auch bei den Nazis kein Kavaliersdelikt. Irgendwann bot ihm ein jüdischer Erfinder anstelle eines Geldbetrages an, ihm ein Patent für irgendwas zu überschreiben. Ich denke, es hatte mit einer Reiseschreibmaschine zu tun. Genau weiß ich das nicht mehr. Und August, der Hund, erkannte darin eine Art Marktlücke.«

»Inwiefern?«

»Na ja, das Überschreiben von Patentrechten fand damals weitgehend unter dem Radar der Partei statt. Das hat einfach kein Mensch mitbekommen. Insofern hatte van Hauten saubere Schuhe. Er holte sich von den jüdischen Industriellen, Ingenieuren, Erfindern und Unternehmern, von den ganzen kreativen Geschäftsleuten, die Patentschriften ab und sorgte im Gegenzug dafür, dass sie einigermaßen unbehelligt ablegen konnten.«

»Er hat die Leute erpresst.«

»Er hat mit ihnen Geschäfte gemacht, sagen wir es mal so.« Becker zündete sich ein Zigarillo an.

»Innerhalb von drei oder vier Jahren besaß er eine Unmenge von Patenten. Aber die waren im Grunde nichts wert. Schließlich muss man die Dinge ja auch produzieren, die man erfindet. Oder Lizenzen dafür vergeben. Sonst nützt einem so ein Patent nichts. Und außerdem kamen einige seiner Kunden auf den Trichter, dass sie das soeben verkaufte Patent in Amerika noch einmal anmelden konnten, weil das deutsche Patent dort keine Gültigkeit besaß. Einige haben das gemacht, sofern sie noch genug Geld dafür hatten. Das hat dem guten August nicht gefallen. Also ist er selber in die USA emigriert und hat die Patente, die er den Juden vorher abgeluchst hat, dort noch einmal schützen lassen. Er hat sich sogar einbürgern lassen, um die Verfahren zu beschleunigen.«

»Deshalb dieses absurde Uncle-Sam-Outfit«, sagte Kühn, dem die Familie van Hauten gerade unsympathisch wurde. »Das war ein Drecksack.«

»Kann man so sagen. August gründete in den USA eine Familie, sein Sohn Benjamin kam 1940 auf die Welt. Und dessen Sohn Claus 1965. Er und sein Vater wurden Juristen und kümmerten sich hauptsächlich um die Patente.«

»Das ist ein richtiges Familienunternehmen.«

»Aber es hat sich verändert. Der Patentschutz läuft nach zwanzig Jahren aus. Bis dahin muss man etwas daraus gemacht haben. Oder neue Patente an Land gezogen haben. Und das ist Clausemanns Business.«

»Er erwirbt Ideen und patentiert sie.«

»So ungefähr. Oder er finanziert Ideen und kauft sie den eigentlichen Urhebern ab, wenn sie gut sind. Er schließt gewissermaßen Wetten ab. Manchmal gewinnt er, und manchmal verliert er. Aber das Geld in der Familie, das kommt aus den Lizenzen, die August damals vergeben hat. Nicht klebende Drops, Salatschleudern, Zahnpasta. Er hatte mehr als hundert davon, und die wurden in der ganzen Welt lizensiert. Das reicht für Generationen.«

Kühn gefiel die Vorstellung nicht, dass Reichtum, so angenehm er sich ihm darstellte, aus einem tiefen Grund des Unrechts geschöpft worden war. Becker zog an seinem Zigarillo und sagte: »Aber Benjamin und Claus haben sich wenigstens bemüht, etwas von dem Geld zurückzugeben.«

»Ach ja?«, fragte Kühn, der das nur zu gern glauben wollte.

»Ja, natürlich. Benjamin war in den Zeiten der Studentenbewegung schwer unterwegs. Er hat mit dem Geld seines Vaters die Tupamaros in Uruguay unterstützt. Und die in München. Er hat soziale Projekte in Kolumbien finanziert und den Aufbau von Gewerkschaften in halb Südamerika. Ich kenne allein drei linke Verlage in Deutschland, die ohne ihn hätten dichtmachen müssen. Angeblich hat er sogar einen Teil der Gerichtskosten beim Stammheim-Prozess getragen.«

»Und all diese Leute haben Geld aus diesen finsteren Geschäften angenommen?«

»Das meiste wurde anonym gespendet. Nennen Sie es eine Art Ablasshandel, aber Claus ist bis heute so unterwegs. Was meinen Sie, wer den ›Sternenhimmel‹ im Hintergrund finanziert? Na ja, was soll's. Auf diese Weise bekommt diese Maskerade und das ganze Gehampel von vorhin wenigstens eine tiefere Bedeutung. Im Grunde macht sich Claus einmal im Jahr über seinen Großvater und dessen Patente lustig. Und außerdem gewinnt Elfie auf jeder dieser Partys mindestens drei oder vier solvente Unterstützer für den ›Sternenhimmel‹ dazu.«

Und innerhalb von wenigen Augenblicken war Kühn wie von Zauberhand wieder völlig für Claus van Hauten eingenommen. Am Ende hatte vielleicht die Erpressung der jüdischen Geschäftsleute einem höheren Zweck gedient, selbst wenn die van Hautens immer noch steinreich waren. Aber das ärgerte ihn nicht mehr so wie vor drei Minuten. Er war mit der Familie versöhnt, seine Seele sank zurück in den Cremetiegel des behutsam zelebrierten Reichtums, der für Kühn nichts Bedrohliches besaß. Becker vollzog offenbar seinen Gedankengang nach. »Alles wieder gut zwischen Ihnen und den van Hautens?«, fragte er belustigt.

»Und diese Zusammenhänge sind hier jedem klar?«, fragte Kühn.

»Vielleicht nicht jedem, aber dem engsten Kreis natürlich schon. Claus und ich haben zusammen studiert.«

»Dann kennen Sie auch die Kinder?«

»Ich bin Julias Patenonkel.«

»Ach. Schade, dass sie nicht da ist.«

»Allerdings. Ich hatte ein Geschenk für sie dabei. Ich habe eben erst erfahren, dass sie in Schottland ist. Aber so sind sie, Elfie und Claus. Manchmal haben sie eine gute Idee, und dann ziehen sie die auch durch. Blitzschnell. Und woher kennen Sie die beiden?«

»Durch meinen Job. Öffentlicher Dienst. Man trifft sich, man ist sich sympathisch. Und schon ist man drin im Garten.« Kühn ahnte, dass das Gespräch sofort enden würde, wenn er dem freundlichen Becker offenbarte, dass er als Polizist im Rahmen einer Mordermittlung im Gelände stand. Außerdem hatte er keine Lust, über sich zu sprechen.

Becker lachte und sagte: »Da muss die Sympathie aber wirklich groß sein. So einfach kommt man hier eigentlich nicht rein. Auf jeden Fall sieht man Ihnen an, dass es nicht gerade Ihr Terrain ist. Bin ich Ihnen damit zu nahe getreten?«

Becker machte einen kleinen Schritt zur Seite, Kühn tat in einer Art Übersprungshandlung dasselbe, wobei sein Fuß von der Kante des Teichs ins Wasser rutschte. Ein Koi-Karpfen drehte beleidigt ab. Kühn zog den Schuh aus dem Wasser und tat, als sei nichts passiert. Dabei spürte er, wie sein Fuß im ledernen Inneren des Schuhs hin und her quietschte und quatschte, wenn er das Gewicht verlagerte. Er kam sich unfassbar trottelig vor neben dem lächelnden Becker, dessen Schuhe aus feinstem Wildleder zu sein schienen. Sie waren nicht direkt weiß, eher beige oder beinahe eierschalenfarben. Es war eine ausgesuchte, eine ganz absichtsvolle Farbe. Kein ordinäres Weiß. Kühn zeigte mit seinem Glas auf Beckers Schuhe und sagte, um von seinem Missgeschick abzulenken und weil es seine ehrliche Meinung war: »Das sind wirklich sehr besondere Schuhe, die Sie da tragen. Sehr schick.«

Becker schob nickend die Unterlippe ein Stück aus seinem Gesicht, hob dabei die Augenbrauen, was ihm ein ganz enorm dummes Aussehen verlieh, und sagte: »Ja. Hat meine Frau in London gefunden. Kamelvorhaut.«

»Wie bitte?«

»Kamelvorhaut.«

»Ihre Schuhe sind aus der Vorhaut eines Kamels angefertigt worden?«

»Das feinste Wildleder, das es gibt. Mit Haaren. Die sind ganz weich. Wollen Sie mal fühlen?«

»Das ist jetzt aber nicht Ihr Ernst.«

»Stimmt, ist es nicht.« Becker grinste und hob sein Glas, um mit Kühn anzustoßen. »Ich habe Sie nur auf den Arm genommen. Wer trägt denn Schuhe aus Pimmelleder?« Dann lachte Becker so einnehmend, dass Kühn ebenfalls lachen musste, und für einen Moment kam er sich vor wie ein Gleicher, wie ein Freund, der auf dem Pausenhof über den Scherz eines Kumpels lacht. Er hatte plötzlich das Gefühl, mit Frank Becker über alles reden zu können, jetzt, wo sie schon frivole Scherze machten. Auch wenn er die Möglichkeit in Betracht zog, dass es hier durchaus Leute gab, deren Lederwaren aus tierischen Geschlechtsteilen gefertigt worden waren.

»Darf ich Sie etwas fragen?«, fragte Kühn.

»Natürlich, nur zu.«

»Wie ist das, wenn man richtig reich ist?«

»Keine Ahnung, das kann ich Ihnen nicht beantworten.«

»Weil Sie selber nicht reich sind?«

»Nein, weil ich nie arm war. Für Claus ist es selbstverständlich. Für mich auch in gewisser Weise, für alle hier mit Ausnahme der Angestellten, der Musiker und Ihnen. Wie soll ich also Ihre Frage beantworten? Das ist so, wie wenn sie eine Orange fragen würden, wie es ist, orange zu sein.«

Kühn verstand in diesem Moment, was Amir Bilal unter diesen Menschen gefühlt haben musste, denn Amir war arm. Und dann plötzlich Teil dieses unfassbaren Wohlstands. Und am Ende tot. Kühn hatte den Eindruck, dass es da einen Zusammenhang gab, den er aber nicht greifen, geschweige denn benennen konnte. Natürlich konnte ein Reicher niemals erklären, was es bedeutete, reich zu sein.

»Haben Sie Angst vor der theoretischen Möglichkeit, zu verarmen?«, fragte er Becker, der nach einer theoretischen Möglichkeit suchte, den Stummel seines Zigarillos loszuwerden. Eine Kellnerin kam aus dem Nichts und hielt ihm einen Aschenbecher vor, in den er den Zigarillo legte. Die junge Frau verschwand lächelnd, und Becker sagte: »Natürlich. Davor hat hier jeder Angst. Niemand würde es zugeben, das ist auch klar. Drei Viertel der Leute würden Ihnen sagen, dass sie ganz bodenständig seien und sich nichts aus Besitz machen würden. Das liegt aber nur daran, dass sie ihren Besitz meistenteils geerbt haben. Sie würden töten, um ihn zu verteidigen. Er muss da sein. Wie Luft. Und er bleibt da. Selbst Julia und Florin sind heute schon steinreich. Sie müssen das ganze Geld nicht einmal erben.«

»Das verstehe ich nicht. Die müssen doch eines Tages zumindest Erbschaftssteuer zahlen.«

»Sie kommen wirklich aus einer anderen Welt, was? Ich erkläre es Ihnen. Natürlich zahlen die überhaupt keine Steuern. Keinen Cent. Und das geht so: Ein Elternteil kann alle zehn Jahre einem Kind 400 000 Euro steuerfrei schenken. Das sind also für beide Eltern zusammen pro Kind 800 000 Euro in zehn Jahren oder anders ausgedrückt 80 000 Euro im Jahr. Wenn Elfie und Claus damit bei Florins Geburt begonnen haben, besitzt er mit zwanzig Jahren bereits 1,6 Millionen Euro. Und zwar komplett steuerfrei, jedenfalls wenn Elfie und Claus nicht vorher sterben. Unter guten Bedingungen kann man das natürlich auch dreißig oder vierzig oder fünfzig Jahre lang machen. Sie sehen: Wer hat, dem wird gegeben. Und dem wird nicht genommen. Jedenfalls nicht vom Staat.«

Kühn hatte keine Ader für Sozialneid, aber diese Beträge kamen ihm schon recht absurd vor. Becker setzte noch einen drauf, vielleicht weil es ihm Spaß machte, vielleicht auch, um Kühns vager Entdeckung einer Gerechtigkeitslücke weitere Erkenntnisse hinzuzufügen. »Jetzt könnte man sagen, ist doch schön! Dann geht es den Leuten gut, das ist doch fein. Oder?«

Kühn nickte.

»Ja, aber der Sozialstaat wird dadurch natürlich nicht finanziert. Der wird von denen finanziert, die arbeiten gehen und damit Geld verdienen. Ich weiß jetzt nicht, was Sie verdienen, aber nehmen wir mal an, Sie bekommen ebenso wie Florin oder Julia 80 000 Euro im Jahr.« Becker machte eine Kunstpause, in der Kühn sich vergegenwärtigte, dass er nur knapp die Hälfte dieses Betrages verdiente. »Dann müssen Sie davon 26 Prozent Lohnsteuer abführen. Ein Viertel Ihres Gehaltes geht also an die Gemeinschaft. Florin und Julia müssen gar nichts von ihren 80 000 Piepen abgeben. Und sind noch nicht einmal zur Arbeit gegangen.« Becker machte wieder eine Pause. Die Musik wurde lauter und störte Kühn. Becker schnipste mit der rechten Hand den Takt mit und sagte: »Und jetzt fragen Sie noch einmal, wie es ist, reich zu sein.«

Kühn hatte in diesem Moment genug von dieser Unterhaltung. Er hatte einen sitzen, einen nassen Fuß und deutlich den Eindruck, nicht in diesen Garten zu gehören. Er wollte sich aber keine Blöße geben und in irgendeiner Weise emotional auf die Worte seines Gegenübers reagieren.

»Woher wissen Sie so viel über diese Themen? Sind Sie Steuerberater?«

»Nein, mehr Jurist. Und Banker. Ich sollte davon Ahnung haben.«

»Aber Sie klingen nicht wie ein Bankmensch.«

»Ich nehme das mal als Kompliment. Bloß weil ich bei der Reformbank bin, muss ich ja nicht gleich ein Großkapitalist sein.«

»Ich bin auch bei der Reformbank.«

»Ach ja? Sagten Sie nicht, Sie seien im öffentlichen Dienst?«

»Als Kunde bin ich bei der Reformbank.«

Becker zog die richtigen Schlüsse.

»Das klingt ja nicht sehr zufrieden.«

»Wir befinden uns sozusagen in einer Art Auseinandersetzung.«

»Und worum geht es da? Vielleicht kann ich vermitteln.«

Kühn war von der Verbindlichkeit des Mannes überrascht und angetan. Sie kannten sich jetzt eine gute Viertelstunde, und Frank Becker schien es ernst zu meinen. Für Kühn war es vielleicht eine Chance. Eine kleine, winzige Chance, aus dieser Bekanntschaft, aus seinem Aufflackern im Leben dieser bürgerlichen Großmenschen etwas zu machen.

»Die Sache ist die, es geht eigentlich um eine Baufinanzierung beziehungsweise um einen Streit mit der Reformbau, die ist ja im Prinzip eine Unterfirma der Reformbank.«

»Nicht mein Gebiet. Ich bin Personalvorstand. Aber lassen Sie mal hören.«

Kühn erläuterte in knappen Worten, wie die Eigentümer der Häuser in gutem Glauben mit der Reformbau und der Reformbank als Kreditgeber im Hintergrund gebaut hatten und nun mit den Kellern ihrer Eigenheime buchstäblich in alter Nazischeiße saßen und dass der Bauträger das gewusst haben müsse und sich nun aus der Verantwortung stehle. Becker hörte geduldig zu, winkte zwischendurch eine Kellnerin heran und drückte dem ratlosen Kühn ein frisches Glas in die Hand. Kühn, der beamtete Pleitier mit dem nassen Fuß, sprach weiter, er schüttete gewissermaßen dem Vorstand des Prozessgegners sein Herz aus. Und es war ihm egal. Er setzte ein Zeichen, er sprach von den Dingen, um die es wirklich ging. Achtzig Riesen im Jahr steuerfrei, das war ein glamouröses Thema, aber es war keines aus der wirklichen Welt, in der bei den Kühns die Tür vom Hängeschrank runterhing, der Schnippikäse alle war und die Fahrradbox keine Tür mehr hatte. In der Kühn mit der Straßenbahn zu Tatorten fuhr, an denen Minderjährigen mit

Migrationshintergrund fünfzehnfach die Knochen im Gesicht gebrochen wurden. Es war Kühn egal, was er für einen Eindruck auf den freundlichen Juristen und Bankier Becker machte, der ihm gegenüberstand, eine Hand in der Hosentasche, eine Hand am Glas, in dem die Champagnerblasen wie winzige Mitglieder einer Marschkapelle emporstiegen. Als er fertig war, hätte er nicht sagen können, wie lange er gesprochen hatte.

»Ich kenne den Fall«, sagte Becker. »Und was erwarten Sie jetzt von mir?«

»Ich weiß nicht. Nichts. Ich wollte einfach nur, dass Sie darüber im Bilde sind, dass wir alle am Arsch sind. Wir haben gedacht, wir könnten uns ein Vermögen bilden mit diesen Häusern. Wenigstens ein kleines.«

»Ja, das hat man Ihnen damals so gesagt, nicht wahr?«, sagte Becker. »Das ist natürlich alles Quatsch. Sie bilden gar nichts. Selbst wenn es Ihnen innerhalb der nächsten zwanzig Jahre gelänge, die Immobilie abzuzahlen, könnten Sie die nie mit Gewinn verkaufen. Niemand will dort wohnen, erst recht nicht in zwanzig Jahren.«

»Was macht Sie denn da so sicher?«

»Stadtplanerisch ist die Weberhöhe ein Fossil. So denkt heute niemand mehr über Wohnquartiere nach. Das ist sozusagen eine lebende Leiche. Sie müssen jetzt sehen, dass Sie Ihren Prozess gewinnen, das Haus reparieren und dann sofort vermieten und wegziehen. Oder verkaufen, wenn es irgend geht.«

»Man hat uns eine Einmalzahlung angeboten. 8000 Euro.«

Becker prustete vor Lachen seinen Champagner auf den Rasen. Einige Gäste drehten ihre Köpfe nach Kühn und

Becker um und nahmen wohl an, dass dieser Mann in dem billigen Jackett ein guter Entertainer war.

»Diese Arschlöcher.«

Kühn konnte diesen Becker nicht einordnen, der da immerhin von seinem Stamm sprach.

»Nein, im Ernst. Das ist ein Witz. Die wollen Sie verarschen.«

»Wie meinen Sie das?«

»Ich werde Ihnen jetzt etwas sagen. Und ich sage es Ihnen nur, weil Sie mit Claus und Elfie befreundet sind. Ihre Freunde sind meine Freunde. Aber bitte: Sie haben das nicht von mir, okay?«

»Gut, natürlich«, sagte Kühn.

»Denen geht wegen der Sache der Arsch auf Grundeis. Die wissen genau, dass sie Scheiße gebaut haben. Und sie haben von Anfang an gewusst, dass der Grund dort kontaminiert war. Aber sie waren einfach zu gierig, um die Erde zu reinigen oder das Geschäft gleich ganz zu lassen.«

»Woher wissen Sie das?«, fragte Kühn, der in einen beruflichen Befragungston verfiel.

»Weil ich den Mann kenne, der in der Reformbank deswegen seinen Job verloren hat. Er hat ein ganzes Jahr lang versucht, den Vorstand auf die rechtlichen Folgen dieses, nennen wir es ruhig, was es ist: Betruges aufmerksam zu machen. Er hat Gutachten in Auftrag gegeben, Vorstandssitzungen mit PowerPoint-Vorträgen gequält und sich ständig als Hüter der Unternehmensmoral aufgespielt. Er ist uns richtig auf den Sack gegangen. Schließlich hat er drei Jahresgehälter bekommen, die ich mit ihm vereinbart habe.«

»Wie heißt der Mann?«

»Das sage ich Ihnen nicht. Aber was ich Ihnen sage, ist: Kämpfen Sie. Geben Sie nicht auf. Sie haben Anspruch auf Rückabwicklung und Schadenersatz, möglicherweise auch auf Schmerzensgeld, wenn gesundheitliche Folgen eintreten. Es ist alles da. Auf Papier, in Mails, in der Buchhaltung, in den Akten.«

Kühn stiegen beinahe die Tränen in die Augen.

»Und wie sollen wir kämpfen? Mit einer Sammelklage?«

Becker zog Kühn an der Schulter, und sie gingen am Teich entlang tiefer in den Garten. Offenbar behagte Becker der Gedanke nicht, dass jemand sie hören könnte.

»Sammelklagen gibt es in Deutschland nicht. Aber unter einer Bedingung ist ein Prozess dieser Art trotzdem möglich.«

Dann verschwanden Becker und Kühn unter einer japanischen Kirsche und kamen erst nach zwanzig Minuten wieder zurück. Die Band spielte nun Dave Brubeck.

Kühn brachte es nicht übers Herz, eine einzige Auster zu essen, er hatte einfach Angst davor, nachdem Frank ihm erklärt hatte, dass die Furcht der Menschen vor Tieren größer wurde, je weniger sie ihnen ähnelten. Daher hätten sie wenig Angst vor Affen und auch nicht unbedingt vor Möpsen oder Bären, aber dafür vor Spinnen, Schlangen und Quallen. Und offenbar auch vor Austern, wobei diese harmlosen Meeresbewohner nichts seien als sehr köstliche Schließmuskeln, was Kühn erst recht den Appetit verdarb.

Er verabschiedete sich von Claus van Hauten – Elfie fand er auf die Schnelle nicht, er hatte sie nicht mehr gesehen, seit sie wie ein Geist nach ihrem Gespräch ins Haus geschwebt war – und ging mit dem nassen Fuß quietschend und quatschend den langen Weg von der Terrasse zur Haustür. Er gab sich dabei Mühe, wie ein alter Freund des Hauses auszusehen.

In der Trambahn versuchte Kühn, die Eindrücke dieses Vormittages zu sortieren und jene der vergangenen Nacht zu verdrängen. Beides fiel ihm schwer.

Alinas Pony hieß Rosalinde. Alina striegelte es und zupfte Heu aus der Mähne. Sie kratzte die Hufe aus, versorgte eine kleine Schürfwunde, fütterte und verwöhnte das Tier, was Kühn regelrecht neidisch machte, weil ihm so eine Behandlung nie zuteilwurde. Andererseits hatte er auch keine Hufe, die seine Tochter ihm hätte auskratzen können. Rosalinde ertrug die Prozedur mit ungeheuerlicher Gleichmut, die vor allem dadurch auf die Probe gestellt wurde, dass Alina die ganze Zeit ihre Lieblingslieder sang. Während Susanne ihrer Tochter half, mitgebrachte Möhren und Äpfel fütterte und von der Landluft im Stall schwärmte, lehnte Kühn an der Wand der Boxengasse und überließ sich seinen Gedanken. *Wir werden nie Vermögen haben, aber das ist mir egal. Ich brauche kein Vermögen, ich werde nichts vererben. Ich habe mich dafür entschieden, ein Niemand zu sein. Ein verbeamteter Niemand. Aber ich habe mich damit auch dafür entschieden, dass die Kinder Niemands werden. Ich habe ihnen die Zukunft genommen, die ich selber nie hatte. Sie werden im Niemandsland des untergehenden Mittelstands aufwachsen. Und ganz egal, wie dieser Scheißprozess ausgeht, werde ich niemals sagen: Hier ist das Geld, ich gebe es euch jetzt schon, da sparen wir die Erbschaftssteuer. Ist das nicht total lächerlich? Ich habe nichts, womit ich angeben könnte, außer meinen Tumor. Und meine Affäre. Ist das nicht am Ende etwas wenig? Aber immer-*

hin muss man beides nicht versteuern. Man bekommt beides völlig kostenlos.

Er sah seine Tochter und seine Frau mit dem Pony, und auf einmal schossen ihm Tränen in die Augen, denn es wurde ihm bewusst, wie wenig sie bekümmerte. Und wie ungerecht er über sein eigenes und ihr Leben urteilte. Stand es ihm zu, die Chancen seiner Kinder kleinzureden? Und war es richtig, seiner Frau nichts zu sagen von den Dingen, die ihn beschäftigten. *Ich weiß, dass du mit Leitz schläfst. Ich habe es rausgefunden. Ich habe eine Idee für uns Hausbesitzer auf der Weberhöhe. Ich werde den Mörder von Amir Bilal finden. Und ich habe Lust auf ein Weißbier. Heute Abend werde ich eines trinken. Am Küchentisch. Und dann hole ich den Scheißschraubenzieher aus dem Keller und mache die Tür vom Hängeschrank. Ich muss etwas angehen. Ich muss etwas fertigkriegen. Ich muss mein Leben in den Griff bekommen. Jetzt erst recht. Und dann spreche ich mit Susanne. Und entweder wir finden Lösungen, oder es fliegt eben alles auseinander. Besser jedenfalls, als immer so weiterzumachen.*

Er dachte so eine ganze Weile vor sich hin. Und am Ende fand er es besser, so weiterzumachen wie bisher und weder sich noch Susanne oder die Kinder in Gefahr zu bringen. Auf der Rückfahrt war er ausgelassen, und sie gingen noch zum Pizzaessen in die Weberarcaden.

Susanne bestellte Salamipizza und er eine mit Pilzen. Während sie warteten, sah er sie heimlich an und suchte nach besonderen Merkmalen. Nach einer Veränderung, einem Indiz. Neuer Lippenstift, Frisur verändert, Kajal, wo sonst keiner war. Aber er fand nichts, was ihn noch verzweifelter werden ließ, zumal Susanne ihm so fröhlich gegenübersaß. Er kam auf den Gedanken, dass jemand, der von außen auf das Trio blickte, bloß eine intakte kleine Familie sah und er sich so sehr wünschte, selber genau das in ihnen zu sehen. Und als Susanne ihm ihre Hand aufs Bein legte, ganz beiläufig, eben wie sie das immer gemacht hatte, da nahm Kühn ihre Hand und hielt sie fest. Er wünschte sich so sehr, dass einfach alles in Ordnung war, dass es ihn schmerzte. Und er hatte das deutliche Gefühl, dass seine Frau diesen Schmerz spürte.

Auf dem Rückweg durch die Weberhöhe hakte sie sich bei ihm ein und legte den Kopf an seine Schulter. Gab sie sich gerade Mühe, etwas zu verdecken? Oder hatte sie einfach das Bedürfnis nach Nähe? War der Grund für ihre Anhänglichkeit nicht im Grunde genommen ganz unwichtig? Je länger sie gingen, desto intensiver verspürte er Schuldgefühle wegen der Sache mit Ulrike Leininger. Susanne würde es nie verstehen. Er verstand es ja gerade selber nicht.

Gegen 19 Uhr waren sie zu Hause, erlaubten Alina einen Fernsehabend, schauten bei Niko rein, der sich auf einer Mission im einundzwanzigsten Level durchschlug, aber immerhin die Kraft fand, seine Eltern freundlich zu grüßen. Dann gingen sie zur Eigentümerversammlung. Fast alle waren gekommen, nur Rolf Rohrschmid fehlte. Seine Frau erklärte den Nachbarn, dass ihr Mann krank sei und sich von ihr vertreten lasse. Es entwickelte sich schnell eine Diskussion, in welcher Bormelt erklärte, dass er geneigt sei, das Angebt der Reformbank anzunehmen. Andere Hausbesitzer nannten dies eine idiotische Idee, und schließlich kam das Thema Sammelklage auf. Nachbar Wendt wies darauf hin, dass so etwas in Deutschland nicht zulässig sei. Mitten im aufkommenden argumentativen Durcheinander, welches von Panik, Trunkenheit und Verzweiflung geprägt war, erhob Kühn die Stimme.

Er bat um Ruhe und erklärte dann, dass er einen Informanten bei der Reformbank habe, der ihm dringend davon abriet, die Einmalzahlung anzunehmen. Er berichtete von dem entlassenen Mitarbeiter, den man vielleicht als Zeuge benennen konnte, so man ihn fände. Und dann erklärte er die Bedingungen, unter denen man die Angelegenheit nicht im Rahmen vieler teurer und riskanter Einzelklagen, sondern als Sammelklage führen konnte. »Ist ein Amerikaner im Raum?«, rief er.

Auf dem Heimweg sagte Susanne: »Du warst gut vorhin. Aber du siehst müde aus. Ist alles okay bei dir?«

Kühn erzählte von dem seltsamen Führungskräftetag, ließ aber ganz wesentliche Aspekte des Abends und der Nacht aus. Dann berichtete er von Augusts Austernfrühstück und fand zur abschließenden Bemerkung, dass die Frauen dort allesamt auf eine beunruhigende Art und Weise ausgemergelt, regelrecht unterernährt gewirkt hätten. Susanne lachte, und es war für einen Moment wie früher, doch dann ertappte sich Kühn dabei, wie er abermals auf versteckte Hinweise in Susannes Verhalten lauerte. Doch da war nichts, sie schien ihm nichts sagen zu wollen. Auf seine Frage, was sie den ganzen Tag gemacht habe, antwortete sie nur, es sei ein ereignisloser und gerade deshalb schöner Tag gewesen. Normal. Wie immer. Und wenn Kühn nicht gewusst hätte, dass in ihrem Leben nichts mehr normal war, wäre er nun beinahe glücklich gewesen.

Zu Hause begegnete ihm Niko, der ihm einen Zettel mit einer Telefonnummer entgegenhielt. Er solle dort anrufen. Wessen Nummer das sei, fragte Kühn, aber Niko fand diese

Info unwichtig und sagte bloß, es sei irgendwie dienstlich, glaube er. Kühn wählte die Nummer, und sein Kollege Scherer meldete sich nach nur einem Klingeln.

»Hallo Martin, gut, dass du anrufst.«

»Gibt es etwas Neues von dem Mädchen? Habt ihr eine Lösegeldübergabe?« Kühn ging mit dem Telefon in die Toilette, weil er nicht wollte, dass seine Familie mehr hörte als unbedingt nötig. Er mochte es nicht, wenn der Schmutz aus seiner beruflichen Welt in sein Zuhause eindrang.

»Nein, der hat sich noch nicht wieder gemeldet. Vielleicht wartet er auf irgendeine öffentliche Reaktion, um sich daran aufzugeilen. Sag mal, könntest du morgen mal bei uns vorbeisehen, dann haben wir alles ausgewertet, was wir aus dem Videomaterial des Kassenbereichs haben. Aber darum rufe ich nicht an.«

»Was ist denn passiert?«

»Du hast ja gesagt, dass dein Sohn das Mädchen vielleicht aus der Schule kennt. Und da wollte ich es dir schon mal sagen, bevor es morgen in der Schule die Runde macht.«

»Wieso? Was ist denn los?«

»Janina Feige ist heute Nachmittag verstorben. Verreckt an dem Joghurt, den das Schwein vergiftet hat. Das ist los. Und das ändert die Sache. Jetzt ist es Mord.«

Kühn sprach Niko nicht darauf an. Er entschied, dass sein Sohn ohne diese Information ins Bett gehen sollte. Dann ging er in den Keller, um seinen Werkzeugkasten zu holen. Er fand sogar eine Flasche Weißbier, aber das Etikett war von dem seltsamen Zeug überzogen, das an der Wand blühte, und so warf er sie ungeöffnet in den Müll. Er machte sich daran, die Tür des Hängeschrankes zu richten, was ihm beinahe gelang. Und während er da herumschraubte und mit der flachen Hand gegen das schiefe Scharnier schlug, dachte er an das Mädchen, das an einem vergifteten Joghurt qualvoll gestorben war, weil jemand seine Geldnot nicht hatte lösen können. Und dabei ging ihm ein Satz nicht aus dem Kopf.

Nachdem er sich von Frank Becker verabschiedet und dieser sich in die Schlange vor den Austern öffnenden Claus van Hauten gestellt hatte, sagte Becker mit einem pointensicheren Lächeln: »Mag schon sein, dass Geld nicht glücklich macht. Aber sehen Sie: Ich will lieber an einer faulen Auster verrecken als an einer verdorbenen Currywurst.«

11. DREI VERHÖRE

Boris Grundler war gerne Bäcker. Ihm gefiel die Nachtarbeit, für die es sogar Zuschläge gab. Er mochte es zu arbeiten, wenn die anderen schliefen, denn dann konnten sie ihm nicht auf die Nerven gehen. Und wenn er mittags nach Hause kam und sich hinlegte, waren die Nachbarn bei der Arbeit und ließen ihn in Ruhe. Solange man ihm seinen Frieden ließ, konnte Grundler ein verträglicher Mensch sein. Er mochte bloß nicht für seine politischen Meinungen kritisiert werden.

Er hatte keine Lust, sich für die Reichskriegsfahne in seinem Wohnzimmer zu rechtfertigen, und es war ihm nicht danach, mit sogenannten Gutmenschen die drohende Islamisierung seines Heimatlandes zu diskutieren. Sämtliche Gesprächsversuche seinerseits waren in den Vorbehalt gemündet, er sei ein Neonazi, was Grundler vehement bestritt. Er war einfach anderer Meinung als sie, doch seine Mitmenschen brachten für seine Sichtweisen nicht die Toleranz auf, die er sich wünschte. Ein ums andere Mal hatte er daher die Notwendigkeit gesehen, Andersdenkenden aufs Maul zu geben, wofür nach seiner Auffassung nicht er, sondern seine Gegner die Verantwortung trugen. Wenn man ihm seinen Frieden gelassen hätte, wäre nichts passiert, argumentierte er in jedem einzelnen Prozess. Er betrachtete den Bruch eines Oberkiefers als eine Art robuste Meinungsäußerung, im Grunde genommen als gelebte Demokratie, und sah nicht ein, dass man dafür belangt werden konnte. Nach drei Verurteilungen baute er sein Misstrauen gegenüber dem Staat zu einer ordentlichen Paranoia aus, die sich schließlich gegen jede Person – auch gegen Haustiere – richtete, die ihn schräg ansah.

Insofern war die Nachtarbeit genau das Richtige für ihn, denn da sahen ihn allenfalls die Rosinenbrötchen aus braunen Äuglein an, und das störte ihn nicht weiter.

Er konnte generell nicht gut mit Kollegen, besonders nicht mit denen aus dem Ausland. Und es war ihm einerlei, woher die Ausländer stammten. Er mochte ihr Aussehen nicht, er mochte ihr Essen nicht, und er mochte ihren Lärm nicht. Ob jemand aus Pakistan stammte oder aus Brasilien oder Kanada, interessierte ihn nicht. Eigentlich mochte er, wenn überhaupt, nur Menschen aus München-Giesing.

Diese Haltung begrenzte seinen Entfaltungsraum stark, und daher suchte Grundler im Internet Gleichgesinnte, die sich genau wie er zurückgedrängt, übervorteilt und missverstanden fühlten. Er fand sie im Bürgerverein Weberhöhe, dessen Vorsitzender Norbert Leitz genau das formulierte, was Grundler an seinem Leben, an seiner Umgebung und bei sich im Haus störte.

Nachdem er einige Reden von Leitz gehört und an diversen Kundgebungen teilgenommen hatte, unterschrieb er einen Mitgliedsantrag und bot sich auch als Aktivist an. Leitz teilte ihn dann für Mahnwachen und Transportjobs ein, wohl, weil er richtig einschätzte, dass Grundler eher kein Talent als Redner oder Autor von Manifesten besaß.

Mit seinem kahlen Eierkopf und den Tätowierungen auf Brust und Rücken war er seinem Mentor Leitz sogar ein bisschen peinlich, denn der brauchte in seinem Verein keine Bilderbuchglatzen, sondern smarte Intellektuelle, die Angriffen von links und den besserwisserischen Medien Paroli bieten konnten. Männer wie Grundler waren für Norbert Leitz dumm genug, um Plakate aufzuhängen, aber nicht klug genug, um darauf abgebildet zu werden.

Dieser Standesunterschied innerhalb des BüWe war Grundler lange nicht richtig bewusst. Aber dann geschah etwas, woran er niemals geglaubt, was er heimlich gehofft, jedoch für völlig aussichtslos gehalten hatte: Eine Frau, noch dazu eine Studentin, verliebte sich in ihn. Ausgerechnet in ihn. Und weil sich noch nie jemand in ihn verliebt hatte und ihm das gut gefiel und er sie auch recht hübsch fand, verliebte er sich gegen jede Überzeugung heftig zurück. Das hätte eigentlich nie geschehen dürfen, denn Tahmineh stammte aus dem Irak.

Tahmineh war es, die ihn darauf aufmerksam machte, dass seine Rolle in der vermeintlichen Bürgerrechtsbewegung von geringer Bedeutung war und er im Grunde genommen ausgebeutet wurde. Tahmineh stellte ihm Fragen, die er nicht beantworten konnte, sie säte Zweifel, sie zog ihn sanft aus der braunen Brühe, in der er über Jahre herumgesessen hatte. Schließlich löste er seine Mitgliedschaft auf, verließ den Bürgerverein Weberhöhe und ließ sich die Haare wachsen. Und Tahmineh verließ ihn. Einfach so. Für einen Kommilitonen der Politikwissenschaft, ein Bürgerbübchen aus dem Rheinland, dem die Eltern eine Wohnung zahlten, in der er es mit Tamineh trieb. Boris Grundler war außer sich und tat, was er in solchen Fällen eben zur

Konfliktbereinigung tat. Er lauert dem Typen eines Morgens vor dessen Haustür auf, und als dieser vom Joggen kam, zimmerte er ihm die Rechte ins Gesicht und ging für sechs Monate ins Gefängnis, weil er mit dem Hieb gegen eine Bewährungsauflage nach einem Urteil im Sinne des Paragrafen 56 des Strafgesetzbuches verstoßen hatte.

Nach der Haft machte er sich geflissentlich unsichtbar und arbeitete nachts. Zumindest als Bäcker unterliefen Boris Grundler keine Fehler. Er buk Brezeln, Knusperhänflinge, Roggenkracher und Kraftkornbrocken und Malzpfünder und dachte an Tahmineh.

Die wenigen Kollegen, die am Montagmorgen mit ihm in der Backstube standen, waren daher überrascht, als die Tür aufflog und gleich acht Polizeibeamte und ein Ziviler hereinkamen. Der Zivilpolizist rief: »Polizei München, wer von Ihnen ist Boris Grundler?«

Grundler, der sich keiner Schuld bewusst war, hob die rechte Hand, die gerade ein Fünfkornbrot (500 g, Aktionspreis 1,39 Euro) fasste, und sagte: »Das bin ich.«

»Herr Grundler, mein Name ist Steierer, Kriminalpolizei München. Ich muss Sie bitten, mit uns zu kommen.«

Grundler legte das Brot ab und wischte sich die Hände an seiner Schürze ab. »Warum?«

»Weil wir Sie dringend verdächtigen, am vergangenen Mittwochmorgen den Tod eines Amir Bilal verursacht zu haben.«

»Kenne ich nicht. Ich habe gar nichts verursacht.«

»Das wird sich alles klären. Bitte kommen Sie mit.«

Grundler wusste zwar, dass man in solchen Momenten nach seinem Anwalt fragte, nach den rechtlichen Gründen der Mitnahme, nach richterlichen Beschlüssen und formalen Anweisungen. Er wusste, dass er ohne einen ordentlichen Vollstreckungshaftbefehl nicht eingesperrt und nicht verhört, sondern allenfalls befragt werden durfte. Aber er hatte schon so oft mit der Polizei zu tun gehabt, und er war so müde von seinem Kampf gegen die seiner Meinung nach verwahrlosten Institutionen, dass er bloß sagte, seine Jacke hänge im Spind, und er müsse noch auf die Toilette. Dann fügte er sich in sein Schicksal und grüßte lasch in die Runde seiner Kollegen, die in diesem Moment davon ausgingen, Boris Grundler nie wiederzusehen. Alle waren darüber sehr erleichtert.

Als Martin Kühn am Morgen in sein Büro kam, stand ein Becher Milchkaffee auf seinem Tisch. Daran klebte eine kleine Haftnotiz, auf der stand: »Guten Morgen!« Und darunter hatte jemand einen Zwinkersmiley gemalt. Er umfasste den Becher und stellte fest, dass der Kaffee nur noch lauwarm war. Er wusste, von wem er kam, und er wusste nicht, was er damit anfangen sollte. Und er wusste nicht, wo Steierer war.

Also rief er bei Gollinger an, um zu fragen, warum Steierer nicht am Platz sei, und Gollinger sagte, der sei auf Einsatz, und Kühn fragte, wo, und Gollinger sagte, der Steierer sei in der Bäckerei Wöllinger, worauf Kühn fragte, was der bitte schön in der Bäckerei Wöllinger wolle, und darauf sagte Gollinger, dass dort nun einmal die Verhaftung stattfinde, wofür er, Gollinger, ja nichts könne, ihm sei es im Prinzip egal, wo die Verhaftung sei, und wenn es in einer Bäckerei sei, dann sei es ihm recht, und man könne von dort Brezen mitbringen, und Kühn fragte, welche verdammte Verhaftung da bitte stattfinde, und Gollinger, schon etwas aufgebracht, sagte, dass es sich um die Verhaftung des Mörders handele, und Kühn darauf, welchen Mörder Gollinger denn bitte schön genau meine, und Gollinger antwortete, dass es sich um den Mörder von diesem Migranten handele, und daraufhin knallte Kühn den Hörer auf den Apparat, lief nach nebenan zu Gollinger und machte ihn so unfassbar zur Schnecke, dass dieser anschließend überlegte, ob er erst weinen und dann kündigen sollte. Oder umgekehrt.

Wenige Minuten später kam Thomas Steierer ins Dezernat und verströmte eine derart unpassend übertriebene Chef-Aura, dass Kühn gleich noch einmal der Kragen platzte. Es war nicht so, dass er seinem Kollegen den Fahndungserfolg nicht gönnte. Aber er war immer noch der Chef auf diesem Flur mit seinen sieben Büros und der Kaffeeküche. Und wenn dort irgendwer was auch immer ermittelte, dann war es seine Pflicht und sein Dienstrecht, davon zu erfahren, es zu bewerten und die richtigen Schritte und Anweisungen zu geben. Er bat Steierer in sein Büro und sagte: »Thomas, was soll der Scheiß?«

»Ich weiß, Monsieur kann es nicht gut ab, wenn auch mal ein anderer die Goldader trifft. Aber so ist es nun einmal. Gewöhn dich dran.«

»So geht es nicht. Du musst mich verständigen. So sind wir kein Team, Thomas.« Sagte der Mann, der sich beim Teambuilding am Samstag als pathologischer Einzelkämpfer erwiesen hatte. Aber das hier war etwas anderes, fand Kühn. Es wurde ihm bewusst, dass der Alleingang seines langjährigen Freundes und Kollegen Steierer mit dessen Bewerbung zum Ersten Hauptkommissar zu tun hatte. Steierer wollte punkten, um jeden Preis. Sogar um jenen ihrer Freundschaft. Er ging dabei das Risiko disziplinarischer

Folgen ein, die er seinem Vorgesetzten Kühn offensichtlich nicht zutraute. Steierer wiegelte ab. »Jetzt mach nicht so ein Fass auf. Bei der Befragung kannst du ja dabei sein und das Ruder übernehmen. Du bist der Chef.«

Kühn beruhigte sich ein wenig. Sie setzten sich. Steierer deutete auf den Kaffeebecher: »Hast du neuerdings einen Extraservice?« Als erfahrenem Polizisten war ihm weder der Becher entgangen, den Kühn sonst nie benutzte, noch die gelbe Haftnotiz mit dem Smiley. Kühn riss das Zettelchen ab und warf es in den Papierkorb. Er nahm einen Schluck Kaffee und sagte: »Gut. Wen hast du da im Sack und warum?«

Steierer referierte, dass er bei seinem Sonntagsdienst die Ergebnisse der Spurensicherung vom Tatort entgegengenommen habe. »Die haben wirklich die ganzen Zigarettenstummel analysiert. Eine Hundearbeit. Und zwar saß quasi neben dem Toten kurz vorher ein Mann, der hat dort siebzehn Zigaretten geraucht. Marlboro Gold. Bis fast ran an den Filter. Jedenfalls siebzehn Kippen, frisch, unverschmutzt und alle mit derselben DNS.«

Steierer wollte, dass Kühn nun fragte, zu wem die DNS gehörte. Also fragte der. »Und zu wem gehört die DNS?«

»Zu Boris Grundler. Es passt einfach, es ist so wundervoll. Grundler ist Neonazi, mehrfach aktenkundig. Vorbestraft wegen Körperverletzung, Nötigung, Beleidigung und Volksverhetzung. Ein ziemlich harter Brocken. Und was jetzt kommt, wird dich freuen: Das Landesamt für Verfassungsschutz führt den auch, und zwar im Zusammenhang mit dem Bürgerverein Weberhöhe.«

»Ach, das klingt wirklich interessant.«

»Finde ich auch. Kein Wunder, dass dein Freund Leitz so schnell und gut informiert ist über Straftaten, wenn seine eigenen Leute daran beteiligt sind.«

»Das ist fast zu schön, um wahr zu sein«, sagte Kühn, der Leitz nicht für so dumm hielt, einen Mord an einem Ausländerkind in Auftrag zu geben. Denn das war es, was Steierer offenbar annahm. Steierer spürte die Zurückhaltung seines Chefs, wollte sich aber seinen Ermittlungserfolg nicht madigmachen lassen. »Tatsache ist: Grundler war am Tatort. Zur Tatzeit. Das können wir anhand der Kippen beweisen. Da waren noch Abbaustoffe drin, mit denen wir rekonstruieren konnten, wann die Zigaretten geraucht wurden. Er passt in unser Fahndungsraster, er ist vorbestraft. Wenn du mich fragst, ist das unser Mann. Wir können ihn jetzt festnageln. Und seine Mittäter und Hintermänner auch. Martin, jetzt freu dich mal.«

Kühn stand auf und sagte leise: »Yippie.« Dann fiel sein Blick auf die Mappe mit den Laborberichten, die auf seinem Schreibtisch lag. Er hob sie hoch und sah, dass sie an ihn persönlich adressiert worden war.

»Du sagst, das kam gestern Mittag?«, fragte Kühn. »Es ist an mich gerichtet.«

»Du warst aber nicht da.«

»Aber du kannst nicht einfach meine Post öffnen. Thomas, ganz im Ernst.«

»Ich war hier, wir haben diese Scheißvideos aus Grünwald gesichtet, dann kam die Mappe. Und ich dachte, mein Gott. Schauste einfach mal rein in die Mappe. Was ist denn schon dabei?«

»Du hättest mich anrufen müssen. Das hier ist eine eklatante Missachtung von Dienstvorschriften.«

»Als ob dich die Dienstvorschriften sonst groß interessieren würden«, gab Steierer beleidigt zurück.

»Ich muss mir überlegen, wie ich damit umgehe«, sagte Kühn leise, der sich entmachtet fühlte. Vielleicht war das hier der Anfang vom Ende, vielleicht hatte er durch seine Erkrankung seine Kraft verloren, und womöglich war er auch gar keine geborene Führungskraft. Die gingen gerne auf Seminare, machten Karriere, und wenn sie klug waren, ließen sie die Finger von den Kolleginnen. Jedenfalls die richtig integeren. Dennoch durfte er sich nicht selber die Krone vom Kopf nehmen. Er musste Steierer auf Linie bringen, bevor dieser ihn per Beförderung abschoss.

»Thomas, ich muss damit zum Polizeirat. Wenn du meine Autorität im Dezernat untergräbst, muss ich dir eine vor den Latz geben, das ist dir klar, oder?«

Steierer stand ebenfalls auf und stützte seine Hände auf die Tischplatte. Er beugte sich vor und schrie Kühn ins Gesicht.

»Dann mach doch, versuch's doch. Häng mich hin wegen diesem Scheiß. Aber wenigstens war ich gestern hier. Während du wahrscheinlich mit deinen neuen Freunden Austern gefressen hast, habe ich mich um Ergebnisse in unserer Mordermittlung gekümmert. Martin, weißt du, dass du manchmal ein ziemliches Arschloch bist?«

Damit drehte er sich um, verließ das Büro und knallte die Tür hinter sich zu. Kühn wartete ein paar Minuten, dann ging er hinterher. Er sagte in Steierers Büro hinein, dass er nun zur Befragung von Grundler wolle, dass Steierer diese gerne leiten könne und er noch Staatsanwalt Globke dabeihaben wolle.

Kühn hatte kein Problem damit, dass Steierer die Befragung leitete, eigentlich wollte er gar nicht unbedingt dabei sein und stellte sich deswegen mit Globke hinter die Scheibe. Das war beinahe ein wenig boshaft von ihm, denn auf diese Weise konnte er Steierer nicht nur scheitern sehen, sondern dieses Scheitern auch noch in Anwesenheit des Staatsanwaltes auskosten. Es war Kühns Intuition, seine Erfahrung, ein Gefühl, das er nicht beschreiben konnte, das ihn davon abhielt, in Steierers Jubelchor über die Dingfestmachung des dicklichen Bäckers einzustimmen.

Dieser saß breitbeinig am Tisch und verschränkte die Arme. Kühn fand, dass Grundler ein wenig aussah wie ein Rosetten-Meerschweinchen. Die kurzen Haare drehten sich in unzähligen Wirbeln auf dem Kopf, Grundler versuchte, dieses Chaos unter Einsatz von zu viel Gel irgendwie zu bändigen. Der Eindruck, es hier mit einem dicken Nagetier zu tun zu haben, wurde durch den kleinen Mund und die leicht vorstehenden Augen noch unterstrichen. Irgendwie tat ihm dieser Grundler leid. Steierer und ein weiterer Beamter in Uniform betraten den Raum, und Steierer begann sofort mit einer Konfrontation, die sie manchmal anwendeten, um die Gesprächspartner aus der Fassung zu bringen. Komischerweise klappte der Trick häufig.

»Ihre Mittäter haben bereits gestanden, Herr Grundler. Wenn Sie das Schlimmste für sich verhindern möchten, sollten Sie jetzt gleich eine brauchbare Aussage machen. Sonst bleibt die ganze Scheiße nur an Ihnen hängen. Und das wollen Sie bestimmt nicht.«

Grundler zog die Augenbrauen hoch und sagte gemütlich: »Echt? Wer von denen hat denn ausgesagt? Der Jimmy? Oder der Erhard? Oder der Leon, das Weichei?«

»Der Leon, klar. Ich meine, das wäre sicher früher oder später sowieso passiert«, bluffte Steierer. »Und jetzt, wo Sie das wissen, geben Sie mir auch ein paar Infos. Wer hat zugeschlagen? Leon behauptet, das seien Sie alleine gewesen. Erzählen Sie mir mal was.«

Aber Grundler dachte gar nicht daran. »Ich finde das gerade so gemütlich bei Ihnen. Reden Sie doch weiter mit dem Leon. Und mit dem Jimmy. Ich find's super. Da brauchen Sie doch mich nicht dafür.«

Steierer warf einen verunsicherten Blick in die Scheibe. Er wusste nicht, was er sagen konnte. Und mit Leon und Jimmy konnte er nicht sprechen, weil er die noch nie gesehen hatte. Der Trick, mit dem er Grundler hatte zum Sprechen bringen wollen, funktionierte nur, wenn man mögliche Mittäter auch wirklich an der Hand hatte. Steierer schwante, dass es diese Vögel womöglich gar nicht gab. Er musste entscheiden, ob er das Leon-Spiel weiterspielte und sich damit womöglich völlig lächerlich machte oder eine neue Taktik anwendete. Die fiel ihm aber nicht ein.

»Okay, Boris, Sie haben gewonnen. Sie sind ein kluger Mann.« Er versuchte es mit einem Kompliment.

»Ich weiß«, sagte Grundler und verschränkte die dicken Arme hinter seinem Kopf. Er öffnete den Körper und stellte auch die Füße noch ein wenig weiter auseinander. Für den Moment saß er ganz oben auf dem Affenfelsen. Und Steierer mindestens drei Etagen darunter. Kühn nahm es amüsiert zur Kenntnis.

»Fangen wir noch einmal von vorne an, mit dem, was wir wissen. Sie waren in der Nacht von Dienstag auf Mittwoch an der Haltestelle Großhesseloher Brücke in Harlaching. Möchten Sie das bestätigen?«

»Ungern.«

»Aber Sie waren da und haben geraucht. Für siebzehn Zigaretten braucht man eine ganze Weile. Warum haben Sie dort rumgesessen, so mitten in der Nacht?«

Endlich mal eine kluge Frage, dachte Kühn, der sie als Erstes gestellt hätte. Grundler hatte seit der Fahrt ins Präsidium genug Zeit gehabt, um sich eine Antwort zu überlegen, und sie fiel denkbar einfach aus.

»Das geht Sie einen Scheiß an«, sagte er, und damit hatte er recht, wenn er unschuldig war.

»Mit wem waren Sie dort?«

»Mit niemandem.«

»Ich dachte, Jimmy, Leon und Erhard waren auch da?«

»Dann fragen Sie doch die«, sagte Grundler und lächelte.

Steierer hatte sich selbst abermals in diese Sackgasse manövriert.

»Sie stehen dem Bürgerverein Weberhöhe nahe, und das Opfer war ein Jugendlicher mit Migrationshintergrund, das Ihnen dort über den Weg gelaufen ist. Wenn Sie ich wären, würden Sie da nicht auch Zusammenhänge sehen?«

»Wenn ich Sie wäre, würde ich mir neue Schuhe kaufen«, sagte Grundler, und Kühn musste grinsen. Globke auch.

»Sie machen sich nicht viel Mühe, mich von sich zu überzeugen.«

»Ich mache mir eben nichts aus Männern«, sagte Grundler. Lass dich nicht so verarschen, dachte Kühn. Der Typ hat doch einen Grund, warum er so selbstsicher ist. Finde den Grund, komm mit ihm klar, bau ihm eine Brücke. Kühn nahm die Ermittlungsakte zur Hand, in der das

Sündenregister des Boris Grundler ausführlich dargestellt war. Er fing an, darin zu blättern, während Steierer einen neuen Anlauf machte, den massiven Bäcker zu bezwingen.

»Also gut. Sie waren alleine dort. Ohne Begleitung. Mitten in der Nacht. Da ist keine Kneipe, da ist keine Versammlung, da ist gar nichts. Aber gut. Und Sie sitzen da herum und rauchen. Habe ich das so weit richtig verstanden?«

Boris Grundler zuckte mit den Schultern und nickte.

»Während Ihres Rauchgenusses fällt Ihnen ein ausländisch aussehender Jugendlicher auf. Und dann?«

»Dann kommt die Straßenbahn, und ich fahre zu meinem Arbeitsplatz in der Bäckerei Wöllinger.«

»Also haben Sie Amir Bilal am Tatort gesehen.«

»Das haben Sie gesagt. Ich habe nur Ihre Märchenversion zu Ende erzählt.«

Kühn ging zum Telefon und machte einen Anruf im Dezernat. Er bat Gollinger darum, eine Meldeadresse zu überprüfen. Das dauerte nur eine Minute. Dann rief Kühn auf seinem Handy den Kartendienst auf und gab die Adresse ein. Er ging zufrieden zu Globke zurück. »Ganz schön zäh, die Verhandlung da drin, finden Sie nicht auch«, fragte Kühn mit gut gespielter Leutseligkeit.

»Ich habe jedenfalls meine Zweifel, dass Steierer dem Kerl beikommt. Und wir haben gar nichts gegen den in der Hand. Nichts. Wir können überhaupt nichts mit diesem Grundler anfangen«, sagte Globke.

»Das würde ich so nicht sagen. Man müsste nur keine Täterbefragung mit ihm veranstalten, sondern eine Zeugenbefragung. Ich glaube, dann können wir ihn schon gebrauchen.«

»Würden Sie das Gewürge da drin dann bitte abbrechen?

Ich möchte heute noch ein paar andere Dinge erledigen.« Globke sah auf seine Uhr, die Kühn sehr groß fand für so ein schmales Handgelenk.

»Gut. Wie Sie meinen. Aber wenn der Kollege Steierer deswegen böse wird, nehmen Sie es auf Ihre Kappe.«

»Sehr gern«, sagte Globke.

Kühn betrat den Raum und sagte: »Thomas, der Staatsanwalt möchte dich kurz sprechen. Ich mache so lange weiter.«

»Warum? Ich bin hier mitten in einer Befragung.«

»Warum, weiß ich nicht. Darf ich?«

Und damit zog er an der Rückenlehne des Stuhls, auf dem Steierer saß. Widerwillig erhob sich Steierer und verließ den Raum. Zweifellos würde er sich gleich über ihn beschweren. Und ebenso zweifellos würde Steierer in wenigen Minuten einsehen, dass es besser war, wenn Kühn Befragungen leitete.

Kühn gab Boris Grundler die Hand und stellte sich vor. Dann legte er die Akte auf den Tisch. Er tippte rhythmisch auf den Deckel und sagte: »Ganz schön was los in Ihrem Leben. So haben Sie sich das bestimmt als Kind nicht gedacht.« Grundler dachte kurz darüber nach, und sein verpfuschtes Leben zog an ihm vorbei. Eigentlich war immer alles schiefgelaufen. Dabei hatte er eine gute Kindheit gehabt mit vielen Knödeln und einem sehr schönen Messdienergewand.

»Im Grunde hätte es auch gut ausgehen können, wenn die Frau, entschuldigen Sie, ich kann diese irakischen Namen nicht, wenn diese letzte Beziehung nicht so eine Enttäuschung gewesen wäre. Glauben Sie mir, das tut mir leid für Sie.«

Grundler schwieg weiter, aber Kühn sah ihm an, dass die Erinnerung an Tahmineh in ihm arbeitete. Er war nicht über die Beziehung hinweg, kein bisschen.

»Herr Grundler, wir können die ganzen Hahnenkämpfe gleich sein lassen. Ich weiß, was Sie da an der Haltestelle getrieben haben, und ich weiß, warum Sie nicht gern darüber sprechen wollen. Wenn ich es einfach sage, dann ist es gut, und wir können uns anderen Dingen zuwenden. Einverstanden?«

Boris Grundler verschränkte die Finger seiner Pranken ineinander. Es arbeitete. Und dann kam Kühn mit einem Angebot über den Tisch.

»Was ich Ihnen noch nicht gesagt habe: Ich sehe Sie nicht als Tatverdächtigen an.«

»Aber Ihr Kollege schon.«

»Mein Kollege wusste vorhin auch noch nicht, was ich hier eben erfahren habe. Sie müssen ihm seine grobe Gangart nachsehen. Er steht unter Druck. Wir stehen alle mal unter Druck, oder?«

Da lächelte Boris Grundler wie ein fröhlicher Dampfkessel.

»Ich schlage also vor, dass wir uns ganz normal von Mann zu Mann unterhalten. Ich verfolge Ihre Strafsache nicht weiter, Sie erzählen mir ein bisschen von der Nacht zum Mittwoch, und dann gehen wir unserer Wege. Deal?«

Grundler sah auf die Tischplatte. Eine große Traurigkeit übermannte ihn. Dieser Polizist wusste es, und wenn der es wusste und ihm nicht nachging, konnte er ebenso gut kooperativ sein. Es würde nicht schaden. Er atmete dreimal tief durch und sagte: »Deal.«

»Gut. Laut einem Urteil vom November letzten Jahres

dürfen Sie sich ihrer Exfreundin nicht mehr nähern und müssen einen Abstand von einhundert Metern einhalten. Das hat mein Kollege auch sicher in den Akten gesehen«, sagte Kühn und schob einen kurzen Blick in die Scheibe, hinter der sein Kollege stand und wütend wurde.

»Wahrscheinlich hat er auch überprüft, ob Sie das Kontaktverbot einhalten. Und er wird gesehen haben, dass Ihnen im Dezember ein Platzverweis erteilt worden ist. Aber danach gab es diesbezüglich keine Probleme mehr. Stimmt das?«

Grundler nickte und dachte an Tahmineh, seine schöne Tahmineh. Kühn legte beide Hände auf die Tischplatte und sah Grundler an. »Stimmt so mittel, oder? Es ist einfach so: Die Frau ist umgezogen und wohnt einfach nicht mehr unter der alten Adresse. Ihre Ummeldung ist aber nicht in unseren Akten. Schlamperei. Deshalb wussten wir das bis gerade gar nicht. Ich habe mich eben erst erkundigt. Sie wohnt jetzt in Harlaching. Und zwar gegenüber der Haltestelle, an der Sie gesessen haben. Und ich glaube, Sie haben da nicht nur am Mittwoch gesessen. Habe ich recht?«

Grundler verbarg seine Hände nun unter dem Tisch auf seinem Schoß, was ihn kleiner und schmaler erscheinen ließ. Er holte tief Luft und sagte: »Ich hätte alles für sie getan. Und ich habe auch aufgehört bei dem BüWe. Ich meine, da kann man mit einer ausländischen Freundin schlecht Mitglied sein.«

Kühn nickte freundlich. »Haben Sie für die junge Frau auch Tattoos überstechen oder entfernen lassen? Das tut weh, das muss man wollen.«

»Ja, das habe ich«, sagte Grundler, der die Anteilnahme des Polizisten zu schätzen wusste. Und er mochte, dass der sich nicht anbiederte. Er hatte auch vor Typen gesessen, die ihm gegenüber ausländerfeindliche Witze gemacht hatten, nur um ihn zu einer Aussage unter Kumpels zu bewegen. Der hier war anders. Er spielte ihm nichts vor, und er wollte ihm nicht schaden.

»Also das ganze Läuterungsprogramm. Was macht man nicht alles aus Liebe. Und dann haut sie mit diesem anderen Mann ab. Wie hieß er?« Kühn blätterte in der Akte. »Paul Hindeburg. Da hört man das Bürgersöhnchen schon durch, finden Sie nicht auch? Bestimmte soziale Gruppen haben bestimmte Namen. Wenn einer Paul heißt, dann steht der Vater wahrscheinlich nicht den ganzen Tag am Tresen. Jedenfalls waren Sie bei dem Mädchen abgemeldet. Da haben Sie ihn sich vorgenommen, weil es Sie fertiggemacht hat.«

»Tut mir leid«, sagte Grundler, und Kühn nahm es ihm ab.

»Das hat Ihren Leumund bei Frau« – er sah jetzt doch mal nach dem Namen – »Hadad leider auch nicht verbessert. Sie hat dieses Kontaktverbot erwirkt, und Sie standen draußen in Eis und Schnee und haben sich die Augen aus dem Kopf geheult.«

Er spürte seinen Worten nach und sah, dass sie ihre Wirkung nicht verfehlten. Grundler presste die Lippen aufeinander. Einmal hatte Tahmineh ihn entdeckt und die Polizei angerufen. Die kam und erklärte ihm einen Platzverweis. Danach war er vorsichtiger. Dann sah er sie lange nicht, und als er sich einmal traute, auf das Klingelschild an der Haustür zu sehen, stand dort ein anderer Name. Er brauchte zwei Wochen, bis er sie an der Universität endlich wieder ausgemacht hatte. Er verfolgte sie auf dem Nachhauseweg und stellte fest, dass sie mit diesem Paul in eine gemeinsame Wohnung gezogen war. Geiselgasteigstraße. Direkt gegenüber der Haltestelle.

»Seit wann schlagen Sie sich denn dort die Nächte um die Ohren?«

»Seit ein paar Wochen. Man sieht kaum was. Da sind ja Bäume. Aber da bin ich wenigstens in ihrer Nähe. Ich sitze da und rauche, und irgendwann muss ich eben zur Arbeit. Aber ich mache nichts. Ich sitze da bloß. Ich habe meine Lektion gelernt, das können Sie mir glauben. Ich möchte nur, also, ich möchte einfach nur da sein. Für den Fall.«

Für welchen Fall, dachte Kühn. Für den Fall, dass sie eines Tages aus dem Haus in seine Arme stürzte und rief, dass alles ein großer Fehler gewesen sei? Für den Fall, dass es brennen würde und er sie retten konnte? Es hatte diesen Tropf schwer erwischt, und Kühn sah keine Veranlassung, ihn wegen des Bruchs der Kontaktsperre hinzuhängen. Neonazi hin, Schlägertyp her. Vor ihm saß ein unbeholfener, unglücklicher Liebender.

»Okay, Herr Grundler, ich verstehe Sie. Und mein Angebot steht. Von mir kein Wort, wenn Sie kooperieren. Sie waren also in der Nacht zum Mittwoch dort an der Haltestelle.«

»Ja, war ich.«

»Sie haben dagesessen und geraucht und ins Fenster der Wohnung von Frau Hadad und Herrn Hindeburg geschaut, bis die zu Bett gegangen sind. Danach haben Sie weiterhin dagesessen, weil es sich vor der Arbeit nicht lohnte, noch nach Hause zu fahren. Irgendwann war die Schachtel leer und es sowieso an der Zeit, und dann wollten Sie die nächste Bahn nehmen.«

»Ja.«

»Ist Ihnen vor Ihrer Abfahrt dort etwas aufgefallen. Waren da noch andere Personen?«

»Ja, klar. Da war diese Gruppe, das waren so vielleicht vier oder fünf Jungs. So genau kann ich das nicht sagen. Einer von denen wollte in die Bahn einsteigen, aber die anderen haben ihn irgendwie nicht so recht gelassen.«

Kühn beugte sich vor. »War da ein eher dunkelhäutiger Junge dabei? Ein Türke oder Libanese, leicht arabischer Typ?«

»Sagen wir, wie es ist: ein Muselmane, um es mal wertfrei zu formulieren. Ein junger Herr mit nordafrikanischem Abstammungsmuster.«

»Schon gut. Und der wollte gleichzeitig mit Ihnen in die Bahn?«

»Ja, ich habe die schon von Weitem kommen sehen. Der Moslem kam zu Fuß und die anderen mit dem Auto?«

»Was war das für ein Auto?«

»Weiß ich nicht, was Kleines. Kein SUV oder so was. Die haben dann am Kiosk so Späßchen gemacht und wirkten ganz lustig.«

»Was waren das für Männer? Können Sie die beschreiben?«

»Na ja, so richtige Männer waren das nicht. Alles so schmale Bürschchen, ich würde sagen, jünger als ich auf jeden Fall. Dann kam die Bahn.«

»Und dann?«

»Dann ging die Tür auf, und ich bin eingestiegen. Der eine wollte auch rein, und ich habe sogar noch meinen Fuß in die Tür gestellt, aber die anderen haben ihn gehindert.«

»Wie gehindert? Mit Gewalt?«

»Kennen Sie Spaßkämpfchen? Ich meine, wenn es nicht

ganz ernst ist, aber schon mit Körper und so? So halt. Der eine hat noch gesagt, ich solle die Tür frei machen. Und dann hat der Bahnfahrer gebimmelt, weil ihm das Theater auf den Sack ging. Ich den Fuß raus, Tür geht zu, und Bahn fährt los. Das war alles.«

»Sehr gut, verstehe. Noch mal zurück zu den jungen Männern. Können Sie sie beschreiben?«

»Es war ja dunkel. Aber ich würde sagen, die waren ganz normal. Also nicht tätowiert oder besonders stark oder so.«

Also ganz anders als du, dachte Kühn. »Waren sie mehr so wie Paul Hindeburg oder mehr so wie Ihre Kollegen in der Bäckerei?«

»Weiß ich nicht, eher so Opfer, wenn Sie wissen, was ich meine.«

»Und außer dem Jungen, der in die Bahn wollte, würden Sie von keinem sagen, dass er einen Migrationshintergrund gehabt hätte?«

»Kann ich nicht sagen. Ich meine, wenn einer aus Finnland kommt, hat er ja auch einen.«

»Ja, das ist wohl wahr. Würden Sie die Leute aus der Gruppe wiedererkennen, wenn ich Ihnen Fotos zeigen würde?«

»Pff. Ja. Vielleicht, keine Ahnung.«

»Wir könnten es versuchen!?«

»Ja, natürlich.«

Kühn schlug die Akte auf und nahm ein Foto aus einer Klarsichtfolie. Es war eines der Instagram-Bilder von Amir, das sie aus seinem Account kopiert hatten. Aufgenommen zwei Tage vor seinem Tod. Es zeigte einen fröhlichen Jungen mit einem großen Softeis in der Hand.

»War das der Junge, der einsteigen wollte?«

»Ja, definitiv, das ist er. Hat er was verbrochen?«

Kühn fand seltsam, dass Grundler sofort davon ausging, dass das Opfer ein Täter war. Das lag wohl in seiner Natur.

»Nein. Er ist kurze Zeit später dort an dieser Haltestelle ermordet worden.«

Grundler verkniff sich einen Kommentar, denn er wollte die günstige Vereinbarung mit dem Polizisten nicht gefährden. Stattdessen sagte er nur: »Ach so. Aber ich war das wirklich nicht.«

»Glaubt auch keiner«, sagte Kühn und sah zur Scheibe hinüber, hinter der Globke abermals auf die Uhr sah, um sich dann sehr knapp von Steierer zu verabschieden und den Raum zu verlassen.

Bevor er Grundler entließ, hatte Kühn noch eine Frage, die er ganz beiläufig stellte, sodass Grundler daraus nichts lesen konnte und bereitwillig, fast freundlich antwortete. »Sagen Sie mal, wissen Sie eigentlich noch, was Sie an dem Tag für Schuhe trugen?«

»Das waren die Dinger, die ich immer bei der Arbeit trage. Von Sika.«

»Beschreiben Sie die mal. Wie sehen die aus?«

»Breite dicke Sohlen, die müssen ja rutschfest sein in der Backstube. Solide sind die, man ist ja acht Stunden auf den Beinen. Sehen Sie, jetzt habe ich sie auch an.«

Kühn sah die Schuhe des Bäckers an und verabschiedete sich im Flur von ihm. Da trat Grundler plötzlich einen Schritt zurück, als habe er sich erschreckt. »Was macht der denn hier?«, fragte er. Kühn drehte sich um, und da stand Leitz vor ihm. Kühn fiel wieder ein, dass er Grundlers ehemaligen Anführer für Montagvormittag aufs Präsidium bestellt hatte.

»Herr Leitz, das ist schön, dass ich sie treffe«, sagte Kühn.

»Ich wünschte, ich könnte dasselbe von Ihnen sagen«, gab Leitz mit gespielter Lässigkeit zurück, die ihm schon deshalb misslang, weil seine Stimme sich dabei leicht überschlug.

»Eigentlich habe ich auch nur eine Frage an Sie: Kennen Sie diesen Herrn?« Kühn zeigte mit dem Daumen nach rechts, wo Grundler stand.

»Ja. Na und? Ich kenne viele Menschen.«

»Und hat er in früheren Zeiten in Ihrem Bürgerverein mitgeholfen?«

»Ja. Das wird er Ihnen sicher auch selber gesagt haben. Ich habe keine Ahnung, was das hier soll«, sagte Leitz unwirsch und belegte Grundler mit einem strafenden Blick. »Herr Grundler hat es vorgezogen, gemischtrassig zu leben, und war so klug, sich deshalb aus der Bewegung zurückzuziehen.«

Grundler wurde rot und erschrak, denn die privaten Gründe für die Aufgabe seiner Mitgliedschaft im Bürgerverein Weberhöhe hatte er damals vor Leitz und den anderen geheim gehalten. Offensichtlich hatte man ihm nachspioniert. Und wenn er vorher noch keinen Grund gesehen hatte, der Polizei oder der Staatsanwaltschaft Interna aus dem BüWe zu verraten, änderte sich das in diesem Moment.

Kühn klatschte in die Hände und sagte frohgemut: »Dann haben wir das ja alles geklärt. Herr Leitz, ich danke Ihnen fürs Kommen und wünsche einen guten Tag.«

»Das ist pure Schikane, mich wegen solcher Kinkerlitzchen herzubestellen. Ich werde das nicht auf sich beruhen lassen«, keifte Leitz. Dann drehte er sich um und ging mit schnellen Schritten.

Grundler wartete, bis Leitz verschwunden war und sagte: »Wenn Sie irgendwie etwas wissen wollen über die, also über den Bürgerverein, dann melden Sie sich bei mir. Vielleicht kann ich ja helfen.«

Kühn zog die Augenbrauen hoch und gab Grundler die Hand. »Ich werde vielleicht darauf zurückkommen«, sagte er und freute sich über das Angebot. »Seien Sie ein wenig vorsichtig. Leitz hätte Sie nicht unbedingt hier sehen sollen.«

»Ich scheiße auf den«, sagte Grundler und zog den Reißverschluss seiner Jacke hoch. Kühn dachte, dass er ihn auf eine seltsame Art mochte. So wie man den Anblick von Sülze mögen kann, ohne ihren Geschmack zu schätzen. Und er hatte das Gefühl, dass Grundler ihm noch einmal sehr nützlich werden konnte. Insgeheim war er Steierer dankbar dafür, dass er den unglücklichen Deutschnationalen hergebracht hatte.

Nachdem Grundler gegangen war, ging Kühn in Steierers Büro. »Sind die Videos aus der Nachbarschaft so weit ausgewertet?«, fragte Kühn.

»Bald, ist kompliziert«, sagte Steierer mit einem feindseligen Unterton, der Kühn nicht gefiel. »Glaubst du diesem Grundler?«

»Natürlich. Er war's nicht. Warum auch? Du hast völlig danebengelegen. Und du hättest es verhindern können. Wenn du deinen Job richtig gemacht hättest.«

Steierer schwieg, denn er wusste, dass Kühn recht hatte. Polizeiarbeit bestand zum überwiegenden Teil aus Aktenstudium, aus dem Zusammenführen von Spuren und Datenmaterial. Aus Büroarbeit eben. Steierer hatte sich zu wenig mit Grundler befasst, die falschen Schlüsse gezogen und war das Gespräch völlig falsch angegangen. Wenn jemand nicht aus gutem Grund tatverdächtig war, musste man ihn als möglichen Zeugen befragen, kooperativ, denn man wollte schließlich etwas von ihm, war auf dessen Wohlwollen angewiesen. Steierer hatte es völlig versaut. Er wusste es, und er wusste, dass er sich damit geschadet hatte. Eigentlich war er sauer auf sich selber.

Kühn berief eine kurze Konferenz ein, in der Pollack und Gollinger vortrugen, wie weit sie mit dem Videomaterial aus der Grünwalder Nachbarschaft waren. Insgesamt erwies sich die Recherche als ziemlich zäh.

»Es dauert schon mal, bis die Herrschaften überhaupt die Tür aufmachen«, sagte Pollack. »Und besonders kooperativ sind die auch nicht unbedingt.«

»Und außerdem sind die meisten dieser Kameras gar nicht an«, sagte Gollinger, der darin eine Art Ordnungswidrigkeit zu erkennen glaubte. Jedenfalls beleidigte es ihn. »Ich habe den Eindruck, die meisten Kameras dort sind entweder Attrappen und in Wahrheit Vogelkästen, oder sie sind veraltet oder kaputt, oder die Leute haben vergessen, dass sie da sind. Die dienen einfach nur zur Abschreckung.«

»Aber ihr habt Aufnahmen, oder nicht?«, fragte Kühn.

»Haben wir, ja. Bei denen, die kooperiert haben, durften wir Material mitnehmen. Es ist aber sehr unterschiedlich von der Qualität her. Manche Aufnahmen sind zu dunkel, oder die Bildauflösung ist zu schlecht, oder die Kameras machen bloß alle fünf Sekunden ein Bild. Dann ist es ein

Glücksspiel, ob überhaupt etwas zu sehen ist. Die meisten Filme haben keine Zeiteinblendung, da müssen wir ewig skippen. Andere sind im Prinzip gut, aber vom Winkel her so eingestellt, dass man bloß stundenlang die Haustür sieht. Und bei ganz vielen ist die Nacht längst wieder überspielt. Jedenfalls haben wir hier am Wochenende einen ganz guten Eindruck davon bekommen, was nachts in Grünwald los ist. Nämlich nichts.«

»Das ist nicht viel«, sagte Kühn enttäuscht.

»Wir sind noch nicht ganz durch. Das Problem ist, dass wir noch ein Band haben, das wir bisher nicht abspielen können, weil uns dafür ein kompatibles Gerät fehlt. Das ist so ein altes Videosystem, also wirklich alt. Wir sind aber dran«, sagte Pollack und nickte dabei heftig, als müsse er sich selber davon überzeugen.

Kühn sah in die Runde und blieb bei Ulrike Leininger hängen, die ihm in geheimer Komplizenschaft zuzwinkerte, was außer Kühn niemand bemerkte, ihn jedoch stark verunsicherte, zumal er die Geste nicht zurückgeben konnte. Und auch nicht wollte. Eigentlich musste er mit ihr sprechen, vielleicht ergab sich das noch. Aber nicht jetzt.

Kühn berichtete von der Befragung Boris Grundlers. Er schloss, indem er sagte: »Was wir wissen, ist, dass Amir zu Fuß bei van Hautens losgelaufen ist und an der Haltestelle noch Kontakt hatte. Grundler hat gesagt, es sei gescherzt worden, also ist es gut möglich, dass er die Leute kannte, die da mit dem Auto ankamen. So viele Kumpels wird er in der Gegend nicht gehabt haben. Ich denke, das waren die Freunde von Florin.«

»Sie waren auf dem Heimweg, fuhren an ihm vorbei und haben angehalten, um noch mit ihm zu quatschen«, sagte

Ulrike Leininger. »Auf jeden Fall sollten wir sie einbestellen. Allesamt.«

»Florin van Hauten sollte dir die Namen seiner Freunde mailen, hat er das gemacht?«, fragte Kühn in Richtung von Thomas Steierer, der auf einem Blatt Papier herumkritzelte und verwundert tat. »Welche Namen«, fragte er abwesend.

»Darian, Max, Gregor und Tobi. Und die Mädchen Josefine und Hannah. Das waren die Namen, die Florin uns gegenüber erwähnte. Du hast ihn gebeten, dir sämtliche Kontaktdaten zu schicken, hat er das gemacht? Hast du da noch mal nachgefasst?«

»Ja, klar, die kommen«, sagte Steierer ausweichend, und jeder im Raum spürte, dass ihr Kollege sie nicht parat hatte. Und sich auch nicht an die Vornamen hätte erinnern können. Es war eine Machtdemonstration Kühns, dass er auch hier besser vorbereitet, konzentrierter und wachsamer war. Nur Steierer konnte den Unterton in Kühns Stimme hören.

»Ich will die alle hier haben. Sie sollen zur selben Zeit kommen, und wir werden sie einzeln befragen.«

»Florin van Hauten auch?«, fragte Steierer.

»Alle, auch die Mädchen.«

»Aber es waren doch nur die Jungen im Auto.«

»Alle. Ich will, dass der Flur voll ist. Und ich möchte, dass Ulrike sich dazusetzt. Sie sollen denken, dass sie hier auch einen Termin hat, wegen irgendwas. Vielleicht unterhalten sie sich ja miteinander.«

»Und wann soll das alles stattfinden?«

»So schnell es geht. Aber ich will sie hier alle gemeinsam haben.«

Peter Scherers Büro war viel größer als Kühns. Und heller. Kühn bemerkte es sofort, als er eintrat. Scherer hatte sogar eine kleine Sitzgruppe. Die Möbel waren scheußlich, aber er hatte welche. Nachdem sie sich begrüßt hatten, drehte Scherer seinen Laptop um, stellte sich neben Kühn und führte ihm die Videosequenzen aus dem Supermarkt vor. Zwischen den einzelnen Ausschnitten hatte Scherer kurze Blenden eingefügt, in denen Datum und Uhrzeit zu sehen waren.

»Es dauert nicht lange. Wir haben den Zeitraum stark eingrenzen können. Die Charge mit der Mindesthaltbarkeit, die wir auch bei dem Joghurt in der Wohnung von Janina Feige gefunden haben, wurde am Freitag geliefert. Wir mussten also nur vier Verkaufstage berücksichtigen. Du siehst jetzt alle Leute, die zwischen Freitag und Dienstag den entsprechenden Joghurt gekauft haben. Das sind 14 Vorgänge bei 23 verkauften Bechern. Bereit?«

»Leg los.«

»Hier kommt Kandidat eins.«

Scherer drückte auf die Leertaste seines Rechners, und ein Mann mittleren Alters war zu sehen, der Artikel aufs Band legte, dann mit dem Rücken zur Kamera eine Plastiktüte füllte und schließlich bar zahlte.

»Kenn ich nicht«, sagte Kühn.

»Macht ja nichts, der Nächste bitte.« Scherer ließ die Aufzeichnung laufen. Es war nicht sicher, dass jemand dabei war, den Kühn kannte. Und wenn das der Fall war, hieß es natürlich noch lange nicht, dass dieser jemand auch den Joghurt vergiftet hatte. Und erst recht war nicht sicher, dass dieser überhaupt aus dem Supermarkt in den Weberarcaden stammte. Aber man musste irgendwo anfangen. Es war

Polizeiarbeit. Und Kühn liebte diesen Beruf. Möglichkeiten ausschließen, kreativer sein als ein Täter. Und nötigenfalls eben ermüdend langweilige Aufnahmen der Überwachungskamera von Kasse drei ansehen.

Nummer zwei war eine Frau mit einem Kopftuch, die Kühn nicht kannte. Nummer drei waren zwei Mädchen, die zusätzlich Kaugummis klauten, was bis hierhin nicht aufgefallen war, die Polizisten aber nicht interessierte. Nummer vier war ein Arbeiter in Latzhose, der außer dem Joghurt lediglich ein Bier erwarb. Nummer fünf war eine Hausfrau, die einen Großeinkauf machte, der Kühn staunen ließ, weil diese Mengen unmöglich von ihr nach Hause getragen werden konnten. Er tippte auf eine Ortsfremde, die mit ihrem Auto unter den Arcaden im Parkhaus stand. Nummer sechs war eine weitere Frau mit einem quengelnden Kind. Sie lieferte sich eine Auseinandersetzung mit der Kassiererin, aber man konnte nicht hören, worum es ging. Nummer sieben war wieder ein Mann, der außerdem einen Fertigsalat, eine Dose Cola und eine Semmel erwarb. Offenbar Mittagessen. Nummer acht war Elisabeth Rohrschmid.

»Stopp«, sagte Kühn. »Die kenn ich. Das ist die Rohrschmid. Die wohnt bei mir in der Straße.«

»Meinst du, sie kommt für uns in Frage?«

Kühn gefiel es nicht, Verdächtigungen über Leute anzustellen, mit denen er seit Jahren einträchtig zusammenlebte. Andererseits hätte ihm das enorm geholfen, als sich sein Nachbar Dirk im Frühjahr als sadistischer Serienmörder entpuppt und er jeden Hinweis darauf lange, zu lange, nicht gespürt hatte.

»Sie nicht, aber vielleicht ihr Mann. Rolf. Chemielehrer. Ein ewiger Nörgler. Trinkt zu viel. Und sie haben Probleme wegen des Bauschadens in ihrem Keller. Geld braucht der ganz sicher.«

Kühn verschwieg, dass er ebenfalls einen Bauschaden in seinem Keller hatte, wie so viele Hauseigentümer auf der Weberhöhe. Jeder brauchte dort Geld. Viel Geld. Und zwar schnell. Aber das ging Scherer nichts an.

»Traust du ihm so eine Tat zu?«

»Prinzipiell traue ich jedem alles zu«, sagte Kühn und formulierte damit ein weitverbreitetes Polizistencredo. »Ich kenne ihn nicht wahnsinnig gut. Aber ja, der könnte so was. Immerhin kennt er sich mit diesen Stoffen aus. Wie willst du vorgehen?«

»Es ist das Einzige, was wir im Moment haben. Und ich will keine Welle machen. Spätestens morgen Mittag ist bekannt, dass das Mädchen die Vergiftung nicht überlebt hat. Wir können ihn observieren und abwarten, was er macht. Und sein Telefon abhören. Vielleicht hat er ja einen Mittäter.«

»Dafür bekommst du keinen Beschluss, das ist zu vage.« Kühn dachte kurz nach. »Ich kann zu ihm gehen. Einfach mal plaudern, von Nachbar zu Nachbar, ein bisschen in die Glut pusten. Dann sehen wir weiter.«

Scherer war froh über das Angebot. Er wusste vom guten Ruf des Kollegen Kühn bei Verhören. Die Männer sahen noch die restlichen Videos an, auf denen niemand war, den Kühn kannte. Dann verabschiedeten sie sich, und Kühn ging zurück in sein Büro, in dem zu seiner Erleichterung kein frischer Kaffee auf dem Schreibtisch stand.

Bevor er sich auf den Heimweg machte, besprach er das Vorgehen der Ermittlungsgruppe. Es waren für den Abend nicht alle Jugendlichen gleichzeitig verfügbar, also hatte man ihnen einen Termin am nächsten Morgen um neun Uhr gegeben. Kühn fand zwar, dass man auf die Terminwünsche der Kinder nicht unbedingt eingehen müsse, er wollte bei ihnen aber auch keine Panik schüren. Sie sollten sich einigermaßen sicher in ihrer Haut fühlen. Und es gab keinen hinreichenden Tatverdacht, der eine größere Eile gerechtfertigt hätte. Außerdem musste er noch zu Rohrschmid.

Als er gerade durch die Tür gehen wollte, kam ihm Ulrike entgegen. Sie sah ihn herausfordernd an, mit hochgezogenen Augenbrauen. Er sagte leise: »Danke für den Kaffee.« Und sie: »Was für'n Kaffee?« Und das gefiel ihm eigentlich ganz gut.

Dann nahm er die S-Bahn und fuhr in die Weberhöhe. *Ihr habt ihn also an der Haltestelle eingeholt und ein bisschen mit ihm rumgealbert. Jungszeug. Bisschen angesoffen. Lustigsein. Und dann? Habt ihr euch gestritten? Ging es um Julia? Habt ihr ihn dann doch nicht mehr gemocht? Aber warum gerade an diesem Abend? Was ist da passiert? Oder seid ihr einfach nach Hause gefahren, und Amir hat noch jemanden getroffen? Oder hat Grundler sich mit ihm unterhalten? Und dann doch ein paar Freunde angerufen? Wir müssen seine Verbindungsdaten checken. Scheiße. Das haben wir noch gar nicht gemacht. Was ist, wenn er uns nur Mist erzählt hat?*

Kühn tippte eine SMS an Gollinger in sein Handy: »Verbindungsdaten Grundler prüfen, bitte checken, ob Telefon an, Funkzelle, Verbindungen, Gesprächspartner etc.«

Und er dachte an Ulrike. Und an Susanne. Nur an seine Prostata dachte er an diesem Abend gar nicht. Sie fiel ihm in dem ganzen Durcheinander einfach nicht ein.

Als Rolf Rohrschmid seine Tür öffnete, fiel Kühn als Erstes der Gestank auf, der befreit wie ein Flaschengeist aus dem Haus quoll. Kühn hatte in seinem Leben alle möglichen Hausgerüche erlebt. Er hatte in Erbrochenem neben einem toten Junkie gestanden, er hatte einen Katzenliebhaber festgenommen, der nicht weniger als einundvierzig Tiere in seiner Zweizimmerwohnung hielt. Er hatte eingekotete Leichen umgedreht und Küchengerüche jeder Art geatmet. Er war bei Messies gewesen und hatte Leichenfunde auf der Müllhalde bearbeitet. Was Gestank anging, war Kühn in über zwanzig Jahren einiges zugemutet worden. Aber der Geruch bei Rohrschmids war einzigartig für ihn.

Es roch nicht vergammelt und auch nicht bedrohlich, sondern in einem Maße scharf, dass er sich unwillkürlich eine Hand vor die Nase legte, um sich zu schützen.

»Hallo Rolf«, sagte er durch die Nase.

»Hallo Martin«, kam es zurück.

»Was riecht denn so bei dir?«, sagte Kühn, der sich fragte, wie es die Rohrschmids in diesem Gestank aushielten.

»Das ist der Keller«, sagte Rohrschmid. »Ein Teil des Geruchs kommt aus der Wand, und der Rest kommt von meinen Versuchen, den Gestank zu bekämpfen. Ich probiere alles aus. Aber es ist vergebens. Wenn es nicht von selber besser wird, ist das Haus verloren.«

Kühn befürchtete, dass Rohrschmid wieder seine Litanei über die Verbrecher der Reformbank anstimmte, aber der Chemielehrer sagte weiter nichts und blieb in der Tür stehen. Er bat seinen Nachbarn nicht herein, was Kühn zur Kenntnis nahm.

»Kann ich dich mal einen Augenblick sprechen?«, fragte Kühn. Rohrschmid zögerte mit einer Antwort. Kurz, aber er zögerte. Er schien darüber nachzudenken, ob er sagen wollte, dass es ihm jetzt nicht passte. Schließlich gab er die Tür frei. »Wenn dich der Gestank nicht stört.« Die naheliegende Frage, warum der Nachbar, der auch noch Polizist war, ihn am Abend aufsuchte, die stellte Rohrschmid nicht. *Weil er weiß, warum ich hier bin. Oder weil er Angst davor hat, dass ich etwas ahne. Oder weil er viel zu sehr mit sich selber beschäftigt ist. Er wird jetzt die Ohren aufstellen und versuchen standzuhalten. Er ist ein erfahrener Lehrer, die führen auch dann und wann Verhöre. Wenn er etwas mit der Sache zu tun hat, wird er aufmerksam und schlagfertig sein, egal was ich ihn frage. Für ihn ist das Gespräch reiner Prüfungsstress. Wenn er nichts zu verbergen hat, wird er vielleicht nachlässig, unkonzentriert oder desinteressiert wirken. Aber irgendwie glaube ich das nicht. Bitte, Rolf, tu mir das nicht an. Bitte sei ein ganz normaler Blödmann und kein Verbrecher. Bitte.*

Rolf ging vor in die Küche und bot Kühn einen Platz an, aber kein Getränk. Er selber setzte sich auf den Stuhl, von dem er sich beim Türklingeln erhoben hatte. Ein zu zwei Dritteln ausgetrunkenes Weißbier in einem bedruckten Glas stand dort. Nachdem Rohrschmid immer noch nicht wissen wollte, warum Kühn in seiner Küche saß, begann dieser das Gespräch.

»Du bist doch an einer Schule im Süden der Stadt, oder?«

»Ja, bin ich«, sagte Rohrschmid schnell.

»Ich bin da in so einem Fall. Der Tatort liegt noch auf Münchner Gebiet, aber die Freunde des Opfers kommen aus Grünwald. Alles noch Schüler, ich muss sie morgen befragen. Und ich finde, das ist eine ganz eigene Sorte von Menschen. Ich dachte, du könntest mich ein bisschen schlauer machen über diesen Menschenschlag.«

Rolf Rohrschmid, der zuvor den Kopf gesenkt und in sein Glas geschaut hatte, sodass man seine Augen nicht hatte sehen können, hob die Schultern und streckte den zuvor geduckten Hals vor. Er entfaltete sich wie eine Blume und öffnete den Körper in Richtung Kühn. Dann referierte er über Wohlstandsverwahrlosung, diverse Ungerechtigkeiten, die Burn-out-Erkrankungen im Kollegenkreis und die Mittelmäßigkeit, der er tagsüber ausgesetzt war. Er schloss mit der wissenschaftlich vermutlich nicht belastbaren Aussage, dass es in wohlhabenden Familien entschieden mehr Trottel gab als in der Mittelschicht. Kühn hörte geduldig zu und registrierte, dass Rohrschmid zum zweiten Mal eine naheliegende Frage nicht stellte. Er wollte nicht wissen, auf welcher Schule die Kinder waren und wie sie hießen. Jeder Lehrer hätte doch wissen wollen, ob vielleicht eine Schülerin oder ein Schüler von ihm betroffen war. Aber Rohrschmid interessierte das nicht, denn er wollte nicht in einen Dialog kommen, sondern Fragen korrekt beantworten. Das Gegenteil eines Gespräches. Jetzt würde er versuchen, Kühn loszuwerden.

»Und genau von so einer Idiotenbande muss ich jetzt noch Arbeiten korrigieren. Synthese von Polymeren, ich sag dir, es ist hoffnungslos.« Rohrschmid sah sich auf der Siegerseite. Er schien sich gut zu fühlen, sicher, überlegen. Der Polizist war wohl arglos. Im ersten Moment hatte Rohrschmid gedacht, dass Kühn ihn als Chemielehrer zu Vergewaltigungsdrogen und ihrer Wirkung befragen wollte. Bei dem Thema hätte er aufpassen müssen. Aber nicht bei einem Kurzreferat über die intellektuelle Unterlegenheit der Oberschicht.

»Hast du neulich Joghurt gekauft?«

Rohrschmid durchfuhr die Frage, als würde er mitten durch seinen weißbiergetränkten Leib gepfählt. Sofort sprangen sämtliche Schutzmechanismen an, und die Härchen auf seinem Unterarm stellten sich auf, nur ganz sacht, es war bloß ein ununterdrückbares Zucken, aber Kühn sah genau dorthin.

»Ich kaufe nie Joghurt.« Er versäumte wiederum, sich nach dem Grund für die völlig zusammenhanglos erscheinende Frage zu erkundigen.

»Oder Elisabeth. Hat sie in der letzten Zeit Joghurt gekauft?«

»Nein.«

»Sicher?«

»Vollkommen sicher. Wir kaufen so was nicht. Wir machen uns nichts aus Joghurt.«

»Das ist komisch.«

»Wieso?«

»Hattet ihr letzte Woche vielleicht Besuch? Leute, denen man was anbietet zum Frühstück?«

»Was soll das, Martin? Nein, wir hatten keinen Besuch.«

»Dann verstehe ich das nicht.«

Rohrschmid hatte keine Ahnung, worauf Kühn hinauswollte, aber die Wendung im Gespräch gefiel ihm nicht. »Was verstehst du nicht?«, fragte er.

»Du sagst, dass ihr keinen Joghurt esst, aber Elisabeth hat vorvergangenen Freitag gleich vier Stück gekauft. Apfel-Guave. Klingelt da was?«

Woher wusste Kühn das? Und: Wenn Kühn das wusste,

dann wusste er wahrscheinlich alles. In Rohrschmids Körper fuhren Angst, Panik und Scham Achterbahn. »Was soll da klingeln?« Rohrschmid wollte mit der Gegenfrage Zeit gewinnen. Solange er nicht antworten musste, konnte er keinen Fehler machen. »Ich weiß nicht, wovon du sprichst«, sagte er, und für Kühn klang es wie: Verdammte Scheiße, lass mich los.

»Okay, ich will ganz ehrlich sein«, sagte Kühn beruhigend. »Ich habe vorhin im Präsidium ein Video gesehen. Darauf ist Elisabeth zu sehen, wie sie im REWEKA vier Becher Joghurt kauft. Apfel-Guave. Am vorvergangenen Freitag.«

»Na und? Vielleicht hat sie die für die alte Bernheimer gekauft? Als Gefallen. Das kann ja sein.«

»Ja, das kann sein.« Kühn fiel auf, dass Rolf nicht wissen wollte, warum er dieses Video angesehen hatte. Das wäre naheliegend gewesen. Aber Rolf hatte diese Frage nicht gestellt. Weil er genau wusste, warum. Kühn machte innerlich einen Haken an Rolfs unbewusstes Geständnis. Ab jetzt wurde es einfacher für ihn. Und immer schwerer für Rolf.

Kühn ging zum Kühlschrank und öffnete ihn. Es stand ein Erdbeer-Joghurt drin. Glück für Kühn. Er nahm den Becher heraus. Und sagte: »Oh, dabei esst ihr nie Joghurt. Oder ist der hier auch für Frau Bernheimer?«

»Keine Ahnung, wo der herkommt«, sagte der Lehrer und verzog sich in den Trotzmodus. Das machten viele. Nicht mehr mitmachen. Arme verschränken. Hände ballen. Mit den Knien wippen.

»Du möchtest gar nicht wissen, warum ich mir im Polizeipräsidium anschaue, wer in der letzten Zeit einen bestimmten Joghurt von einer bestimmten Marke bei uns in der Gegend gekauft hat?«

»Nein. Warum auch? Was hat das mit mir zu tun?«

»Vielleicht gar nichts«, sagte Kühn. »Vielleicht eine Menge. Jemand hat genau so einen Becher mit GBL vergiftet und in den Supermarkt zurückgebracht, um ihn zu erpressen. Ein Mädchen aus der Siedlung hat das Zeug gegessen und liegt jetzt im Krankenhaus. Dir steht finanziell das Wasser bis zum Hals wie uns allen hier. Du kennst dich mit Chemie aus. Und du lügst mich an. Es kann also gut sein, dass die Sache mit dir zu tun hat. Ich wünsche es dir nicht. Wirklich nicht.«

Rohrschmid schob das Weißbierglas über den Tisch. Er rang mit sich, das konnte Kühn sehen. Aber er wollte seinen Nachbarn nicht mitnehmen, er wollte ihn nicht aus seinem Haus zerren, ihm die Demütigung ersparen, die folgen würde, wenn er Kollegen hinzurief sowie Spurensicherer, die in Rolfs Arbeitszimmer das GBL und die Spritzen sowie den Drucker und das Büropapier einsammeln und ins Labor bringen würden. Er wollte dem in sich zusammengesackten Rohrschmid nicht die Würde nehmen. Er wollte, dass der eine Nacht über seine Situation schlief und dann tat, was zu tun war. Reinen Tisch machen.

Vorläufig blieb Rolf starr vor Schreck und Angst auf seinem Stuhl sitzen. Er stierte geradeaus auf den Monatskalender mit Bayerns schönsten Berghütten, als sei auf dem Septemberbild die Lösung aller Probleme versteckt. Kühn stellte den Becher zurück in den Kühlschrank, schloss ihn und ging zur Küchentür. Zu Rolfs Überraschung holte der Polizist keine Handschellen hervor.

»Rolf, ich kann dir das jetzt nicht beweisen. Und ehrlich,

ich will es dir auch nicht beweisen. Denk selber noch mal darüber nach, ob Elisabeth das Zeug gekauft hat, ob du es präpariert und wieder in den REWEKA zurückgebracht hast. Ob du einen Erpresserbrief geschrieben und am Supermarkt deponiert hast, auf dem Weg zur Arbeit. Und ob es gut war, so viel davon in den Joghurt zu spritzen. Wenn du es warst, dann hast du es zu hoch dosiert. Das Mädchen hat eine Überdosis davon erwischt.«

Und als Rohrschmid sich immer noch keinen Millimeter bewegte, fügte Kühn hinzu: »Sprich mit deiner Frau. Und stell dich bis morgen Nachmittag bei der Polizei. Das ist das Beste, was du jetzt noch machen kannst. Und bete, dass das Mädchen nicht vorher stirbt.«

Manchmal weiß man vorher, dass es Ärger gibt. Man springt regelrecht hinein in den Ärger. Und Kühn nahm auch noch Anlauf. Der Tag hatte schlecht begonnen, als er diesen Kaffeebecher auf dem Tisch vorgefunden hatte. Er musste sich irgendwie dazu verhalten. Und dafür gab es drei Möglichkeiten. Ignorieren, genießen oder ablehnen. Er musste unbedingt mit Ulrike Leininger darüber sprechen. Auf keinen Fall wollte er am nächsten Morgen wieder einen Kaffee auf dem Schreibtisch stehen sehen. Dann der Streit mit Steierer, der ihm im Magen lag. Mochte der doch seine Karriere machen. Er hatte im Grunde nichts dagegen. Aber das Wie ging ihm gegen den Strich. Danach dieser Unglückswurm von Grundler. Ein Arschloch, ohne Zweifel, aber wenigstens ein unschuldiges. Und schließlich die Begegnung mit Rohrschmid. Natürlich spürte er mit jeder Faser seiner kriminalistischen Erfahrung, dass Rohrschmid das Mädchen auf dem Gewissen hatte. Aber er wollte ihm die Möglichkeit geben, sich zu stellen, damit der unglückliche Lehrer wenigstens nicht als Kapitalverbrecher aus seinem versauten Lebensentwurf abgeführt werden musste. Und er wollte dem Ärger aus dem Weg gehen, der unvermeidlich gewesen wäre, wenn er seinen Nachbarn verhaftet hätte.

Kühn war es egal, wie die Bewohner der Tetris-Siedlung zu ihm standen. Aber seine Frau und die Kinder sollten keinen Nachteil davon haben, weil er den armen törichten Rohrschmid der Justiz auslieferte. Der sollte sich selber stellen. Deshalb hatte er ihm nicht gesagt, dass Janina tot war. Es sollte Rolf nicht zusätzlich belasten. Er sollte denken, eine Dummheit begangen zu haben. Dumm schon deshalb, weil er die Giftmenge anhand seiner eigenen Konstitution berechnet hatte. Für einen neunzig Kilo schweren Mann. Und nicht für ein nicht einmal halb so schweres Mädchen.

Ihm vom Tod des Mädchens nichts erzählt zu haben, war gewissermaßen eine Falle, die es Rohrschmid leichter machen sollte. Es war gewissermaßen eine Lebendfalle. Kühn dachte wieder an die Ratte im Schrebergärtchen seines Vaters. Man hätte sie retten können, man konnte im Grunde jeden retten, der sich retten ließ.

Der Tag war schrecklich gewesen, noch schlimmer würde es auf keinen Fall werden, dachte er, als er die Haustür aufschloss. Wurde es dann aber natürlich.

12. IN DER EHE-KÜCHE

Es hatte sich angekündigt wie ein Gewitter nach einem schwülen Tag. Es hatte aber viel länger in der Luft gelegen. Die Eheleute Kühn waren nun bereit. Kühn hatte sich in der letzten Zeit so sehr auf seine eigenen Beobachtungen und Empfindungen konzentriert, dass ihm ganz entgangen war, wie er selber observiert worden war. Natürlich hatte Susanne gespürt, dass ihn etwas beschäftigte und dass es nicht mit dem Beruf und auch nicht mit der Nachbarschaft zu tun hatte. Denn beides hatte es auch schon vorher immer mal wieder gegeben, doch es hatte noch nie zu der Stille geführt, die nun schon länger zwischen ihnen lag. Es fühlte sich für Susanne an, als habe man sie beide in Luftpolsterfolie gewickelt, sodass sie sich nicht mehr spürten und sich auch nicht mehr hören konnten.

Als ihr Mann seine Jacke an der Garderobe aufhängte, machte sie den Fernseher aus und ging ihm entgegen.

»Na?«, sagte sie.

»Na?«, sagte er.

»Wollen wir in die Küche gehen?«

Er fand das eine komische Frage, zuckte mit den Schultern und ging in die Küche. Sie schloss die Tür, und Kühn spürte, dass etwas in der Luft lag, etwas Unheilvolles.

»Sind die Kinder im Bett?«, fragte er. Ganz früher hatte das bedeutet, dass sie dann ins Schlafzimmer schlichen und es miteinander trieben. Das war aber noch in der Wohnung in Sendling gewesen. Hier in ihrem eigenen Haus waren sie längst dazu übergegangen, zeitlich festgelegte Arrangements einzuhalten. Wenn Niko Abendtraining hatte und Alina bei einer Freundin schlief. Beides geschah nur sehr selten gleichzeitig.

Susanne Kühn schloss die Tür. Kühn setzte sich auf die Eckbank und dachte kurz, ob er im Gemüsefach des Kühlschranks nach dem Bier suchen sollte, das er dort gebunkert hatte. Er hatte angenommen, dass sein Sohn nicht beim Gemüse nachsehen würde, wenn ihm nach einem Bier war. Aber er fühlte, dass es nicht der richtige Zeitpunkt für ein Feierabendbier war. Oder: Der Zeitpunkt war eigentlich ideal, aber die Situation nicht.

»Martin, wir müssen reden«, sagte Susanne, und das bedeutete, dass zunächst sie redete. Sie hatte sich alles zurechtgelegt. Sie hatte sich vorbereitet. Sie hatte eins und eins zusammengezählt und war in Summe zu dem Schluss gekommen, dass ihr Mann ihr etwas verheimlichte. Etwas Großes.

Und so konfrontierte sie ihn mit seinen Launen, seiner Abwesenheit, seinem ständigen Desinteresse und seiner Nachlässigkeit im Umgang mit ihr und den Kindern. Sie hielt ihm vor, dass er nach seiner Rückkehr im Sommer zunächst wundervoll gewesen sei, es aber zügig mit der Stimmung bergab gegangen war, je näher er seinem Dienstanritt gekommen war. Dass er in der vergangenen Woche kaum noch ansprechbar gewesen sei und am letzten Wochenende praktisch gar nicht zu Hause. Sie sagte, dass ihr seine Dienstgeschäfte allmählich vorkämen wie eine andauernde Flucht vor seiner Familie. Sie warf ihm vor, kein Interesse an den Kindern zu haben, sich nicht mit seinem Sohn zu beschäftigen und vor allem nicht mit ihr.

Er sah hoch, und in ihren Augen las er eine tiefe Trauer, einen Kummer, der viel mit der Liebe zu tun hatte, die sie für ihren Mann empfand, und noch mehr mit Enttäuschung. Susanne fühlte sich ausgeschlossen aus seinem Leben. Und er dachte sofort: Das bist du ja auch. Irgendwie, verdammte Scheiße.

»Du weißt überhaupt nicht, was ich den ganzen Tag mache«, sagte sie bitter, und er dachte, dass er das sehr wohl wusste und dass es genau das sei, was ihm die Laune verdarb. Und dann fragte sie ihn schließlich geradeheraus, und sie fragte es so, dass er kaum hätte »nichts« antworten können: »Was verheimlichst du mir? Worüber kannst du verdammt noch mal nicht mit deiner Frau reden? Warum vertraust du mir nicht?« Vielleicht weil du mit Norbert Leitz rumvögelst, dachte Kühn und sagte immer noch nichts. Damit hatte sie gerechnet und fügte hinzu: »Rede mit mir. Oder ich gehe.«

Das war ein festes Ultimatum, aber auch ein gefährliches, denn wenn er den Mund nicht aufmachte, musste sie gleich eigentlich ihren Koffer packen. Wahrscheinlich den großen blauen Hartschalenkoffer, dachte Kühn sofort. Ob er schon oben im Schlafzimmer stand? Er malte sich aus, wie sie bereits bei ihrer Schwester um Asyl gebeten, womöglich bereits Zugverbindungen nach Kassel herausgesucht hatte. Zu dieser Uhrzeit würde sie sich beeilen müssen, um noch wegzukommen von ihm, von der Weberhöhe und den Kindern. Und als er das dachte, war ihm klar, dass es sich um eine leere Drohung handelte. Weg von den Kindern? Das würde sie niemals machen. Und morgen war Schule.

»Martin. Bitte.«

Aus seinem Mund kam erst nichts, dann schluckte er. Er hatte zu entscheiden, welches seiner Geheimnisse er preisgab. Prostata oder Ulrike. Prostata würde sie verstehen. Ulrike eher nicht. Andererseits: Warum sprachen sie eigentlich nicht über Leitz? Immerhin hatte sie ein mindestens ebenso großes Geheimnis vor ihm. Und es war schlimmer als die Sache mit Ulrike Leininger. Ein einmaliger Ausrutscher. Betrunken. Aus Frust. Was war ihre Entschuldigung? Das wollte er erst einmal wissen. Also gestand er nichts, sondern ging in die Offensive.

»Was macht eigentlich der Yoga-Kurs?«, fragte er also, weil er sich die direkte Konfrontation für später aufheben wollte.

»Was hat mein Yoga-Kurs mit deinem beschissenen Verhalten zu tun?«, fragte sie.

»Ich meine nur, du gehst da immer hin, und ich wollte halt mal wissen, wie es da so ist. Kannst du den Hund? Und den Berg? Und den Kranich? Den Feuermelder?«

»Was soll das jetzt?«

»Und wie heißt eigentlich der Yogalehrer? Ich meine, der muss ja einen Namen haben. Das habe ich dich noch nie gefragt. Eben hast du noch gesagt, ich würde mich nicht für deine Dinge interessieren, und jetzt interessiere ich mich eben.«

»Meine Yogalehrerin heißt Claudia. Was willst du von mir?«

»Ich dachte, es wäre eher ein Typ. Mit einer großen Matratze. So ein gelenkiger kleiner Kerl vielleicht.«

»Du merkst schon, dass du dich gerade vollkommen lächerlich machst, oder?«

»Ich dachte, er heißt vielleicht Norbert.«

Jetzt hatte er den Namen in den Raum gestellt. Jetzt gab es kein Zurück mehr. Wenn sie nicht darauf reagierte, musste er es sagen. Dass er sie verdächtigte. Das hatte es nie gegeben in über zwanzig Jahren. Aber wenn sie nicht von selber redete, musste er es aussprechen.

»Sprichst du von Norbert Leitz?«

»Wie kommst du denn jetzt auf den?«, lauerte er.

»Hast du mir nachspioniert?«

»Dann stimmt es?« Er spürte, wie die Aufregung sich einen Weg in seine Fingerspitzen suchte. Er ballte die Fäuste, bereit, sie auf den Tisch zu schlagen.

»Dann stimmt was?«

»Dann stimmt es also, dass du mit diesem Scheißkerl eine Affäre hast?« Er war laut geworden, er gab die Kontrolle an seine Emotionen ab. Er wusste zwar, dass das nicht gut war, aber es war ohnehin alles egal. Dann knallte es halt, es knallte viel zu selten, vielleicht war das der Grund für all ihre Probleme. Diese Eintracht, diese Gemeinsamkeit, dieses Konfliktlos-den-Alltag-Organisieren, diese perfekte Orchestrierung ihrer Ehe. Na und, dann knallte es jetzt. Kühn wurde noch zorniger, als Susanne nun anfing zu lachen.

»Du hast sie doch nicht alle«, sagte sie und schenkte sich Mineralwasser ein. »Wirklich, Martin, du hast sie nicht alle.«

»Dieses Arschloch. Und du! Susanne, du hast jetzt eine

Chance für eine richtige Antwort: Warst du bei ihm zu Hause?«

Und sie zögerte keine Sekunde: »Ja. Ein paar Mal.«

»Du gibst es also zu?« Das verunsicherte ihn ein bisschen, minderte aber seine Wut nicht.

»Ich kann es dir erklären. Martin, bitte, komm runter. Es ist nicht so, wie es jetzt aussieht.«

Kühn hörte die Worte und musste beinahe lachen, weil es so nach Klischee klang. Und er wollte nicht runterkommen. Aber er wollte auch hören, was sie zu sagen hatte. Er stand auf, ging ein paar Schritte durch die Küche, setzte sich wieder. Er verschaffte sich ein bisschen körperliche Autonomie in dieser zellenartigen Küche, aus der es für sie beide gerade kein Entkommen gab. Er hatte einmal eine tote Frau in so einer Küche gesehen. Erschlagen vom Ehemann mit einer gusseisernen Bratpfanne. Da war ein Ehestreit eskaliert. Eine Psychologin hatte ihm später erklärt, dass man eheliche Auseinandersetzungen nie im Bett, nie im Auto und nicht in engen Räumen führen sollte. Am besten sei dafür ein Spaziergang, wo man gegebenenfalls weglaufen kann oder wenigstens eine weite Perspektive hat. Die fehlte in dieser Küche.

»Dann sag mir jetzt, was da ist mit dir und diesem Drecksack. Ich will alles hören. Alles, verstehst du? Wie ist er? Wie macht ihr es?« Die Verletzung war so schnell und so tief in ihn gedrungen, dass er jetzt den ganzen Schmerz wollte. Einmal mit allem, wie in der Dönerbude.

»Es läuft gar nichts. Er macht nichts, ich mache nichts. Es ist völlig anders.«

»Erklär es mir. Sag mir, wie es ist.«

Und dann erzählte Susanne ihm die ganze Wahrheit.

Leitz sei eines Tages im Frühsommer bei ihnen aufgetaucht, als Kühn noch in der Reha war. Er habe einfach vor der Tür gestanden. Sie habe ihn aber nicht reinlassen wollen. Leitz habe von einem Deal gesprochen, den man machen könne. Er habe ihr ganz direkt angeboten, Kühn nicht wegen der schweren Körperverletzung anzuzeigen. Er werde die Sache vergessen, allerdings nicht ohne Gegenleistung. Darauf habe sie gefragt, worum es bei dieser Gegenleistung gehe, und gesagt, dass ihre Kinder tabu seien und nichts mit seinem Dreck zu tun haben sollten. Und dass er an der gebrochenen Nase selber schuld sei. Susanne berichtete, dass Leitz daraufhin wütend geworden sei und gesagt habe, er könne seine Meinung auch sofort wieder ändern. Dass es dann vorbei sei mit der Karriere ihres Mannes. Dass der ganz normal ins Gefängnis gehen könne. Dass man sicher noch lange an dem Haus abzahlen müsse. Dass die Arbeitslosigkeit des Mannes das Ticket nach unten sei, und zwar für die ganze Familie Kühn. Susanne machte eine kurze Pause, in der Kühn nichts sagte, sondern abwartend beide Handflächen auf dem Tisch liegen ließ. Dann erzählte sie, dass sie Leitz gefragt habe, was sie denn nun zum Ausgleich für ihn machen solle, und dass er geantwortet habe, er suche jemand Fähigen, der ihm beim Bürokram mit dem Bürgerverein helfe. Und auch mal Rundmails verfasse, weil seine Getreuen dafür leider nicht geeignet seien. Und dass er da auch Buchführungsthemen habe, mit denen er nicht zurechtkam. Derlei Aufgaben, wie er es nannte. Und dass sein Angebot also konkret lautete, ein- bis zweimal in der Woche bei ihm oder von zu Hause aus für ihn zu arbeiten. Unentgeltlich.

»Das war alles? Wirklich alles?«

»Du glaubst doch nicht im Ernst, dass ich mit diesem Wicht ins Bett gehen würde? Martin? Hast du das etwa wirklich geglaubt?« Kühn sagte nichts und schämte sich dafür, dass er seiner Frau eine Affäre mit diesem Würstchen unterstellt hatte. Mit ein wenig gesundem Menschenverstand hätte er sich ausrechnen können, dass Susanne, eine Frau, die immer auf seine Größe, seine Kraft und seine männliche Ausstrahlung gestanden hatte, selbst in der Krise sicher nicht das Gegenteil suchen würde.

»Aber warum hast du denn nichts gesagt?«, fragte er, enttäuscht von dem geringen Vertrauen, das sie in ihn setzte.

»Du kamst zurück und warst wirklich gut in Form. Ich dachte, dass ich das nicht aufs Spiel setzen wollte. Ich dachte, du würdest Leitz in Stücke reißen, wenn du erfahren würdest, dass er mich erpresst.« Diese These war nicht von der Hand zu weisen, und dann sagte sie: »Ich wollte dich beschützen. Und ich wollte die Kinder beschützen.« Was sie nicht sagte, war: vor den Folgen deiner Dummheit. Aber es kam auch so bei ihm an.

»Und dann hast du also Büroarbeiten für ihn erledigt. Und das war es dann?«

Sie trank von ihrem Wasser und seufzte, bevor sie sagte: »Zuerst schon. Aber dann hat er mich Dinge gefragt. Ob du sie mir erzählt hättest. Ob ich irgendwelche Namen kennen würde.«

»Er hat dich als Spion benutzt.«

»So ungefähr. Aber er hat nicht viel erfahren, du warst ja erst nicht im Dienst.«

Kühn nickte. »Letzte Woche habe ich dir von dem Fall an der Tramhaltestelle erzählt. Von der Sache mit dem toten Jungen. Hast du das an Leitz weitergegeben?«

Sie nickte und begann zu weinen. »Er schickte eine SMS, das machte er öfter. Ich musste ihm dann News durchgeben, wie er das nannte. Meistens hatte ich ja gar keine und habe Belanglosigkeiten geschrieben. Aber letzte Woche habe ich genau das an ihn weitergegeben, was du mir erzählt hast.«

»Zeig mir die SMS.«

»Ich musste immer den Verlauf löschen. Er schrieb aber noch, ich sei ein braves Mädel.«

»Die Sau«, sagte Kühn und dachte nach. Er war noch zu aufgebracht, um seiner Frau sofort zu vergeben und um Entschuldigung für seine Unterstellungen zu bitten. Aber er war auch vernünftig genug, ihr keine Vorwürfe zu machen. Er nickte, um sich selber zu besänftigen, und klopfte zweimal mit der flachen Hand auf den Tisch. »Okay«, sagte er. »Ich verstehe.«

Dann fiel ihm plötzlich auf, dass sich seine Situation in der ganzen Leitz-Sache gerade dramatisch verbessert hatte. Leitz wusste nicht, dass er von dem Deal mit Susanne wusste. Und Susanne hatte Zutritt zu Leitz' Privatwohnung, zu seinem Rechner, seinen Unterlagen, dem Mailverkehr, strategischen Papieren. Plötzlich war es Kühn, als habe er die Tür zu einer Schatzkammer voller Gold geöffnet. Er konnte Leitz mit falschen Informationen versorgen, ihn womöglich in eine Falle locken. Ihn sich endlich vom Hals schaffen.

Andererseits musste er dabei vorsichtig vorgehen. Später, vor Gericht, würde Leitz ganz sicher behaupten, dass die Polizistenfrau sich bei ihm eingeschlichen habe, um ihn auszuhorchen. Er würde sie als Polizeispitzel enttarnen. Das konnte unangenehm werden. Und es zog Susanne und damit auch die Kinder immer tiefer in seine private Fehde mit dem Neonazi hinein. Kühn war plötzlich nicht mehr ganz sicher, ob es eine gute Idee war, die Sache weiterlaufen zu lassen.

»Und jetzt?«, fragte er und spürte ihr Dilemma: Susanne wünschte ihn sich als eine Art Drachentöter, der er früher gewesen war, der zu Leitz stürmte und ihm nach der Nase auch noch beide Arme brach und ihm notfalls mit dem Tod drohte, wenn er seine Frau nicht in Ruhe ließ. Welche Konsequenzen das auch immer haben mochte. Bis runter in die Gosse. Scheißegal, aber dann war es wenigstens vorbei. Auf der anderen Seite wollte sie ihren Mann beschützen und damit auch das ganze Konstrukt ihrer Ehe, ihrer Familie. Die Büroarbeit bei Leitz machte ihr nichts aus, es gab dort sogar manchmal was zu lachen. Und das konnte ja auch keine Ewigkeit mehr dauern. Außerdem konnte man diesen Leitz ja auch mit Falschinformationen versorgen. Scheißegal, solange es ihr nutzte. Ihr Pragmatismus hatte in so vielen Bereichen ihres Lebens Romantik und Sentiment verdrängt, dass sie kaum Unbehagen bei der Vorstellung verspürte, weiter in Leitz' Nazibude zu sitzen und für ihn Rundmails zu korrigieren.

»Ich weiß nicht.«

»Und wenn du erst einmal weitermachst, als sei nichts gewesen?«

»Ich soll dich mit Informationen aus seinem Hauptquartier versorgen?« Sie begriff sofort.

»Nicht wenn du nicht willst«, sagte Kühn, der genau darauf hoffte.

Susanne fiel ein, dass sie das Gespräch mit einem völlig anderen Ziel begonnen hatte. Es war ihr nicht darum gegangen, Kühn über ihre Geheimnisse in Kenntnis zu setzen. Sie wollte seine erfahren, und nun hatte er die Sache derart umgedreht, dass sie *ihm* gebeichtet hatte. Das gefiel ihr nicht.

»Wir wollten eigentlich über dich sprechen. Ich habe dir was von mir erzählt, und jetzt will ich was von dir hören.«

»Was denn?«

»Weich mir nicht aus. Was ist mit dir los?«

Und dann brach es einfach aus ihm heraus. »Ich habe gedacht, du hättest was mit Leitz. Ich habe mich da reingesteigert und nach Indizien gesucht. Ich war enttäuscht. Und traurig. Und einfach frustriert, weil du mich nicht mehr wolltest.« Und er stünde unter Stress, habe Angst davor, es nicht zu packen, also gar nichts zu packen. Die Beförderung stünde noch aus, aber Steierer habe sich ebenfalls beworben und mache Stimmung gegen ihn, wo er doch immer gedacht habe, sie seien Freunde, aber dem sei wohl nicht so. Aber die Hauptsache sei doch die Sache mit Leitz gewesen, die ihn geradezu zermürbt habe, und da sei es am vergangenen Wochenende im Rahmen der Führungskräftetagung hoch hergegangen. Und er habe es ihr schon erzählen wollen, aber dann den richtigen Moment verpasst, und jedenfalls sei er völlig betrunken gewesen und habe sich verführen lassen, von einer Kollegin im Hotel. Er könne sich zwar an fast nichts erinnern, bereue es natürlich, es sei auch scheiße gewesen, wenn es sie interessiere, und sicher nicht seine Absicht, aber eben auch nicht rückgängig zu machen, und es tue ihm sehr, sehr leid, er entschuldige sich dafür, nun sei es einfach passiert, und da stehe er nun vor ihr und bitte um Verzeihung.

Susanne wurde erst ganz ruhig. »Name«, sagte sie dann,

und Kühn sagte, er wisse den Namen nicht. »Alter«, wollte sie wissen, und obwohl er sich fragte, warum das wichtig sei, sagte er: »Weiß nicht, so dreißig oder dreiunddreißig vielleicht.« Dann setzte ein so unerhörtes Donnerwetter ein, dass Kühn den Kopf einzog, weil ihn sonst der Aschenbecher getroffen hätte, in dem sie die Treuepunkte von REWEKA aufbewahrten. Sie hatten das Grillbesteck praktisch zusammen. Susanne hörte nicht mehr auf zu schreien, ihn zu verfluchen, und sie stellte Fragen, die er allesamt nicht beantworten konnte: Wie es gewesen war? Wie sie sei? Warum so jung? Ob er sich nicht wie ein Schwein fühle? Und ob er es sich eigentlich vorstellen konnte, wie es für sie gewesen sei, für diesen Leitz zu spionieren, der nur ihr Leben zerstören wollte. Sie habe ihren Kopf für ihn hingehalten, und er vögele irgendeine Kleine aus dem Dienst? Auf welcher Dienststelle die überhaupt sei? Ob es danach Kontakt gegeben habe? Ob er ihre Nummer habe?

Er verneinte und sagte, es sei eine Kollegin vom Zoll, glaube er, Dienststelle irgendwo in Grenznähe. Er log, um sein Leben zu retten, jedenfalls kam es ihm so vor. Dann sagte er gar nichts mehr. Susanne war erschöpft und traurig, er war erschöpft und traurig, aber immerhin waren sie sich im Streit näher gewesen als irgendwann sonst in den letzten Wochen. Kühn fand, dass es reichte. Er würde ihr nichts von der Krankheit erzählen. Am Ende hatte er ja auch die seit Tagen verschwiegen und damit bewiesen, dass er ihr nicht vertraute. Es wäre zu verletzend gewesen, damit jetzt zu kommen. Er entschied, die Diagnose einfach ein wenig in die Zukunft zu verschieben. Sie sollte nicht glauben, er heische nach Mitleid, um seinen Seitensprung damit zu verharmlosen.

»Ich glaube, es ist besser, wenn du im Wohnzimmer schläfst«, sagte Susanne und verließ die Küche. Sie schloss die Tür sehr leise, um die Kinder nicht zu wecken.

Kühn ging an den Kühlschrank, öffnete das Gemüsefach, suchte nach dem Bier und fand keines. Weg. Ausgetrunken.

13. VERSUCHSANORDNUNG

Das Kivik-Zweiersofa ist vor allem wegen seines unschlagbar günstigen Preises von 299 Euro ein großer Erfolg, tatsächlich ein regelrechter Dauerbrenner im IKEA-Sortiment. Es ist 190 Zentimeter breit und wäre für den acht Zentimeter längeren Kühn daher beinahe ausreichend gewesen. Allerdings gehen fünfzig Zentimeter der Möbelbreite für die großzügig bemessenen Armlehnen drauf, sodass fürs Liegen lediglich 140 Zentimeter zur Verfügung stehen. Selbst wenn man davon ausgehen kann, dass Kühn seinen Kopf auf eine der Armlehnen legte, ragten seine Füße über die andere Lehne hinaus, wurden von dieser jedoch auf ungemütliche Art angehoben. Kühns Versuche, die Bequemlichkeit von Kivik durch Einknicken seines Körpers und Auf-der-Seite-Liegen zu verbessern, schlugen fehl. Entweder er lag auf seiner linken Seite, dann stieß er mit der Nase unweigerlich gegen Kiviks Rückenlehne. Oder er lag auf der rechten Seite und fürchtete, vom Sofa zu kippen. Wenn er das Ungemach, das seiner Verbannung aus dem Schlafzimmer folgte, geahnt hätte, wer weiß, ob er dann nicht doch auf die trunkene Liebesnacht mit Ulrike Leininger verzichtet hätte.

Es ist aber bei vielen Männern der Fall, dass sie derartige

mögliche Konsequenzen nicht in ihre Handlungen einberechnen, weil sie häufig nur in abstrakten Kategorien wie »großer Ärger« oder »böse Folgen« denken, nicht aber an Details wie »Nackenstarre« oder »Bandscheibenrisiko«.

Als Kühn nach einer unruhigen Nacht die Decke (Strimlönn, grau, 59 Euro) von sich strampelte, war seine Familie längst wach. Susanne hatte den Kindern Frühstück gemacht und offensichtlich auch eine Begründung dafür gefunden, dass der Vater auf der Couch übernachtet hatte. Jedenfalls fragten Niko und Alina nicht nach, und das war ihm auch ganz recht so. Er setzte sich – zerschlagen von seinen zahlreichen Wendemanövern – zur Familie, trank seinen Kaffee und wartete, ob Susanne noch etwas sagte, nachdem die Kinder das Haus verlassen hatten. Aber sie blieb stumm, was sich für ihn nicht gut anfühlte. Nicht einmal Alltagsgerede. Keine Terminabsprachen oder etwas Organisatorisches, worin sie gut war. Er sah ihr dabei zu, wie sie Rohkost für ihre Mittagspause schnitt und eintupperte. Er dachte dabei, dass ihre Ehe auch jahrelang eingetuppert gewesen war. Nun war gestern Abend der Deckel geöffnet worden, Luft zischte in ihre Beziehung, der man bei näherem Hinsehen anmerkte, das sie nicht mehr richtig frisch war. Aber er konnte nichts daran ändern, jedenfalls im Moment. Seine stumme Frau trug die Tupperdose in die Garderobe, und wenige Augenblicke später sah er sie durch den Vorgarten davongehen. Er wollte ihr Zeit geben, den Seitensprung und seine Verdächtigungen zu verdauen. Sie würden es wieder hinbekommen, das hoffte er wirklich.

Er sah auf die Uhr am Backofen, aber die zeigte seit einem Stromausfall im vergangenen Herbst 00:00 an und blinkte dabei im Halbsekundentakt. Die Technikhotline des Herstellers hatte ihm mitgeteilt, dass man den Stecker des fest im Schrank verbauten Gerätes ziehen und danach einen Code über die Programmwahltasten des Ofens eingeben musste, um die Uhr zu stellen. Das sei sehr einfach, aber die Spezialschrauben, mit denen das Ding eingebaut sei, erforderten Werkzeug, welches nur der Kundendienst besitze. Da seien also neben der Reparatur auch die Anfahrt und mindestens eine Arbeitsstunde zu bezahlen. Das Stellen der Uhr käme somit auf circa zweihundert Euro. Kühn kaufte einen Küchenwecker für neunzehn Euro und sah trotzdem immer auf den Backofen, wenn er die Uhrzeit wissen wollte. Es war halb acht Uhr.

Um neun Uhr sollten Florin und seine Freunde im Präsidium sein. Wahrscheinlich würden sie mit einer Armada von Anwälten und ihren Eltern auftauchen. Er sollte früher da sein, um sie sich anzusehen. Manchmal waren die Minuten vor solch einem Termin aufschlussreicher als das Gespräch selbst, denn falls die Clique um Florin irgendetwas mit Amirs Schicksal zu tun hatte, was ja nicht auszuschließen war, dann würden sie ihre Aussagen längst mithilfe kluger Rechtsanwälte aufeinander abgestimmt haben.

Kühn duschte, zog sich an und entschied sich für das Leinenjackett, auch wenn es da und dort Flecken hatte. Aber er wollte den feinen Menschen, mit denen er es gleich zu tun bekam, auf Augenhöhe begegnen. Halbwegs. Natürlich hätte er auch ein kariertes kurzärmeliges Hemd, eine Jeans, die atmungsaktiven Halbschuhe und einen Ledergürtel, dazu die leichte Windjacke anziehen können, aber nach den Erfahrungen vom vergangenen Sonntag hatte er keine Lust, sich vor denen kleinzumachen.

Vor Rohrschmids Haus standen ein Krankenwagen mit offener Heckklappe und ein Polizeiwagen. Kühn ging durch die offene Haustür und traf auf Elisabeth Rohrschmid, die in einem blauen Bademantel kreidebleich im Weg herumstand. Zwei Notärzte kamen mit der Bahre kaum an ihr vorbei. Darauf lag Rolf Rohrschmid, ein dritter Arzt presste ihm eine Beatmungsmaske aufs Gesicht. Kühn schob die Frau beiseite, dann umarmte er sie kurz und sagte: »Es tut mir leid.«

Sie hob ein Blatt Papier hoch. »Er hat einen Abschiedsbrief geschrieben, Martin. Dass er etwas Furchtbares getan habe und damit nicht leben könne. Ich habe ihn vor einer halben Stunde unten gefunden, in seinem Arbeitszimmer. Ich verstehe das nicht, Martin.«

»Mach dir keine Sorgen, Elisabeth. Es wird sich alles klären. Sie bringen ihn ins Krankenhaus und versorgen ihn. Und wenn es ihm besser geht, dann wird es wieder gut. Ich kenne mich da aus. Das ist immer so.« Aber er wusste, dass es eine Lüge war und dass im Leben von Rolf Rohrschmid nichts mehr gut sein würde. Kühn wunderte sich darüber, dass der Chemielehrer und Lebensmittelerpresser die Dosis zum zweiten Mal falsch berechnet hatte. Sonst wäre er jetzt tot gewesen. Er umarmte Elisabeth noch einmal und trat wieder ins Freie. Als er an dem Krankenwagen vorbeiging, sagte er: »Es ist eine Vergiftung mit Gamma-Butyrolacton. Ich dachte, das wäre gut zu wissen.«

Der Arzt dankte ihm, und Kühn ging zur S-Bahn, um ins Präsidium zu fahren.

Als er ins Büro kam, stand ein Becher Kaffee auf seinem Tisch. Daran klebte eine Haftnotiz mit einem handgemalten Smiley. Zwinkerzwinker. Kühn sah sich um, entfernte das Klebezettelchen und trank den Kaffee, der exakt die richtige Menge Milch enthielt. Da kannte offenbar jemand seine Gewohnheiten.

Die Kollegen hatten die Stühle aus dem Flur entfernt und sie in eines der Büros getragen. Die Schreibtische und Wanddekoration hatte man dafür entfernt und das Zimmer in einen Warteraum verwandelt. Das war klug, denn auf diese Weise konnte man die Jugendlichen besser beobachten, zumal eine Kamera eine Totale des Raumes ins Nachbarbüro übertrug.

Ein Mädchen hatte sich bereits eingefunden. Hannah Segmüller. Mit Vater. Sie saßen schweigend auf ihren Plätzen, das Mädchen spielte etwas auf ihrem Handy. Sie machte keinen sorgenvollen oder überforderten Eindruck. Als Nächstes kam Hufnagl, Tobias, ein kleiner Junge, etwas unsicher im Auftreten. Er grüßte Hannah mit einer unvollkommenen Umarmung, als wolle er sie so schnell wie möglich wieder vom Hals haben. Er hatte seinen Anwalt dabei. Oder den Anwalt seiner Eltern, die den Termin nicht wahrgenommen hatten.

Max Gärtner brachte seine Mutter mit, die sich weigerte, sich auf einen der Stühle zu setzen, und den Warteraum mit dem Duft aus einem kleinen Zerstäuber zu verbessern versuchte. Auch Max machte nicht den Eindruck übertriebener Besorgnis. Er fing ein Gespräch mit Tobias Hufnagl an, in dem es um den Kauf eines elektrisch betriebenen Autos ging. Er plane diese Anschaffung sehr ernsthaft, sagte er. Tobi Hufnagl äußerte sich dazu nicht, sondern sah nach unten. Vielleicht war er immer so, vielleicht bereitete er sich auch nur innerlich auf die Befragung vor.

Gregor Wilms und Darian Roscek erschienen gemeinsam, beide mit Anwälten und dem Vater Roscek, der ebenfalls Anwalt war, wenn auch eher mit Urheberrechtsfragen und Fusionen von Medienunternehmen befasst. Aber das Thema interessierte ihn. Gregor und Darian sprachen nicht viel, begrüßten jedoch ihre Freunde sehr ausgiebig. Tobias bekam von Gregor sogar einen Kuss.

Dann wurde Ulrike Leininger hereingebracht, die sich widerwillig und ein wenig zu demonstrativ schlecht gelaunt setzte und einen Ausdruck von »Green News«, dem Online-Magazin der Gewerkschaft der Polizei Bayern, durchfledderte. Als Letzte erschien Josefine Münstermann, ebenfalls mit Vater, aber ohne Anwalt. Sie setzte sich neben Hannah, und die beiden zeigten sich gegenseitig Bilder auf ihren Handys.

»Was ist mit van Hauten?«, fragte Kühn ungeduldig um zwanzig nach neun. »Wo bleibt der?«

»Wir sollten ihn vorführen lassen. Ich lasse ihn abholen.«

»Ja, schick eine Streife hin.«

Sie warteten weitere zehn Minuten, in denen nicht viel geschah, außer dass die Mädchen dazu übergingen, sich Videos auf ihren Handys zu zeigen, und die Jungen einander schweigend ansahen. Niemand von ihnen sagte etwas, aber auf eine ganz gewisse Art kommunizierten sie miteinander. Kühn versuchte, in dieser Verständigung zu lesen. Gregor wippte mit den Knien, Max machte vergebliche Versuche, die Gruppe mit Grimassen zu unterhalten, und Darian brütete vor sich hin und schloss manchmal für mehr als eine halbe Minute die Augen, ohne dass er einen müden Eindruck gemacht hätte. Die Anwälte und Väter sprachen leise miteinander, es fielen die Begriffe »Zumutung« und »Unverschämtheit«.

Kühn ließ Leininger aus dem Raum holen. Sie waren gemeinsam der Auffassung, dass es einen Jungen gab, der vielleicht als Quelle taugte. Alle anderen spielten Theater.

»Dann fangen wir eben ohne van Hauten an«, sagte Steierer, und Kühn stimmte zu. Er wollte damit beginnen, die Gruppe zu trennen. Das war manchmal so, als würde man einen Zweig in einen Ameisenhaufen werfen. Und selbst wenn die Anwälte sie darauf vorbereitet hatten, so war das doch sehr einschüchternd. Einer von ihnen war bestimmt selbstsicher, vielleicht zwei. Ein anderer war auf Signale angewiesen, um zu funktionieren, und mindestens eine oder einer war zerbrechlich. Nicht einmal unter Gewohnheitsverbrechern gab es in einer Gruppe gleich fünf oder sechs, die stark und belastbar waren.

»Okay, wir trennen die Jungen und die Mädchen. Beide Mädchen und Max bitte in mein Büro. Die anderen Jungs bitte in den Konferenzraum.«

Kühn ging ebenfalls in den Konferenzraum, weil er wusste, dass er die Mädchen und Max nicht mehr brauchen würde. Sie hatten ganz einfach überhaupt keinen Kontakt zu den anderen hergestellt. Sie waren nicht in Absprachen eingeweiht worden, und sie hatten keine Ahnung, worum es in diesem Termin überhaupt ging. Florin hatte es bei ihrem ersten Gespräch im Garten der van Hautens schon gesagt: Max war früh gegangen. Und was auch immer danach geschehen war: Die Mädchen waren nicht beteiligt. Die freuten sich jetzt bloß, dass sie mal bei einer richtigen Polizeistation waren und nicht in die Schule mussten.

Kühn setzte sich an den Konferenztisch und sah sich die

Runde an. Darian und Gregor auf der einen Seite mit ihren Begleitern, Tobias auf der anderen Seite mit seinem Anwalt. Kühn ließ die Szenerie auf sich wirken. Dann sagte er: »Guten Morgen, die Herren.«

»Warum ist Florin nicht da?«, fragte Tobias Hufnagl verunsichert.

»Der kommt noch«, sagte Steierer.

»Er ist unterwegs«, sagte Kühn. »Aber wir wollten Sie nicht so lange warten lassen. Und wir können ja auch ohne ihn anfangen.« Während er das sagte, spürte er deutlich, dass diese Jungs ohne Florin van Hauten gar nichts konnten. Womöglich nicht einmal ihre Schuhe binden.

»Ich meine nur, ohne Florin hat doch der Termin gar keinen Sinn«, fügte Tobias hinzu. Die anderen starrten auf die Tischplatte und sagten nichts.

»Warum meinen Sie das?«, fragte Kühn.

»Weil wir doch bei ihm waren, alle zusammen. Er war ja sozusagen der Gastgeber.«

»Aha«, sagte Kühn, der die Empfindung verstand. Als Gast fand man sich im Hause van Hauten nicht verantwortlich für irgendwelche Zusammenhänge.

»Ich habe Sie hergebeten, damit Sie mir den Hergang des abendlichen Treffens bei den van Hautens am vergangenen Dienstag schildern. Wer will anfangen?«

Tobias Hufnagl hob die Hand, aber Gregor Wilms begann zu sprechen: »Es war ganz einfach. Wir haben uns dort getroffen, dann gab es Essen. Max ist nach Hause gegangen. Gegen Mitternacht ist Amir abgehauen, dann haben wir uns auch verabschiedet. Die Mädchen sind zusammen gefahren. Ich habe Tobi und Darian nach Hause gebracht und war um 0:20 Uhr daheim. Meine Eltern können das bezeugen.«

»Herr Hufnagl, wollten Sie das auch gerade sagen?«

»Ja«, kam es zögerlich zurück. »Genau dasselbe wollte ich sagen.«

»Wollten Sie oder sollten Sie?«, fragte Kühn gespielt beiläufig.

»Was wollen Sie damit unterstellen?«, fragte der Anwalt des Jungen.

»Nichts, ich wollte nur nachfragen, ob ich ihn richtig verstanden habe. Und Herr Roscek wollte das auch sagen, richtig?«

Darian Roscek nickte knapp.

Kühn ließ sich einen Moment Zeit, dann sagte er: »Herr Hufnagl, Sie stehen dem Herrn Roscek sehr nahe, oder?«

»Na ja, wir sind Freunde, warum?«

»Weil er Sie zur Begrüßung geküsst hat. Das macht man ja nur, wenn man sich sehr mag, oder?«

Oder wenn man jemandem zeigen will, dass man ihn braucht. Wenn man einen in eine Verbundenheit zwingen will. Ihr habt nicht nebeneinander gesessen, und ihr seid nicht zusammen hier aufgetaucht. Du bist der Kleinste. Du musst von den anderen eingefangen werden. Das ist Darians Job. Du bist schwach.

»Ich weiß nicht, wir machen das öfter.« Tobias Hufnagl sah seinen Anwalt an, der Anwalt sah zu Kühn herüber und sagte: »Ich glaube, es ist alles gesagt. Haben Sie noch Fragen?«

Kühn wusste, dass es keinen Sinn haben würde, die Aussagen immer und immer wiederholen zu lassen. Und er hatte keinen Zweifel daran, dass etwas daran nicht stimmte. Natürlich würden sämtliche Eltern bestätigen, dass ihre

Kinder um 0:08 Uhr, um 0:13 Uhr und um 0:20 Uhr zu Hause gewesen waren.

Leininger brachte das Ergebnis der Funkzellenanalyse sämtlicher Mobiltelefone herein, deren Nummern die Jungen und Mädchen bei ihrer Ankunft hatten preisgeben müssen. Alle waren bis Mitternacht noch in der Umgebung von van Hautens Adresse eingeschaltet gewesen, dann erst wieder am nächsten Morgen.

»Sie haben Ihre Handys kurz nach Mitternacht ausgemacht. Warum?«

»Akku leer«, sagte Darian knapp.

»Bei allen?«

Darian zuckte mit den Schultern.

Sein Vater erhob sich. »Ich finde, die Sache gestaltet sich etwas mühsam. Ich für meinen Teil werde jetzt mit meinem Sohn gehen. Wir stehen Ihnen gerne zur Verfügung, falls sich weitere Fragen ergeben.«

Plötzlich stand Gollinger in der Tür und machte Kühn Zeichen. Dringende Zeichen. Er erhob sich und sagte: »Sie bleiben bitte so lange hier, wie die Befragung dauert. Wir müssen auch noch Einzelheiten über Ihren Heimweg klären.« Er wollte Zeit gewinnen. Bis Florin endlich auftauchte. Dann ging er zu Gollinger auf den Flur und schloss die Tür zum Konferenzraum.

»Was ist? Wo ist Florin van Hauten?«

»Das ist die schlechte Nachricht. Er ist weg. Seine Eltern sagen, er habe das Haus gestern Abend verlassen und sei nicht zurückgekommen. Es fehlt auch Kleidung. Der ist abgehauen.«

Kühn wischte sich über den Mund. »Scheiße. Er wird zur Fahndung ausgeschrieben. Sucht nach seinem Handy und nach seinem Auto. Sucht am Bahnhof und in den Parkhäusern vom Flughafen. Verdammte Scheiße. Und was mache ich jetzt mit den Vögeln da drin?«

»Das ist die gute Nachricht«, sagte Gollinger und versuchte, die Laune seines Chefs mit einem Lächeln zu heben. »Ich habe dir doch erzählt, dass wir nach einem Abspielgerät für das letzte Video gesucht haben. Wir haben eines bekommen, aus der Sammlung des Deutschen Museums. Willst du sehen, was drauf ist?«

Sie standen hinter dem Techniker, der das Gerät mit den schwerfälligen Hubtasten bediente und dessen Bilder auf einen alten Röhrenmonitor schickte. »Es sind nur sechs Sekunden«, sagte Gollinger. »Aber danach sind keine Fragen mehr offen.«

Der Schwarz-Weiß-Film zeigte zunächst die Auffahrt einer Doppelgarage, beleuchtet von einer Straßenlaterne. Dann fuhr von links ein Auto ins Bild und hielt auf der Straße. Ein Mini. Auf der Beifahrerseite war bei geöffnetem Fenster ein Mann zu sehen. Florin van Hauten. Das Bild war nicht gestochen scharf, aber man erkannte ihn. Hinten saß ebenfalls eine Person. Dann bog das Auto in die Einfahrt ein und fuhr direkt auf die Kamera zu. Dabei durchfuhr der Wagen eine Lichtschranke, und ein grelles Licht beleuchtete die ganze Einfahrt und das Auto. Nun sah man frontal in die Windschutzscheibe. Gollinger tippte dem Kollegen auf die Schulter, und dieser hielt das Bild an. Darian Roscek am Steuer. Van Hauten daneben, von hinten schob sich eine dritte Person nach vorne, offenbar um Roscek eine Flasche zu entreißen, die dieser festhielt. Das war Gregor Wilms. Und dass hinten links Tobi Hufnagl saß, konnte man zwar nur erahnen, aber Kühn hatte keinen Zweifel daran. Der Techniker ließ den Film weiterlaufen. Der Mini setzte zurück, wendete und fuhr wieder nach links aus dem Bild.

»Wann ist das?«

»Das ist exakt um 0:29 Uhr.«

»Woher wissen wir das, da ist kein Zeitstempel im Bild«, sagte Kühn, der sich Sorgen machte, dass die Anwälte das Band sofort zerpflücken würden.

»Das Gerät beginnt seine Aufnahme seit ewigen Jahren um Punkt Mitternacht. Es ist so eingestellt. Und diese Szene ist in Minute 29 nach Beginn, also um 0:29 Uhr.«

»Und vom richtigen Tag?«

»Ja, ganz sicher. Die Besitzer haben ihre Alarmanlage am nächsten Tag deaktiviert, weil sie da aus dem Urlaub kamen und sie nicht mehr brauchten. Der Rekorder hat danach keine Aufnahmen mehr gemacht. Es ist zweifellos der Abend. Und es ist die Truppe von Florin, wenn du mich fragst, auf der Jagd nach Amir Bilal.«

Sie brachten die Videoanlage zum Konferenzraum und bauten sie dort auf. Dann zeigten sie den Film.

»Herr Hufnagl, Herr Roscek, Herr Wilms: Halten Sie an Ihrer Auffassung fest, dass Sie das Haus der van Hautens kurz nach Mitternacht verlassen haben und um 0:29 Uhr zu Hause waren?«

Niemand sagte etwas.

»Wo ist Florin? Kommt Florin noch?«, fragte Gregor, aus dessen Stimme Kühn Panik heraushörte. »Oder Elfie und Claus? Kommen die?«

»Nein, die kommen nicht, Herr Wilms. Und Florin

kommt auch nicht. Er ist seit gestern Abend verschwunden.«

Kühn sah in die schockierten Gesichter der drei Jungen. Ihre Väter und ihre Anwälte saßen stumm wie Bronzegötter neben ihnen, aber ebenso hilflos. Innerhalb weniger Sekunden brach die Verteidigungslinie zusammen. Niemand im Raum bemühte sich noch um ein Argument. Nein, die Jungen waren nicht nach Hause gefahren. Sie saßen um halb eins in Florins Mini, in dem Mini, Modell John Cooper Works, das Florin Wochen zuvor zum Geburtstag bekommen hatte. Und Florin saß mit ihnen im Auto. Und wenige Minuten später hatten sie Amir an der Haltestelle gefunden. Und jeder wusste es.

»Ich möchte eine Aussage machen«, sagte Tobias Hufnagl.

14. DIE AUSSAGE

Wortprotokoll der Vernehmung von Tobias Hufnagl.

(HK Kühn: Beginn der Vernehmung Tobias Hufnagl, geboren am 17.11.1999 in München, wohnhaft Georg-Kalb-Straße 33, Pullach. Anwesend sind HK Kühn, OK Steierer, RA Schlott und, wie heißen Sie? Entschuldigung.)

(KHM Berger: Berger, Kriminalhauptmeister.)

(HK Kühn: Und KHM Berger. Herr Hufnagl, wir nehmen das jetzt alles auf, damit hinterher keine Zweifel entstehen. Sie erhalten natürlich eine Abschrift von Ihrer Aussage, und Ihr Anwalt ist die ganze Zeit anwesend. Sie werden sehen, das ist ein ganz normales Gespräch, Sie müssen keine Angst haben, dass Sie hier in die Pfanne gehauen oder zu irgendwas verleitet werden. Wenn Sie eine Pause wünschen oder Durst bekommen oder auf die Toilette müssen, dann sagen Sie einfach Bescheid. Haben Sie eine Frage zum Vorgehen?)

Ja, also, ich bin ja jetzt Zeuge, oder? Und wenn ich jetzt aber etwas sage, wo ich selber drin verwickelt bin, dann schade ich mir doch, oder nicht?

(HK Kühn: Sie müssen nichts sagen zu Vorfällen, an denen Sie selbst möglicherweise beteiligt sind. Man nennt das Auskunftsverweigerungsrecht. Wenn Sie merken oder Ihr Anwalt merkt, dass Sie gerade etwas sagen, was Ihnen vielleicht zur Last gelegt werden könnte, dann halten wir an. Ich stelle fest, dass der Zeuge zu seinem Auskunftsverweigerungsrecht belehrt wurde. Haben Sie sonst noch Fragen?)

Nein.

(Frage HK Kühn: Herr Hufnagl, Sie sind hier, weil Sie zum Mord an Amir Bilal aussagen möchten. Sie kannten ihn, und Sie möchten uns davon berichten, wie es zu seinem Tod kam. Richtig?)

Ja.

(Frage HK Kühn: Dann fangen wir von vorne an. Wie haben Sie Amir Bilal kennengelernt und wann?)

Amir tauchte zum ersten Mal an Florins Geburtstag auf, der ist am 5. Juni. Mit Julia. Sie brachte ihn mit. Ich dachte, das sei wieder so eine Spinnerei von ihrer Mutter. War es ja auch im Grunde. Jedenfalls brachte sie ihn mit.

(Zwischenfrage von HK Kühn: Was machte er für einen Eindruck auf Sie?)

Er war unsicher, ist ja auch klar. Ich meine, wenn ich unter seinen Freunden irgendwo in seiner Gegend wäre, hätte ich mich auch nicht auf Anhieb superwohl gefühlt. Er sah einfach auch total asi aus, wie man sich das so vorstellt.

(Zwischenfrage von OK Steierer: Wie sieht man denn asi aus?)

Ja, halt diese Scheißschuhe, dazu die marmorierten Jeans, weißer Gürtel, Ölhaufen auf dem Kopf, das volle Programm. Und dann dieser weiche kleine Schnäuzer, es war schon krass, was die Julia da angeschleppt hat. Aber wir waren trotzdem nett zu dem. Er hat uns ja auch nichts getan. Außerdem war das Hauspolitik bei den van Hautens. Die hatten ja diese durchgeknallte Gutmenschennummer am Laufen. Dass ich nicht lache.

(Zwischenfrage von HK Kühn: Was gibt es denn darüber zu lachen?)

Das war doch alles nur Fassade. Klar sind die nett. Und großzügig und was weiß ich denn alles. Aber sie können sich das auch leisten. Und außerdem geht es im Grunde immer nur um eins. Es ist der Preis, den sie zahlen.

(Zwischenfrage von HK Kühn: Der Preis wofür?)

Für Florin. Es ist eine Wiedergutmachung dafür, dass sie diesen Teufel in die Welt gesetzt haben.

(Zwischenfrage von OK Steierer: Sie reden gerade von Ihrem besten Freund. Oder verstehe ich da etwas falsch?)

Ja, bester Freund. Alle Freunde von ihm sind beste Freunde. Wir kümmern uns um ihn. Wir passen auf, dass er nicht durchdreht. Wir sind die Schutzengel für alle anderen. Wir versuchen, ihn unter Kontrolle zu halten. Und die van Hautens geben uns was dafür.

(Zwischenfrage von OK Steierer: Sie werden für Ihre Freundschaft bezahlt?)

Nicht direkt, nein. Das hat ja keiner von uns nötig. Es geht um etwas anderes. Dabei sein. Mal ein Wochenende in Rom. Es geht um einen Lifestyle. Immer ohne Sorgen sein. Wenn es ein Problem gibt, dann wird es weggeräumt. Wenn Sie das einmal kennenlernen, wollen Sie immer so leben.

(Zwischenfrage HK Kühn: Und die van Hautens leben so.)

Wir leben alle so. Florin und Julia kannten nie irgendwelche Schranken. Hürden. Wenn ihnen der Mathelehrer in der Schule nicht passte, spendete Claus für zwei Basketballkörbe, und der Lehrer war weg. Als der Schulbus für Julia zu weit weg hielt, hat Elfie bei der Firma angerufen, und sie haben eine Haltestelle direkt vorm Haus angefahren. Als Florin sich einmal den Arm brach im Urlaub, hat es genau zwei Telefonanrufe gedauert, und der Chefarzt vom Carolinenkrankenhaus ist nach Mallorca geflogen und hat ihn operiert. Alles wird mit Spenden gedeichselt. Oder guten Worten. Beziehungen. Die van Hautens werden nicht upgegradet. Die sind menschgewordenes Upgrade. Wenn die nach Amerika fliegen, ist die Laune so dufte, dass die anderen Gäste in der First Class sich geehrt fühlen, dass sie neben ihnen reisen dürfen. Die van Hautens sind Royals, irgendwie. Und deshalb wurde Florin immer nur kleiner Prinz genannt. Schon ganz früher.

(HK Kühn: Sie sagten vorhin, er sei ein Teufel.)

Ja, das ist er. Das ist die andere Seite. Das ist wie bei einem Transformer. Sie sehen da ein Auto vor sich stehen, aber wenn Sie den richtigen Schalter umlegen, verwandelt es sich in einen riesigen Kampfroboter. Kennen Sie die Dinger? Genau. Und Florin ist so einer. Er ist lustig, er ist charmant und er ist großzügig. Ganz der Vater. Er hat mir mal gesagt, dass Claus genauso sei. Und sein Urgroßvater war auch so. Der war General im Zweiten Weltkrieg. Einer von den ganz Großen. So stauffenbergmäßiger Militäradel. Man kann uns nicht berühren, sagte Florin mal. Wenn die van Hautens irgendwo auftauchen, und es ist egal, wo die auftauchen, in einem Klub oder im Käferzelt oder im Stadion, dann teilt sich gewissermaßen das Meer. Verstehen Sie?

(OK Steierer: Nicht direkt, könnten Sie uns das noch näher erklären?)

Also: Sie kennen doch diese Menschen, die immer alles besser wissen? Diese Nervensägen, die einem alles erklären können und dauernd mit ihrer Klugscheißerei nerven? So ist mein Vater zum Beispiel. Ich hasse ihn dafür. Claus ist total anders: Er lässt jeden seine Meinung haben, auch wenn er sie doof findet. Er hört sich alles an. Und dann sagt er vielleicht nur etwas ganz Knappes und schenkt dir Wein ein, als sei das auch alles nicht so wichtig. Es kommt ihm immer aufs Leben an sich an. Und das kann man mit ihnen: leben. Und gelassen werden. Ich habe mir oft gewünscht, ein Kind von Elfie und Claus zu sein. Ich weiß ja, dass das nicht gerade nett klingt, wenn man meine Eltern im Gegensatz dazu sieht. Und ich war da auch nicht der Einzige, echt nicht.

Wenn man die Familie miteinander und irgendwo erlebte, dann bekam man einfach das Gefühl, die stehen über allem, denen kann keiner was, und denen will auch keiner was. Das meinte ich damit, dass es ist, als würden sie das Meer teilen. Darf ich was trinken?

(Bemerkung OK Steierer: Klar, wir kümmern uns darum. Das klingt ja paradiesisch, das Leben mit den van Hautens. Aber da ist dann eben auch der Teufel. Das klingt ja eher nach Hölle.)

Das ist eben das Spiel. Du musst immer aufpassen.

(Zwischenfrage HK Kühn: Worauf muss man aufpassen?)

Du darfst Florin nicht langweilen. Wenn du ihn langweilst, bist du raus. Wenn du nicht mitmachst: bist du raus. Wenn du ihm auf die Nerven gehst: bist du auch raus.

(Zwischenfrage HK Kühn: Sind Sie ihm mal auf die Nerven gegangen?)

Nein, ich glaube nicht. Ich bin aber selber noch nicht so lange dabei. Sie müssten Darian fragen oder Gregor. Die kennen ihn schon aus dem Kindergarten. Ich habe ihn eigentlich erst vor zwei Jahren richtig kennengelernt. Übers Hockey. Da haben wir zusammen in der Mannschaft gespielt. Er mochte mich und hat mich eingeladen. Nach Hause. Eigentlich kam ich mir zuerst genauso fremd vor wie Amir. Und ich wohne in Pullach. Mein Vater ist im Vorstand der Reformbau.

(Zwischenfrage HK Kühn: Echt? Ich bin da Kunde.) Herzliches Beileid. Egal. Jedenfalls: Gegen die van Hautens sind wir irgendwie nur kleine Lichter. Mir tat es gut, mit Florin und den anderen zu sein. Bis ich halt mal gesehen habe, was er macht, wenn er wütend ist. Er kann total austicken. Dann gibt es kein Halten mehr. Letztes Jahr waren wir auf der Wiesn. Und es war irgendwie blöd. Die van Hautens haben im Käferzelt immer einen Tisch, der ist so durchreserviert die ganze Zeit. Claus geht da mit Geschäftspartnern hin und so. Wir saßen da erst zu zehnt, und da kamen immer mehr Leute dazu, manche kannte Florin gar nicht. Und dann hat so ein Typ angefangen, Florins damalige Freundin anzubaggern. Der hat auf van Hautens Kosten getrunken und sein Mädchen angefasst. Florin war schon besoffen und wurde sauer. Ich spüre immer, wenn dann bei ihm dieser Hass hochkommt, dieser wahnsinnige Zorn, da ist so ein Feuer, wie beim Teufel. Wenn Sie das einmal sehen, dann vergessen Sie das nicht. Er hat dann ganz freundlich getan zu dem Typen und hat sich nach vorne gebeugt. Ich habe nicht verstanden, was er dem Typen gesagt hat, aber zwanzig Sekunden später war der weg. Gregor, Darian und ich waren total froh, dass er abgehauen ist, weil wir schon angefangen hatten, die Bierkrüge vom Tisch zu nehmen, damit Florin den Kerl nicht damit erschlägt. Und erst sah es auch so aus, als würde sich Florin entspannen. Wir haben dann weitergetrunken. Und als das Zelt dichtgemacht hat, hat Florin gesagt, wir würden jetzt die Mädchen ins Taxi setzen, damit sie schon mal ins Pacha fahren können, und wir hätten noch etwas zu erledigen. Ich habe mir erst gar nichts dabei gedacht. Die Mädchen sind also weg. Und Florin hat wieder dieses Flackern gekriegt. Ich dachte, er sei einfach auf Koks oder so, aber das war es nicht. Er ging dann im Regen an dieser Kotzwiese auf und ab. Da lagen ein paar Typen rum, die haben gepennt. Und einen hat er sich dann ausgesucht. Er hat uns gesagt, wir sollten ihm aufhelfen. Das war ein Amerikaner oder Australier oder Engländer, keine Ahnung. Jedenfalls hat er auf Englisch gesagt, wir sollten ihn in Ruhe lassen und »fuck off«, so was in der Art. Florin hat gesagt, er wolle ihm helfen, seine Bestimmung zu finden, auch auf Englisch. Dann gingen wir mit ihm zwischen ein Zelt und so einen Versorgungswagen. Wir wussten schon, was kommt. Wir hielten den Mann fest, und Florin hat ihm so ziemlich alle Zähne ausgeschlagen, die der hatte. Zwischendurch hat der Typ gekotzt und sich eingepisst. Schließlich haben wir ihn losgelassen, und der Ami, oder was das war, ist mit seinem Gesicht in die Kotze gefallen. Florin war total durchgeschwitzt. Aber er beruhigte sich. Das war wirklich absolut seltsam. Er beruhigte sich total schnell, wir gingen Richtung Taxistand, und was macht Florin? Ruft bei der Polizei an und meldet einen Raubüberfall auf der Wiesn. Mit genauer Ortsangabe. Er sagte seinen Namen nicht, sondern einen, den er oft benutzte, wenn er nicht wollte, dass man ihn mit irgendwas in Verbindung bringen konnte: Jeremias Schnack. So ein Blödsinnsname. Wir fuhren dann ins Pacha, er verschwand auf dem Klo, und als er wieder zurückkam, war er völlig gelöst. Gar nicht aufgedreht, sondern total warm, ruhig und so wahnsinnig liebenswürdig. Das mochten ja alle so an ihm.

(Zwischenbemerkung OK Steierer: Wir werden die Wiesngeschichte überprüfen. Es wäre für das Opfer ja auch interessant, der Fall ist ja noch lange nicht verjährt. Das würde bedeuten, dass Sie sich in der Sache als Zeuge zur Verfügung stellen würden?)

Ja.

(Zwischenbemerkung OK Steierer: Es ist Ihnen bewusst, dass Sie in der Sache auch der Mittäterschaft angeklagt werden könnten.)

Ja.

(Zwischenbemerkung OK Steierer: Sind Sie oder ist einer von Ihnen bereits vorbestraft? Florin?)

Nein, niemand. Das war ja immer das Schöne. Für die van Hautens teilt sich das Meer.

(Zwischenfrage HK Kühn: Wie hieß denn diese Freundin von Florin? Wir würden sie gerne befragen.)

Die hieß Simone, Nachname weiß ich nicht. Und ich habe sie danach nicht mehr gesehen. Ich denke, er hat dann Schluss gemacht. Es hat ihm wohl nicht gefallen, dass sie mit diesem Typen geflirtet hat. Aber anstatt das einfach auf sich beruhen zu lassen, hat er sich jemanden gesucht, an dem er seine Wut ausgelassen hat.

(Zwischenfrage von HK Kühn: Wie oft kam das vor?)

Immer wieder mal. Es konnte erstaunlich lange dauern, bis ihm die Sicherungen durchbrannten. Aber wenn es so weit war, zogen wir nur noch die Köpfe ein. Es gab Methoden, um ihn zu beruhigen. Ich will nicht unbedingt sagen, dass wir damit anderen Leuten das Leben gerettet haben, aber wir haben uns zumindest bemüht, dass es nicht zu arg wurde. Dann hat eben einer von uns das Opfer gestiefelt. Oder wir haben gesagt, einer soll liegen bleiben und bloß die Fresse halten, damit Florin die Lust verliert. Oder wir haben ihn abgelenkt, bevor er auf jemanden wütend wurde. Das war Arbeit. Wenn man mit Florin im Urlaub auf Mallorca war, konnte es sein, dass man vom Aufstehen bis zum Ins-Bett-Gehen praktisch nichts anderes machte, als dauernd diese Zeitbombe zu pflegen. Ich meine, klar, wir hatten total viel Spaß, wir hingen am Pool rum, fuhren mit den Jeeps der Familie über die Insel, aßen in Restaurants, und Claus bezahlte alles. Manchmal blieb es dabei ruhig, manchmal nicht. Man musste höllisch aufpassen. Und wenn etwas passierte, wurde es so geregelt, dass niemandem ein Schaden entstand.

(Zwischenfrage HK Kühn: Wie meinen Sie das? Was für ein Schaden?)

Wenn Florin in einem Restaurant den Tisch abdeckte und sämtliche Gläser und Teller zertrümmerte, gaben ich oder einer der anderen dem Personal eine Visitenkarte von Claus. Ich habe immer noch einen ganzen Stapel davon. Die riefen dann dort an, nannten eine Summe, und Claus zahlte, ohne irgendwas zu überprüfen. Deshalb fanden wir es auch okay. Die van Hautens hatten einen Deal mit der Welt: Was immer sie auch anstellten, sie bezahlten dafür. Und im Grunde galt das auch für Florins Freunde.

(Zwischenfrage von OK Steierer: Aber es muss Ihnen doch aufgegangen sein, dass Florin schwer verhaltensgestört war. Haben Sie das nie unter Ihren Freunden thematisiert?)

Nein, das war kein Thema, weil es für uns so normal war. Und weil die ganze Familie einfach perfekt darin war, einen riesigen dicken Teppich über alles zu legen. Das war fantastisch. Sie sprachen nicht darüber, wir sprachen nicht darüber. Auch wenn es bei der einen Sache mit dem Mädchen schon grenzwertig war.

(Zwischenfrage HK Kühn: Möchten Sie uns davon erzählen?)

Ja, ich erzähle alles. Es ist jetzt auch egal. Das war auch auf Mallorca. Vor zwei Jahren. Wir haben seinen Geburtstag gefeiert und waren zu diesem Zeitpunkt schon seit drei Wochen auf der Insel. Es hatte da noch keiner einen Führerschein, und wir hatten so ein bisschen Lagerkoller. Seine Eltern waren nicht da, die hatten uns mit dem Personal alleine gelassen. Und die ganze Zeit sprang dort auch der Sohn des Gärtners mit rum, so ein kleiner Spanier. Der war ganz nett. Florin hielt ihn sich wie so ein Tamagotchie. Er wurde angezogen und abgefüllt und mitgeschleppt. Über eine Woche lang. Schließlich musste ich mir sogar ein Bett mit dem teilen. Der Gärtner fand das, glaube ich, nicht so gut, dass wir seinen Sohn da integriert haben, aber der sollte sein Maul halten und die Blumen gießen. Und sein Sohnemann saß derweil auf der Terrasse und trank morgens Sangria. Florin hat sich wahnsinnig darüber amüsiert. Und dann haben wir für seinen Geburtstag geplant. Da hat der Spanier, ich glaube, er hieß Sano, jedenfalls wurde er so genannt; der Sano hat gesagt, er hätte noch eine Schwester, und ob die auch kommen dürfe. Und da war Florin total begeistert und hat gesagt, sie soll noch ein paar Freundinnen mitbringen.

Hat sie auch gemacht. Die kamen dann abends zu sechst oder siebt, und Florin hat plopplopplopp die Flaschen aufgemacht. Aber die Party kam nicht richtig in Schwung. Ich meine, wir waren so sechzehn und die Mädchen zum Teil noch jünger. Da ist man noch nicht so gut darin, auf elegante Partyposse zu machen. Außer Florin. Der war völlig aufgepusht, und wir waren ihm zu lahm. Wir sind ihm deswegen alle auf den Sack gegangen. Keiner hat getanzt. Alle haben nur so rumgehangen. Er wollte aber, dass es so ist wie bei einem Hip-Hop-Video: geile Hasen am Pool und alle mit Bling-Bling um den Hals, und er ist der große MC. Schließlich hat er dann angefangen, Koks auszugeben, da wusste man immer schon, jetzt wird es anstrengend. Ich mag das auch nicht besonders. MDMA finde ich okay, sogar Speed finde ich irgendwie okayer als Koks, auch wenn Speed hirnloser Pennerdreck ist. Florin ging jedenfalls mit Marschierpulver total ab. Er war auf Koks, seit er vierzehn war. Hat er mir mal erzählt. Ist ja auch egal.

Er nahm was und wollte, dass wir mitmachen, aber keiner hatte Lust, denn wir wussten ja, dass wir auf ihn aufpassen mussten. Er wurde immer aufgedrehter und aggressiver. Gregor und ich haben dann angefangen, ein paar von den Chicks ins Wasser zu schmeißen, um ihn bei Laune zu halten. Das klappte auch erst. Er hat dann mit Würstchen nach ihnen geworfen und eine ziemlich brillante Tanzeinlage gebracht. Und dann hat er die Schwester von diesem Sano entdeckt. Die war höchstens vierzehn und hielt sich eher so am Rand auf. Sie hatte auch keinen Bikini an, sondern Hotpants und ein T-Shirt. Ein total schüchternes Mädchen war das. Er ist zu ihr hin und wollte mit ihr tanzen, aber sie wollte nicht. Also hat er sie am Arm genommen und rund um den Pool gezerrt. Am Kopfende des Pools hat er dann angefangen zu tanzen, wir standen gegenüber, zwanzig Meter entfernt, und sahen ihm zu. Und das Mädchen hat ganz vorsichtig mitgemacht. Er hat sie angeschrien, sie solle sexy sein. Immer wieder: »Be sexy.« Und sie hat sich auch bemüht, aber es sah kein bisschen sexy aus. Die hatte einfach panische Angst vor Florin. Ihrem Bruder hat es dann gereicht. Er ist um den Pool und wollte sie da wegholen. Da hat Florin ihm ansatzlos die Wodkaflasche auf den Kopf geschlagen, die er gerade in der Hand hatte. Sano ist ins Wasser gefallen und hat geblutet wie Sau. Florin hat sich das Mädchen geschnappt und ist mit ihr ins Haus gegangen. Er hatte es nicht einmal eilig. Wir haben gewartet, bis er weg war und Sano aus dem Wasser gezogen. Der war natürlich völlig aufgebracht, hat von Polizei geredet und war kaum zu bändigen. Der wollte seine Schwester aus dem Haus holen, er war ja verantwortlich für sie, er hatte sie ja mitgebracht. Wir haben immer wieder gesagt, er solle sich beruhigen. Florin hat das Mädchen dann vergewaltigt. Nehme ich jedenfalls an. Ich war ja nicht dabei. Aber sie hat geschrien. Wir haben draußen die Musik aufgedreht und getrunken. Den Sano haben wir in die Küche gebracht und ein bisschen verarztet. Wir haben ihn dann festgehalten und waren alle in Panik, weil wir nicht wussten, was mit dem Mädchen ist und wie wir mit Sano umgehen sollten. Wir gingen dann wieder mit ihm in den Garten und haben auf ihn eingeredet, dass alles cool wird. Schließlich kam Florin wieder raus. Er war frisch geduscht und wahnsinnig nett. Er sah super aus, das weiß ich noch. Es war ungefähr vier Uhr nachts, und er trug frische weiße Hosen, Tod's Loafers und ein hellblaues Hemd. Er roch nach diesem Givenchy-Duft, den er immer hatte, wenn er besonders gut gelaunt war. Und dann sagte er zu Sano, seine Schwester warte schon auf ihn im Taxi.

Der lief sofort los und ich hinterher, denn ich wollte ihm eine Karte von Claus geben, um die Unannehmlichkeiten zu bezahlen. Sano öffnete die hintere Tür des Taxis, und ich sah seine kleine Schwester auf der Rückbank sitzen. Sie hat aus der Nase und aus dem Mund geblutet, ihr Kajal war völlig verschmiert, und sie weinte. Sie zitterte total, und ich wusste nicht, was ich sagen sollte. Also habe ich Sano einfach nur die Karte in die Hand gedrückt, und das Taxi fuhr los. Das war das erste Mal, dass ich dachte, es reicht. Vorher fand ich immer irgendeine Form von Rechtfertigung. Ich mag ja seine Eltern noch immer. Und Julia auch. Und sogar manchmal ihn. Aber das ging zu weit. Die anderen haben das Mädchen nicht gesehen, mit denen konnte ich auch nicht darüber reden. Gerade Darian und Gregor waren vollkommen von Florin abhängig. Die hätten wer weiß was unternommen, um ihr Leben mit ihm weiterzuleben. Aber nach dem Mädchen war für mich irgendwie ein Riss drin. Der Gärtner hat übrigens direkt am nächsten Tag bei Claus angerufen. Er hat aber nicht so reagiert, wie die van Hautens das gewohnt waren. Normalerweise haben sie dann erzählt, ihr Sohn sei krank, ein verirrtes Schaf oder so was. Und dann boten sie Geld an. Aber bei dem Gärtner war es damit nicht getan. Soviel ich weiß, finanzieren sie dem Mädchen eine psychiatrische Behandlung und dem Sano eine Ausbildung. Und dem Gärtner seine Gärtnerei. Der kann sich jetzt vor Kunden nicht mehr retten. Sämtliche Freunde von den van Hautens beschäftigen den. Der hat jetzt zwölf Angestellte. Hat Gregor mir erzählt, und der weiß es von Claus.

(Bemerkung OK Steierer: Das sind sehr schwerwiegende Anschuldigungen, die Sie da formulieren. Würden Ihre Freunde Darian und Gregor diese Vorgänge bezeugen?)

Weiß ich nicht. Ist mir auch egal. Es war so, und sie waren dabei. Wir waren alle dabei und haben mitbekommen, was da lief. Als wir aus Mallorca wieder zurück waren, bin ich auch erst einmal nicht mehr zu Florin gegangen. Mir war das alles zu strange.

(Bemerkung HK Kühn: Aber irgendwann eben doch wieder. Die Faszination war zu stark, oder?)

Ich war eigentlich davon los. Aber dann hat Claus mich angerufen. Höchstpersönlich. Er hat gesagt, dass sie traurig wären, dass ich gar nicht mehr komme. Und dass Julia und Florin gar nicht genau wüssten, was los ist, und er würde sich sozusagen als Vermittler zur Verfügung stellen. Im Nachhinein war das natürlich auch nur wieder ein Trick.

(Frage HK Kühn: Wie meinen Sie das?)

Die haben halt Druck gemacht. Wenn ich da war und mit ihnen und so, dann hatten sie die Situation unter Kontrolle. Aber wenn ich nicht mehr kam, dann hätte es ja auch sein können, dass ich zur Polizei gehe oder mit irgendwem über die Sachen rede. Und ich glaube, sie wollten rausbekommen, ob sie mir noch vertrauen konnten. Claus war nervös und hat mich eingeladen, von den alten Zeiten geschwärmt und gesagt, Florin hätte ein Geschenk für mich, zum Geburtstag. Und dann bin ich halt wieder hin. Sie waren wahnsinnig lieb zu mir, alle. Und Florin schenkte mir einen Segway. Er hatte auch einen, und wir sind damit durch halb Grünwald gekurvt. Es war alles wie früher, und einmal sagte er zu mir, er hätte sich besser im Griff. Und wenn wir alle vernünftig wären, würde niemandem etwas passieren.

(Zwischenfrage OK Steierer: War das als Drohung gemeint?)

Damals habe ich das gar nicht so verstanden, aber heute glaube ich, dass es so gemeint war. Ja.

(Zwischenfrage HK Kühn: Darf ich mal ganz kurz eine Sache dazwischenfragen. Welche Rolle spielten eigentlich Elfie und Julia van Hauten bei der ganzen Sache?)

Bei Julia war es so, dass jeder ständig versucht hat, sie von allem fernzuhalten. Sie war ja auch jünger und bekam sowieso nicht alles mit. Sie war auch damals nicht mit auf Malle. Oder bei der Sache auf der Wiesn. Ich weiß nicht, wie viel sie wusste oder ob sie ahnte, was mit Florin los ist. Claus hat jedenfalls alles getan, um sie vor der Bosheit ihres Bruders zu beschützen. Ich glaube, das war ein wahnsinniger Stress für die, auch wenn ich nicht glaube, dass Florin ihr etwas angetan hätte. Das nicht.

(Zwischenfrage HK Kühn: Und was war mit der Mutter?)

Bei Elfie, wie soll ich sagen, die wusste das, aber die war komplett verrückt mit diesem Sozialdings. Mit ihren Asikindern und ihren Charity-Events und diesem Zeug. Mir kam das so vor, als würde die da wahnsinnig zurückzahlen. Ich möchte auch noch mal sagen: Das sind total gute Leute. Die sind absolut nicht hinterhältig oder böse. Die sind nur, na ja, auf ihre Weise komplett durchgedreht. Und das liegt an Florin. Ich meine, ich kenne den gerade mal knapp drei Jahre, aber der ist ja schon viel länger auf der Welt. Ich meine, der war ja wahrscheinlich schon so, als er klein war. Und die haben im Grunde die Gesellschaft vor dem beschützt. Und ihn vor sich selber. Und sich selber vor ihm. Das ist ein Vollzeitjob, und ich weiß, wovon ich da rede.

(Frage von HK Kühn: Okay. Ich verstehe. Außerdem ist das natürlich nicht Ihre Aufgabe, über die Beziehungen innerhalb der Familie van Hauten zu mutmaßen. Kommen wir jetzt mal zum vergangenen Dienstag. Das war der 24. September. Da haben Sie Amir zum letzten Mal gesehen, richtig?)

(Hinweis von RA Schlott: Können wir hier bitte eine Pause einlegen? Mein Mandant braucht eine Pause, um sich zu sammeln.)

(HK Kühn: Unterbrechung der Vernehmung um 17:12 Uhr.)

(HK Kühn: Wiederaufnahme der Vernehmung Tobias Hufnagl, 17:46 Uhr. Herr Hufnagl, geht's wieder? Gut. Also. Der 24. September.)

Also. Am letzten Dienstag waren wir bei van Hautens. Es war noch mal schönes Wetter, »Indian Summer« sagt Claus immer dazu. Wir waren vielleicht acht oder neun Leute.

(Zwischenfrage OK Steierer: Wer war denn alles da?)

Julia und Amir, dann natürlich Florin, Gregor und Hannah, Max, Darian und Josefine, glaube ich. Max ging als Erster nach Hause, das war gegen zehn. Er sagte, dass er noch etwas für die Schule machen müsse, aber ich glaube, dass er einfach die Vibes richtig gelesen hatte.

(Zwischenfrage OK Steierer: Was meinen Sie damit, er hat die Vibes richtig gelesen?)

Er hat einfach gespürt, dass etwas in der Luft lag. Es hatte mit Florin und Amir zu tun. Ich hatte schon bei ein paar anderen Gelegenheiten den Eindruck, dass Florin die Lust an Amir verlor. Er machte spitze Bemerkungen. Und wir anderen Jungs merkten, dass sich etwas zusammenbraute. Wir waren echt in Alarmbereitschaft. An diesem Abend wurde es immer schlimmer. Das fing mit diesem beschissenen Bild an.

(Zwischenfrage HK Kühn: Sie meinen das Bruce-Lee-Bild, das Amir für Julia mitbrachte?)

Ganz genau. Sie sind gut informiert. Er kam also mit diesem krass bescheuerten Bild angewackelt und war total stolz drauf. Er erzählte auch noch, dass er es in der Goethestraße in so einem Türkenshop runtergehandelt hätte, als wollte das irgendwer wissen. Er schenkte es Julia, und die reagierte sehr süß darauf. Obwohl sie das Ding natürlich genauso grottig fand wie wir alle. Es war irgendwie peinlich. Verstehen Sie? Wie bei den Simpsons, wo Homer zur Hochzeit seiner Tochter Schweinchen-Manschetten anziehen will. Egal. Jedenfalls merkte Amir gar nichts davon. Und Florin war gereizt. Der Typ ging ihm auf die Eier. Es nervte ihn, dass Amir quasi unter Schutz stand.

(Zwischenfrage HK Kühn: Was meinen Sie mit »unter Schutz stand«?)

Na ja, Amir war ja immerhin Julias Freund. Er war nicht so ein Toy-Boy, so ein Spielzeug, wie dieser Junge damals auf Mallorca. Und Claus passte auch wahnsinnig auf. Florin kam sozusagen nicht in Schlagdistanz. Wir anderen haben gemerkt, wie ihn das mit der Zeit immer mehr störte. Was auch daran lag, dass Amir langsam frech wurde.

(Zwischenfrage OK Steierer: Wie, frech?)

Na ja, er wurde selbstsicherer mit der Zeit. Nach dem Urlaub gehörte er für die Eltern richtig dazu. Und da hatte er dann auch manchmal eine eigene Meinung. Gregor, Max, Darian oder ich, also der harte Kern, wir wussten natürlich, dass das bei Florin nicht so ankam. Wir verhielten uns auch danach. Aber Amir, der Idiot, plapperte einfach drauflos. Er merkte gar nicht, wie gefährlich das für ihn wurde. Oder er hat gedacht, Claus beschützt ihn schon. Oder Julia. Aber am ehesten denke ich, dass er überhaupt keinen Schimmer davon hatte, was er da in Florin an Wut auslöste. Und an dem Abend eskalierte es dann so langsam. Eigentlich war Amir sogar ein bisschen selber dran schuld.

(Zwischenfrage HK Kühn: Inwiefern war er daran schuld?)

Das war auch wieder wegen diesem Bild. Da war ja dieser Kampfsport-Vogel drauf, Jackie Chan oder so.

(Zwischenbemerkung OK Steierer: Bruce Lee.)

Oder so. Ist ja auch egal. Auf jeden Fall faselt Amir irgendwas von den krassen Moves von diesem Typen. Und dass er die draufhat. Und Florin ist so ein bisschen angriffslustig und stichelt rum und provoziert Amir auch ein bisschen. Dass er ein Möchtegern-Gangsta sei. Und dass er wahrscheinlich gar nichts könne und nur dumm rumlabert. Aber der Amir lässt sich nicht drauf ein. Er bleibt locker und freundlich, und dabei weiß jeder, dass er schon mal wegen Körperverletzung dran war. Amir hat es uns selber erzählt. Er sitzt so zwischen uns und lacht und hat offensichtlich keine Lust, sich zu prügeln. Aber Florin hört nicht auf. Er haut Amir immer wieder auf den Arm und sagt, er solle sich wehren. Dabei macht Florin so auf asiatische Kampfkunst und schreit »Ha!« und »Hoo«, eigentlich total affig. Die Mädchen haben sich kaputtgelacht und Amir auch. Die haben ja auch alle nicht kapiert, was sich da in Florin entwickelte. Max ist dann irgendwann abgehauen, und Darian, Gregor und ich hatten Florin alleine an der Backe.

(Zwischenbemerkung OK Steierer: Sie hätten Amir einfach unter einem Vorwand beiseitenehmen und einweihen können.)

Wenn ich dem gesagt hätte, Kumpel, du spielst hier mit deinem Leben, mach, dass du wegkommst, das hätte der mir nie geglaubt. Außerdem wäre Florin dann auf mich sauer gewesen, und dazu hatte ich keine Lust. Wir dachten, wir hätten ihn im Griff. Und die Mädchen waren ja auch noch da. Florin hätte Amir niemals etwas getan, solange Julia dabei war. Er hat jedenfalls dann so rumgepost, und Amir sollte ihm mal ein paar Moves zeigen. Und irgendwann ist der dann aufgestanden und hat so eine Kampfstellung eingenommen. Sah auch richtig echt aus, besonders weil die van Hautens doch so einen japanischen Garten haben. Florin hat sich ihm gegenübergestellt. Und plötzlich hat der Amir eine leichte Backpfeife von Florin bekommen. Amir hat gar nicht damit gerechnet, für den war das ja alles noch Spaß. Aber plötzlich hat sich Amir blitzschnell gedreht, den Oberkörper eingeknickt und Florin volle Pulle vor die Brust getreten. So schnell konnte der gar nicht gucken. Das hat ungefähr eine Tausendstelsekunde gedauert, und Amir stand sofort wieder in dieser Ausgangsstellung. Er hat nicht mehr gelächelt. Er war voll da, und ich glaube, wenn Amir gewollt hätte, dann hätte er den Florin plattgemacht. Florin ist zwei oder drei Schritte rückwärts gegangen, aber nicht gefallen. Er konnte für einen Moment nicht atmen. Und er war überrascht. Die Mädchen haben applaudiert, und Amir hat sich vor ihnen verbeugt. Dann ist er zu Florin und hat sich entschuldigt. Es hat ihm sofort leidgetan. Florin hat das alles so weggewischt, aber ich habe gespürt, dass Amir sich damit das Urteil selber unterschrieben hat. Gregor und ich haben uns angesehen, und wir wussten, dass wir jetzt sozusagen Notdienst hatten. Aber erst einmal hat sich Florin gar nichts anmerken lassen, im Gegenteil. Er war ganz locker, und der Abend war ja auch schön. Aber ich habe gesehen, wie Florin alle paar Minuten zu Amir rübergeguckt hat. Er kam mir vor wie das Krokodil in dem Tierfilm neulich.

(Zwischenfrage HK Kühn: Klären Sie uns auf, was war mit dem Krokodil?)

Es gibt ein Wasserloch in Tansania oder so. Da kommen die Gnus hin, um zu trinken. Die Gnus stellen sich nicht ins Wasser rein, weil sie wissen, dass Krokodile drin sind. Sie stellen sich ganz dicht davor, ihre Köpfe ragen also höchstens mal dreißig Zentimeter weit über das Wasserloch. Und dieses Wasser ist trübe, man kann nicht hineinsehen. Sie trinken also eine Weile dieses dreckige Wasser. Und auf einmal schießt das riesige aufgeklappte Maul von diesem Hammer-Krokodil aus dem Wasser. Es hat die ganze Zeit in dem seichten Wasser direkt vor den Gnus gelegen, so richtig zwei Zentimeter vor dem Gnukopf sozusagen. Und sie haben es einfach nicht bemerkt. Das Krokodil hat sie das Wasser trinken lassen und sie in dem Glauben gelassen, dass alles dufte ist. Dabei hat es direkt vor ihnen auf den richtigen Moment gewartet. So kam mir das mit Amir vor.

(Zwischenfrage HK Kühn: Wo würden Sie sich in diesem Bild selber einordnen, bei den Gnus oder bei den Krokodilen?)

Ich habe gesehen, was das Krokodil im Film mit dem Gnu veranstaltet hat. Und wir hatten uns schon lange vorher dazu entschlossen, lieber mit dem Krokodil zu schwimmen, als mit den Gnus zu leiden. Ich meine: Wollen Sie gefressen werden oder fressen? Na also. Trotzdem haben wir wirklich alles versucht, um Florin von seinem Trip abzubringen. Aber er wurde langsam irre. Und zu seinem Spiel gehörte auch, dass er genau wusste, dass wir wussten, dass Amir dran war. Ich habe dann einen Notruf bei Elfie abgesetzt. Claus war auf Geschäftsreise und Elfie bei irgendeiner Veranstaltung. Ich habe ihr auf die Mailbox gesprochen, dass sie entweder nach Hause kommen oder Florin anrufen sollte. Ihm sagen, dass sie gleich heimkäme, ihn beruhigen, irgendwas in der Art. Aber sie rief nicht an.

Irgendwann habe ich mit Gregor angefangen, den Kühlschrank leer zu räumen, damit keine Getränke mehr da waren und es langweilig wurde. Wir wollten, dass sich langsam alle verabschieden. Besonders Amir. Ich war dann total erleichtert, als er irgendwann gesagt hat, dass er nach Hause wolle. Er hat geguckt, welche Tram noch fuhr, und dann haben wir uns verabschiedet. Jeder von uns hat ihn so bromäßig umarmt, auch Florin. Dann ist er los, und Gregor, Darian und mir ist ein riesiger Felsen vom Herz gefallen. Wir dachten nur so: gerettet. Julia ist dann auch ins Bett, und wir haben auf der Terrasse rumgesessen. Aber Florin gab keine Ruhe. Er fing wieder an, so hin und her zu tigern, er schwitzte, das war auch kein gutes Zeichen. Er redete wirres Zeug. Dass Amir ein kleiner Scheißer sei, dass er ihn getreten habe, dass es dafür Vergeltung geben müsse, dass er ihn fertigmachen müsse, lauter so Zeug. Und zum ersten Mal hatte ich den Gedanken, wenn es jetzt nicht Amir trifft, dann ist einer von uns dran. Und das Absurde war: Wenn er Gregor und mich aufgefordert hätte, Darian für ihn festzuhalten, wir hätten es gemacht. Oder Gregor und Darian hätten mich festgehalten. Oder Darian und ich Gregor. Das war so pervers. Wir wussten das alle. Es war nur eine Frage der Zeit. Und ich weiß deshalb nicht mehr, wer von uns es gesagt hat, aber irgendeiner hat es halt gesagt: »Wir können ja mal gucken, wo der abgeblieben ist.« Da war Amir vielleicht zwanzig Minuten weg oder eine knappe halbe Stunde, so was in der Art. Einerseits hoffte ich für ihn, dass er einfach längst in der Straßenbahn saß und nach Hause tuckerte. Andererseits hatte das alles plötzlich so eine Dynamik. Und Darian fand das auch ganz geil, glaube ich. Der war sowieso immer ein bisschen gegen Amir, wegen Julia. Er war da immer eifersüchtig, weil er letztes Jahr mal die Hände unter ihrem T-Shirt hatte und gerne auch so eine Art van-Hauten-Adoptivsohn gewesen wäre. Das war aber nun Amir, und das hat ihm nicht gepasst. Vielleicht war er es, der den Startschuss gegeben hat. Jedenfalls haben wir die Handys ausgemacht und sind rein in Florins Mini.

(Zwischenfrage HK Kühn: Warum haben Sie die Handys ausgemacht? Das war sehr umsichtig von Ihnen. Wer hat daran gedacht?)

Wir alle. Wir haben das immer so gemacht, wenn Florin durchdrehte. Claus hat es uns mal gesagt, und wir haben uns immer dran gehalten. Das war so selbstverständlich, wie wenn man ins Theater geht. Wenn die Vorstellung beginnt, muss das Handy aus sein.

(Zwischenfrage HK Kühn: War Ihnen klar, warum Claus Ihnen das eingeschärft hat?)

Ich denke, es war wegen Ermittlungen und so. Damit man nicht beweisen kann, dass einer von uns irgendwo war. Richtig?

(Zwischenfrage HK Kühn: Ja. Wie ging es weiter?)

Gregor ist gefahren, weil er nicht so besoffen war wie wir anderen. Florin saß neben ihm. Wir haben die Straßen abgefahren. Erst sind wir zum Derbolfinger Platz, das war ja naheliegend, weil die Tram dort abfährt. Aber da war er nicht. Gregor ist ausgestiegen und hat den Fahrplan angeguckt. Die letzte Bahn war schon weg, als Amir bei uns losging. Er musste also bis Großhesselohe laufen, weil da noch die andere Linie abfährt. Wir dachten also, der ist irgendwo auf dem Weg zwischen uns und Großhesselohe. Gregor ist dann wie ein Geistesgestörter durch die Wohnstraßen geballert, hat gewendet, andere Richtung und rein in die Seitenstraßen, kreuz und quer. Ich dachte, wenn das noch lange so weitergeht, dann muss Amir sicher nicht dran glauben, sondern wir. Und nach zehn Minuten haben wir ihn dann laufen sehen. Da war er so zwischen dem Bavaria-Gelände und der Haltstelle, in diesem Niemandsland.

Gregor hat gebremst, und Florin hat die Scheibe an der Beifahrerseite runtergelassen und total fröhlich gerufen: »Alder, was geht?« Amir hat sich gefreut, dass wir da waren. Wir sind dann ganz langsam neben ihm hergefahren, und er hat aus Spaß versucht, sich durch das Beifahrerfenster reinzuquetschen. Irgendwann sind wir dann bei dem Kiosk an der Haltestelle angekommen, und wir sind alle ausgestiegen. Wir haben dann so rumgeflachst und gelacht und noch eine geraucht, und ich dachte die ganze Zeit: Wenn die Bahn kommt, schubse ich ihn einfach rein. Und die Bahn kam dann auch gleich, aber Florin hat so gesagt: »Komm, lass uns noch was machen, wir fahren dich auch in die Stadt«, zu fünft im Mini, was für krasser Shit. Amir wollte aber in die Bahn einsteigen, er war hin- und hergerissen, ich glaube, der hatte schon einen Fuß in der Tür. Da war auch noch so ein Typ, der hat die Tür aufgehalten, aber dann hat der Fahrer vorne geklingelt, damit er die Lichtschranke frei macht. Und Florin hat diesen Typen angeschnauzt, er soll sich von der Tür verpissen, und das hat er dann auch gemacht, und die Bahn ist abgefahren. Den müssen Sie finden, der kann bezeugen, was ich hier sage.

(Zwischenbemerkung OK Steierer: Den haben wir schon gefunden.)

Ah. Gut, das ist gut. Okay. Jedenfalls war die Bahn dann weg, und außer uns war da keine Menschenseele, und Florin hat wieder von dieser Kung-Fu-Scheiße angefangen. Amir hat gesagt, dass es ihm leidtun würde, dass er ihn getreten hat. Und da hat Florin gesagt, es würde ihm nicht leid genug tun. Er hat uns angesehen, und wir wussten, was er wollte. Er wäre ja nicht mit Amir fertiggeworden in einem fairen Kampf. Er hat uns zugenickt, und wir haben Amir gepackt. Der war völlig überrascht. Wir haben ihm die Arme verdreht, und dann hat Florin etwas aus seiner Hosentasche geholt.

(Zwischenbemerkung HK Kühn: Was war das?)

Das weiß ich nicht, es war zu dunkel. Vielleicht etwas aus dem Werkzeugkasten von den van Hautens, es war aus Metall, aber ich habe einfach nicht gesehen, was es war. Es ging auch so schnell. Amir hat völlig erschreckt geguckt. Und dann hat Florin damit zugeschlagen. Mit voller Wucht. Und noch einmal und noch mal. Ich habe nicht hingesehen, ich habe so seitlich weggeguckt, auch weil ich das Blut nicht im Gesicht haben wollte. Aber Florin wollte das. Der war völlig in einer anderen Welt.

(Zwischenbemerkung OK Steierer: Wie oft hat er zugeschlagen?)

Weiß ich nicht. Oft. Immer mit diesem Ding ins Gesicht, gegen den Kopf, auf die Ohren. Das ging mindestens zwei Minuten so.

Darian hat ihn auch noch angefeuert. Gregor hat dann losgelassen und ich auch, weil Amir sich da sowieso nicht mehr gewehrt hätte. Darian hat ihn auf so einen Sessel geschubst, und Amir ist mit dem Hinterkopf gegen die Scheibe geknallt und runtergesunken. Darian hat ihm dann auch noch ein paar verpasst. Dann hat Florin Anlauf genommen und ihn gegen die Brust getreten. Er hat Kung-Fu-Geräusche gemacht und diese zackigen Kampfstellungen eingenommen. Dann hat er wieder auf ihn eingeschlagen. Abwechselnd mit Darian. Der hat sich zwischendurch eine Zigarette angemacht. Irgendwann hat Amir nicht mehr reagiert, und Darian hat ihm die Zigarette auf den Arm gedrückt, und Amir hat sich wieder bewegt.

(Zwischenfrage OK Steierer: Was haben Gregor und Sie gemacht?)

Wir haben mehr oder weniger Wache gestanden. Wir haben ihn nicht geschlagen und nicht getreten. Mir war wahnsinnig schlecht, ich habe die ganze Zeit gedacht, ich müsste kotzen. Aber ich wollte Florin nicht ärgern. Der war total mit Amir beschäftigt. Ich habe die ganze Zeit gehofft, dass wir endlich abhauen können.

(Zwischenfrage HK Kühn: Haben Sie etwas unternommen, um Amir zu retten?)

Nicht direkt, wie denn auch. Aber ich habe irgendwann zu Florin gesagt, dass wir abhauen müssten, bevor die nächste Bahn kommen würde. Und das hat er auch gehört.

Amir ist dann wie in Zeitlupe von dem Sitz runtergerutscht. Wie eine Pizza, wenn man sie an die Wand klatscht. Florin fand das lustig. Er hat über Amir gestanden und wirres Zeug gerufen: »So. Du Asi. Du willst meine Schwester ficken? Und meine Mutter vielleicht auch noch? Und meinen Vater? Du hast dich jetzt lange genug bei uns reingezeckt. Jetzt bekommst du die Rechnung, du Penner.« Da war so ein Hass und so eine Energie. Der Florin hat von innen geglüht, und Amir war irgendwie schon ganz erloschen. Der war da ohnmächtig. Das hat Florin auch wieder wütend gemacht. Amir lag auf der Seite, Florin hat dann Anlauf genommen und Amir in den Bauch getreten. Der ist fast auseinandergeflogen, aber er hat nicht mehr reagiert, nur mit dem Kopf gewackelt, ein bisschen. Und da ist Florin noch mal zurück und tritt mit dem Schuh auf Amirs Kopf. Ich dachte, der ist tot. Gregor hat angefangen zu weinen hinter mir. Darian war in dem Moment auch schockiert, aber er hat trotzdem gesagt, vielleicht kriegen wir ihn noch einmal wach. Florin hat sich zu uns umgedreht. Er hatte so Spuckereste im Mundwinkel und sah vollkommen krass aus. Er hat gesagt, wir sollen ihm helfen. Ich war so perplex, dass ich das auch gemacht habe. Ich habe geholfen, Amirs Hose runterzuziehen. Dann hat Florin Amirs Feuerzeug aus seiner Hosentasche gefummelt und gesagt: »Wollen wir doch mal sehen, ob das Feuer der Liebe unseren Freund aufwecken kann.« Ich habe nicht hingesehen. Und es hat auch nichts mehr gebracht. Florin hat dann ruhiger geatmet und ausgespuckt. Er hat dieses blutige Ding wieder in seine Hosentasche gestopft. Dann hat er gesagt, wir würden einen Abflug machen. Er ist mit Darian zum Auto gegangen. Amir lag da ganz verdreht, und ich dachte, der ist tot.

(Zwischenbemerkung HK Kühn: Wie die Ratte.)

Wie bitte?

(Zwischenbemerkung HK Kühn: Entschuldigung. Ich habe nur laut gedacht. Es hat mich an etwas erinnert. Bitte fahren Sie fort.)

Ich habe ihm dann mit Gregor die Hose hochgezogen, und wir haben ihn in diesen Sessel gesetzt. Ich dachte irgendwie, wenn er doch noch aufwacht, dann fühlt er sich vielleicht nicht ganz so scheiße. Gregor hat die ganze Zeit geweint, und mir war so schwindlig, dass ich kaum gehen konnte. Dann sind wir wieder zu Florin gefahren, und jeder ist von da nach Hause.

(Zwischenfrage HK Kühn: Das hat Sie bestimmt sehr belastet, richtig?)

Ich kann seitdem nicht mehr schlafen. Ich bin froh, dass ich das jetzt gesagt habe. Und außerdem kann mir ja nicht so viel passieren, sagen meine Eltern. Und Claus hat das gestern auch gesagt und mein Anwalt.

(Zwischenfrage OK Steierer: Wie meinen Sie das, es kann Ihnen nicht so viel passieren?)

Na ja, ich werde ja nach Jugendstrafrecht beurteilt. Wissen Sie, in gewissem Sinne bin ich unberührbar. Und ich habe nicht viel gemacht. Und ich habe einen Deal mit den van Hautens.

(Zwischenfrage OK Steierer: Was denn für einen Deal?)

Ich werde es nicht schlechter haben als vorher. Es ist jetzt eine Krise, aber dann geht es einfach weiter.

(Zwischenbemerkung HK Kühn: Jedenfalls wenn Sie eines Tages wieder schlafen können. Sonst geht es nicht so einfach weiter.)

Können wir jetzt aufhören? Ich kann nicht mehr.

(Frage HK Kühn: Mochten Sie Amir Bilal?)

Was heißt ›mögen‹. Ja, schon. Er war halt einfach da. Können wir jetzt aufhören? Ich möchte jetzt nicht mehr weiter. Ich kann jetzt nicht mehr.

(Bemerkung von HK Kühn: Okay. Das reicht jetzt auch. Sie haben sich gut gehalten. Wir stoppen jetzt hier mal das Ba)

Aufnahme Ende.

15. AM ENDE

Die Beamten, die im Haus der van Hautens alles auf den Kopf stellten, um Indizien und Hinweise auf Florins Tat und seinen Verbleib zu finden, waren schon eine Stunde am Werk, als Kühn und Steierer das Anwesen betraten.

Vor der Tür auf der Straße parkten gleich fünf Wagen, es war ein großer Einsatz, der niemandem in der Nachbarschaft verborgen bleiben konnte. Während Claus die Polizisten unterstützte und jeden noch so verborgenen Winkel der Villa preisgab, saß Elfie am Esstisch – einem fabelhaften Stück, das ein spanischer Designer entworfen und eine Spezialfirma ins Haus gebracht hatte, was nicht einfach war, weil es zwei Tonnen wog und mit einem Kran von außerhalb des Grundstücks zuerst in den Garten gehoben und dann mit einem Spezialfahrzeug ins Haus an seinen Platz befördert wurde, wo das Ding bis in alle Ewigkeiten stehen würde, was ihm auch seinen Namen eingebracht hatte, nämlich »Eternity« – und trank Verbène-Tee.

Sie war immer noch schön; ihre Trauer über die Tat des einen und die Abwesenheit des anderen Kindes hatten daran nichts geändert. Doch bei aller Disziplin, die sich in der geraden Körperhaltung der Frau spiegelte, sah Kühn auch die Leere in ihrem Gesicht. Nichts von dem Familienglück, das die van Hautens über die Jahre inszeniert hatten, war Wirklichkeit gewesen, und am Ende hatten die ganzen Anstrengungen in die Katastrophe geführt. Elfie van Hauten war, spanischer Esstisch hin, KPM-Tasse her, eine gebrochene Frau. Deshalb störte es Kühn ungemein, dass Steierer zur Begrüßung sagte: »Heute keine Limonade?« Eigentlich störte es Kühn nicht nur, er hätte Steierer dafür gerne eine aufs Maul gehauen. Er setzte sich an den Tisch und fragte: »Sie haben es von Anfang an gewusst, oder?«

Sie sagte nichts, trank nur ihren Tee. Schließlich stellte sie die Tasse ab und sah Kühn in die Augen. »Sie haben doch auch Kinder, oder?« Kühn nickte. »Man liebt sie bedingungslos. Sie sind doch Teil von einem. Und das bleibt so, was immer sie auch anstellen. Was hätten wir denn machen sollen? Ihn erschlagen? Weggeben? Und er hatte auch liebe Seiten, viele davon. Aber von Anfang an auch diese. Ich weiß nicht, wie ich es beschreiben soll. Es war verstörend, ihn so zu sehen.«

»Was heißt, von Anfang an?«, fragte Kühn.

Elfie van Hauten fuhr mit der Außenseite des rechten Daumens über den Tisch und folgte der Maserung des Holzes. Sie atmete tief. Kühn ließ ihr die Zeit. Es ist so furchtbar schwer, die Wahrheit zu sagen, wenn sich die Lüge längst verselbstständigt hat. Kühn ließ ihr die Zeit, während Steierer ungeduldig in den Garten stierte, wo Beamte im Koi-Teich nach Drogen oder Waffen suchten. Sie stellten sich dabei nicht gerade geschickt an, fand Steierer und wartete darauf, dass jemand hineinfiel. Nach einer Weile hatte sich Elfie van Hauten gesammelt und gab sich einen Ruck.

»Florin war schon als kleiner Junge immer auf so eine seltsame Art unruhig. Einerseits ganz lieb, aber man konnte in seinen Augen sehen, wenn er verrückt wurde. Und dann hat er das Kindermädchen gebissen, viele Male. Wir haben ihr natürlich nicht geglaubt. Sie hat uns die Wunden gezeigt, tiefe, böse Wunden, aber wir haben gesagt, unser Kind macht so etwas nicht. Er machte es, wenn sie alleine waren. Immer wieder. Sie war ein sehr gutes Kindermädchen, und wir wollten sie nicht verlieren. Also haben wir ihr mehr Geld gezahlt, als normal gewesen wäre. Das funktionierte eine ganze Weile, aber schließlich ist sie doch gegangen, nachdem Florin ihr ein Stück ihres Ohres abgebissen hatte. Es hat schrecklich geblutet. Sie hat geschrien. Und Florin saß auf seinem Spielteppich und hat ganz ruhig einen Legoturm gebaut und gelächelt. Er war ganz bei sich. Den Mund hatte er sich sorgfältig an seinem Schnuffeltuch abgewischt. Ich habe es gewaschen, wir bekamen ein neues Kindermädchen, es ging von vorne los.«

Sie sah Kühn an, und Tränen stiegen in ihre Augen. Man liebt die Kinder bedingungslos, stand in ihrem Ausdruck geschrieben, und Kühn nickte.

»Erzähl ihnen von Rupert«, sagte Claus, der plötzlich aufgetaucht war und in der Küche stand. Elfie wischte sich die Tränen aus den Augen und sagte: »Das ist sein Cousin, der Sohn meiner Schwester. Einmal waren sie hier zu Besuch. Da war Florin fünf Jahre alt. Rupert ist ein bisschen anders. Sauerstoffmangel bei der Geburt. Er konnte damals laufen und sich auch artikulieren, aber er war ein wenig zurückgeblieben, wie man sagt. Es gab Kuchen. Und die beiden spielten. Dann gingen sie in den Garten. Nadja, also meine Schwester, und ich haben Kaffee getrunken. Es war ein Sommertag. Und dann waren die Kinder weg. Sie sind hinten durch das Gartentor in den Wald. Wir haben das erst nicht bemerkt, und dann machten wir uns aber Sorgen und sind losgegangen, um die beiden zu suchen. Wir haben Rupert nach einer halben Stunde gefunden. Er lag unter einem dichten Strauch, und erst dachte ich, er sei tot. Aber das war er nicht. Er stellte sich nur tot. Er war völlig verängstigt. Und ihm fehlten fünf Zähne. Er war verprügelt worden. Wir suchten Florin überall im Wald. Dabei war er die ganze Zeit in seinem Zimmer. Als wir wieder in den Garten kamen, winkte er aus seinem Fenster. Er kam dann nach unten. Ganz fröhlich und teilnahmsvoll, weil es Rupert so schlecht ging. Mein Kind kann das nicht gewesen sein, dachte ich. Und ich sagte es auch. Aber meine Schwester ist nicht wieder mit Rupert hierhergekommen. Sie sagt, dass Rupert danach nie wieder so war wie vorher. Und wir waren es auch nicht. Ich meine, verstehen Sie: Es war anders als bei den Kindermädchen, weil die dafür bezahlt wurden, ihn auszuhalten. Und ich dachte, er lehnte einfach diese Frauen ab. Aber jetzt sahen wir, dass es gar nicht darum ging, sich gegen Kindermädchen zu wehren. Sondern dass es in ihm war. Und dann passiert so etwas. Sie wissen, dass es Ihr Kind war. Aber es darf es nicht gewesen sein, damit es einfach weitergehen kann. Verstehen Sie?«

»Und seitdem kaufen Sie ihm Freunde, die ihn überwachen, und regeln die Unannehmlichkeiten, wenn es doch mal schiefgeht, verstehe ich das richtig?«, fragte Steierer. »Wie lange hätten Sie denn damit weitergemacht?«

Darauf antwortete Elfie van Hauten nicht mehr. Kühn konnte sich die Antwort auch so denken: Für immer. Eternity. Ihr Sohn war wie dieser komische Tisch.

»Aber wir müssen das jetzt beenden«, sagte Kühn. »Es geht nicht mehr weiter. Sie können ihn nicht mehr beschützen, und die Gesellschaft braucht Schutz vor ihm. Wo ist er?«

Man hatte inzwischen sein Auto gefunden. Es stand in Parkhaus Nummer zwanzig am Münchner Flughafen. Von dort war er nach Dubai geflogen. »Wen kennt er dort? Wo kann er sich verstecken?«

Elfie van Hauten schüttelte den Kopf. Sie wusste es nicht. Und Kühn glaubte ihr.

»Ihre Kollegen hier sagen, dass sie nach Spuren suchen. Was meinen Sie damit«, fragte Claus.

»Seinen Rechner, Briefe, Notizen, Klamotten, die er vielleicht am letzten Dienstag getragen hat.«

»Es war von einem Tatwerkzeug die Rede.«

»Das brauchen wir auch. Aber danach müssen die Kollegen nicht suchen«, sagte Kühn. Er erhob sich und ging zu Claus van Hauten, der mit einem Glas Wasser in der Küche stand. »Haben Sie mal einen Tiefkühlbeutel für mich?«, fragte Kühn. Claus van Hauten öffnete eine Schublade und entnahm ihr einen Plastikbeutel mit Reißverschluss, den er Kühn gab.

»Und jetzt geben Sie mir bitte Ihren Austernhandschuh.«

»Meinen Austernhandschuh?«, fragte Claus verwundert. Dann zog er eine andere Schublade auf. Kühn nahm eine Gabel und hob den Handschuh in die Tüte, die er danach verschloss.

Der Handschuh war ein Requisit gewesen, als Claus seinen Großvater verhöhnt hatte. Und in gewisser Weise war er das Tage zuvor auch schon gewesen, als Florin Amir damit zu Tode geprügelt hatte. Auch Florin hatte seinen Vater damit verhöhnt. Und den Austernhandschuh mit demselben Stolz getragen, den Claus beim Austernöffnen zur Schau gestellt hatte. *Was für ein Bild. Du schlägst deinem Freund Amir damit sämtliche Knochen kaputt, und Tage später trägt dein Vater ihn beim Austernöffnen. Ich habe Euch nebeneinander stehen sehen, und du hast die Zitronen auf die Teller gelegt. Es war etwas in deinem Blick, so etwas Geiles, ich bin sicher, du hast da an die Tat gedacht und daran, dass jeder Gast auch ein winziges bisschen Blut von Amir schluckt. Ich habe es dir angesehen, aber ich habe den Zusammenhang nicht begriffen. Ich habe von dir zu Papa zum Handschuh gesehen, aber nicht dahinter. Also hast du gewonnen. Aber als wir vorhin herfuhren, da war da ein Glitzern zwischen den Bäumen, und ich habe mich an die Sonne am Sonntag erinnert und daran, wie Claus diesen Handschuh anzog, diesen glitzernden Handschuh, von dem Tobi nicht wusste, dass es ein Austernhandschuh war, als du ihn angelegt hast, um Amir die Scheiße aus dem Leib zu prügeln. Das war dein Mordwerkzeug, und als wir eben reinkamen, war es mir einfach klar.* Zu spät. Zu viele Details. Zu viel Ulrike, Prostata und Keller.

Kühn und Steierer verließen das Haus der van Hautens, und als Kühn in Steierers Wagen stieg, dachte er, dass es ihm sehr leidtat um das schöne Leben, das sie ihm vorgespielt hatten.

Hans Globke bot Kühn nie etwas an, obwohl er eine dieser Kaffeekapselmaschinen in seinem Büro stehen hatte. Aber Kühn war es ihm offenbar nicht wert. Dem war das egal, er nahm es höchstens zur Kenntnis wie das Lob des Juristen.

»Es ist nicht Ihre Schuld, dass der Bursche abgehauen ist, bevor Sie ihn verhaften konnten. Künstlerpech, würde ich sagen.«

»Was meinen Sie, wohin er geht? So viele Länder gibt es ja nicht, die nicht ausliefern.« Kühn sah nun doch mit wachsendem Kaffeedurst auf die Maschine.

»Das ist richtig. Und in den meisten davon würde er sich schon bei einer geringen Straftat wünschen, nicht dorthin geflohen zu sein. Im Iran werden Sie für Nichtigkeiten gesteinigt oder ausgepeitscht, in China droht Ihnen ebenfalls die Todesstrafe, dasselbe gilt für gemütliche Ecken in Laos oder Saudi-Arabien. Wenn der Junge schwul ist, sollte er Nigeria, Togo oder Somalia meiden, weil er dafür dort in den Knast ginge. In Myanmar wäre nicht einmal sein Führerschein gültig. Wenn er klug ist, geht er nach Usbekistan, Turkmenistan oder Tadschikistan. Die liefern nicht aus, aber was will man dort. Er wird auftauchen. Und wir werden ihn kriegen. Glauben Sie mir. So, wie der Junge disponiert ist, kann er kaum untertauchen. Er wird Spuren hinterlassen.«

»Hoffentlich keine Blutspuren«, sagte Kühn, der immer wieder daran dachte, wie ausgesucht höflich, wie zuvorkommend und rein ihm der Junge bei ihren zwei Begegnungen erschienen war. Er hatte viel zu spät Verdacht geschöpft. Das hing ihm nach.

»Haben Sie Ihre Arztsache geregelt?«, fragte Globke, den das gar nichts anging.

»Ja, ich war da. Es sind noch Untersuchungen nötig, aber ich gehe es an.«

»Das ist richtig so, das finde ich gut. Sie müssen sich um sich selber kümmern. Es gibt Sie nur einmal.«

Kühn verabschiedete sich vom Staatsanwalt, dann ging er zurück in sein Büro. Er setzte sich an seinen Platz, schob den Kaffee beiseite, den Ulrike Leininger ihm morgens hingestellt hatte, und kramte in seiner Schublade nach dem Zettel mit der Nummer des Facharztes, den ihm der Amtsarzt gegeben hatte. Er zögerte keine Sekunde und rief dort an, um sich einen Termin geben zu lassen. Dann ging er zu Ulrike Leininger und bat sie sehr freundlich, aber mit festem Willen, ihm keinen Kaffee mehr zu bringen. Und bitte weiterhin so eine gute Polizistin zu sein, aber nur das. Keine Kellnerin mehr. Bitte. Danke.

16. SENDLINGER STRASSE

In den letzten Oktobertagen brach der Winter herein. Gerade noch hatte man draußen gesessen, in manchen Gärten der Tetris-Siedlung qualmten die Grills gegen das Ende der Saison an, Kühn und seine Nachbarn hatten noch einmal den Rasen gemäht oder Ausflüge in die Berge unternommen und das eine oder das andere mit Sonnenbränden auf dem Nacken bezahlt. Noch bis in die dritte Oktoberwoche hinein schien die schwächer werdende Sonne, dann hatte es einen Sturm gegeben und einen Wetterumschwung, und nun lag ein Zentimeter hoch der Schnee, was den Münchner Autofahrer wie in jedem Jahr in höchste Panik versetzte.

Kühn und sein Sohn fuhren am Samstag mit der Bahn in die Stadt, um Niko eine Hose zu kaufen. Kühn hatte ihm versprochen, dass sie nicht zu H&M gehen würden, sondern, auch wenn es ihm im tiefsten Inneren missfiel, zu Abercrombie & Fitch, einer Marke, deren Namen er kaum behalten und auch nicht widerspruchslos richtig aussprechen konnte. Er nannte es Aberzombie und ärgerte seinen Sohn damit. Vom Sendlinger Tor aus gingen sie die Sendlinger Straße hoch. Kühn genoss die Zeit mit seinem Sohn, der in der letzten Zeit einen enormen Wachstumsschub gemacht hatte und nun, mit 17, seinen Vater fast schon eingeholt hatte. Niko konnte gute zwei Meter groß werden, was Kühn mit einem kindlichen Stolz erfüllte. Ihre Gespräche waren in den vergangenen Monaten nach Kühns Zusammenbruch im Frühjahr tiefgründiger geworden, sie waren weniger geprägt von gegenseitiger Ablösung oder erzieherischen Ansagen. Es schien Kühn, als hätten sie das hinter sich.

Das hieß aber nicht, dass er Niko mehr anvertraute als nötig. Er sprach nicht mit ihm über Ulrike Leininger. Es gab auch nichts zu erzählen. Es war ein einmaliger Seitensprung gewesen, und er wollte seine Familie nicht damit beunruhigen. Außerdem besaß er ein Privatleben, das er nicht teilen wollte. Und schon gar nicht mit seinem Kind. Dazu zählte er auch seine Erkrankung, die er buchstäblich mit sich herumtrug und deren Details er nach wie vor nicht kannte.

Kühn hatte den mutig vereinbarten Termin platzen lassen. Er hatte den Zettel mit der Nummer von Doktor Hartmann weggeworfen und sich nicht gestellt. Nicht dem Arzt, nicht seiner Frau und nicht sich selbst. Es verging kein Tag, an dem er nicht daran dachte und fürchtete, es könnten Schmerzen auftreten, weil ein Organ sich entzündete oder der Tumor wuchs. Er wollte schon das Wort nicht denken.

Ein paarmal hatte er sich seine Beerdigung vorgestellt und wie der Amtsarzt zu Globke sagen würde: »Ich habe es ihm im September gesagt. Und das war schon vier Wochen zu spät. Und dann ist er nicht zur Untersuchung gegangen. Was will man machen, wenn die Leute nicht vernünftig sind.«

Nein, er war nicht vernünftig, betrachtete dies jedoch als eine Art legitimen Umgang mit der vermutlichen Diagnose.

Ich lasse mich nicht dazu zwingen, krank zu sein, dachte er dann und auch, dass es vermutlich gar nichts sei mit diesem Ding. Erhöhte PSA-Werte besaßen viele Menschen, natürlich hatte er es dann doch gegoogelt. In klaren Momenten, wenn er nachts in der Küche saß und Orangensaft trank, bevor er wieder zurück auf die Couch schlich, war ihm bewusst, dass er diese Strategie nicht mehr lange würde aufrechterhalten können.

Und vielleicht war das gut. Vielleicht war es besser, endlich reinen Tisch zu machen und mit Susanne zu sprechen. Über alles, einfach alles. Über seine Angst, die Familie nicht über Wasser halten zu können. Über seine Prostata. Über die immer noch nicht entschiedene Beförderung und das Risiko, dass Steierer plötzlich sein Chef werden konnte. Über Ulrike vielleicht auch. Susanne war ehrlich zu ihm gewesen und erschüttert über den Verdacht, ihn betrogen zu haben. Seit Wochen lag dieser Schatten über ihrer Ehe, und seit Wochen schlief Kühn im Wohnzimmer. Alina hatte er erklärt, dass er sonst mit seiner Schnarcherei die Mutter wach hielte. Auf ihre kluge Frage, warum das erst jetzt und nicht schon seit zwanzig Jahren ein Problem sei, hatte er entgegnet, dass Frauen mit Mitte vierzig empfindlicher würden und dass sie das eines Tages auch erleben werde. Ihr Mann werde dann auch ins Wohnzimmer müssen, und überhaupt schliefen alle Väter auf der Weberhöhe im Wohnzimmer. Diese Vorstellung gefiel ihm, und er dachte, dass das auch gut sein könne.

Sie kauften Bratwurst und aßen sie im Gehen. »Dieser Junge, den du nicht erwischt hast. Meinst du, er kommt eines Tages zurück?«, fragte Niko.

»Ja, das glaube ich ganz sicher. Und dann werde ich ihn

verhaften.« Kühn pustete gegen die Wurst, von der eine dichte Dampfwolke in den grauen Oktoberdunst stieg. »Oder er wird irgendwo anders auf der Welt gefunden und ausgeliefert. Oder er landet dort im Gefängnis. Der Junge kann sich nicht verstecken.«

»Und man weiß überhaupt nicht, wo dieser Typ steckt?«

Nein, wusste man nicht. Florin van Hauten hatte zunächst noch Spuren mit seiner Kreditkarte hinterlassen, bis diese gesperrt wurde wie sämtliche seiner bekannten Konten. Es gab Videos von seiner Einreise nach Dubai und Kapstadt. Danach verlor sich seine Spur. Florin van Hauten war verschwunden.

»Was meinst du, wo er gerade ist?«, fragte Niko, weil sein Vater die letzte Frage nicht beantwortet hatte.

»Keine Ahnung. Wirklich.«

»Und nervt es dich, dass du ihn nicht gekriegt hast?«

Kühn antwortete nicht und bekleckerte sich mit Senf. Es nervte ihn nicht, es machte ihn rasend. Sie waren einen Tag zu spät gewesen. Er hätte die Zusammenhänge früher erkennen müssen. Aber er hatte sie nicht gesehen, seine Intuition hatte Stunden zu spät eingesetzt. Es waren die Stunden, in denen Florin das Nötigste gepackt, Bargeld von der Bank geholt und zum Flughafen gefahren war. Als Kühn die Ergebnisse aus dem Labor und die Gewissheit erhielt, dass Florin mit dem Austernhandschuh seines Vaters einen Mord verübt hatte, saß Florin vermutlich längst in irgendeinem Restaurant auf der Welt und aß, vielleicht, Austern. Es machte Kühn wahnsinnig, so wahnsinnig wie die Aussicht darauf, dass Florins Mittäter nach Jugendstrafrecht am Ende mit Bewährungsstrafen davonkamen.

Hamida Bilal würde nicht als Nebenklägerin auftreten.

Vor Kurzem hatte sie eine neue Wohnadresse angemeldet. Sie lebte nun in einer Eigentumswohnung in Solln. Auch die Arbeitsstelle hatte sie gewechselt. Sie erledigte leichte Büroarbeiten in einer Steuerberatungskanzlei in der Stadt und erhielt dafür ein Geschäftsführergehalt. Der kleine Yunus war auf eine Privatschule gewechselt. So sehr Kühn das für den Jungen freute, so bitter schmeckte es ihm auch.

Aber er wusste, dass Florin eines Tages wieder auftauchen würde. Irgendwo. Zwischen jetzt und diesem Moment lag eine ungewisse Zeitspanne, aber Kühn kannte sich mit Mördern aus. Florin würde immer auf der Flucht sein. Er würde seine Kontakte ausreizen, er würde immerzu lügen müssen, er war nicht frei. Kein Mörder ist jemals frei.

»Ja, klar nervt es mich«, sagte Kühn schließlich.

Sie gingen an der Asamkirche vorbei. Direkt davor kniete ein Junge auf dem nassen Boden und streckte die Hände nach ihnen aus, sie waren zu einer Schale geformt, in der nichts lag. Der Junge mochte etwa so alt sein wie Niko. Er hatte fettiges dunkles Haar und trug eine große verschmutzte Brille und einen schütteren Schnauzbart, in dem Nasenschleim und Eiter festsaßen. Offensichtlich war er krank. Er zitterte, denn er trug bei der kalten Witterung lediglich ein verwaschenes leichtes Sweatshirt.

Ein paar Meter weiter stoppte Kühn und sagte: »Nein, das kann nicht sein.«

»Was ist denn, Papa?«, fragte Niko.

»Das geht so nicht«, sagte Kühn und drehte sich um. Er ging zurück zu dem Jungen vor der Kirche, der seine Hände wieder ausstreckte.

»Hast du keine Jacke?«, fragte Kühn den Jungen.

»Ich? Nein«, sagte der Junge überrascht.

»Aber du kannst doch nicht hier sitzen und frieren und nicht einmal eine Jacke haben?«

Der Junge ließ die Arme sinken und schaute Kühn unsicher an. »Du brauchst doch wenigstens eine Jacke. Wo wohnst du?«

Der Junge blieb mit den Knien auf dem Boden und sah zu Kühn hoch, dachte kurz nach und sagte langsam, jedes Wort abwägend: »Ich wohne an der Wittelsbacher Brücke. Da habe ich meine Sachen. Meinen Rucksack und so.«

»Hast du denn kein Zuhause?«

Der Junge schüttelte sachte den Kopf.

»Steh mal auf. Wir kaufen dir jetzt eine Jacke.«

Er drehte sich zu Niko um und sagte: »Wir müssen ihm eine Winterjacke kaufen.« Niko nickte, auch wenn ihm nicht ganz klar war, was das zu bedeuten hatte. Auch für ihren Shopping-Trip.

Der Junge stand auf und sagte: »Wenn Sie meinen.«

Dann liefen sie schweigend in Richtung Fußgängerzone. Der fremde Junge sah sich ständig nach hinten um. »Wie heißt du?«, fragte Kühn.

»Ich bin Dennis«, sagte der Junge und trottete neben Vater und Sohn Kühn her. Kühn dachte, dass dieser Dennis ihnen überallhin folgen würde. Es war ihm egal, er war ein Opfer, jemand, der widerspruchslos hinnahm, was ihm das Leben bot. Er kam mit für eine Jacke, er wäre auch mitgegangen für eine Vergewaltigung oder für eine Portion Pommes oder ohne jeden Grund. Kühn machte sich Sorgen. Dennis sah sich wieder um.

»Was ist, warum schaust du dich immer um?«

»Das ist mein Platz. Wenn ich weg bin, kann jemand auf

meinen Platz. Das ist 'n guter Platz, da mache ich zwanzig Euro die Stunde.«

Das war sein einziger Gedanke. Er war offensichtlich krank, und alles, woran er dachte, war sein Platz vor der Kirche. Es war klar, dass sein Horizont nicht weit reichte. Kühn entschied, dass er später bei den Kollegen anrufen würde, um herauszufinden, ob Dennis vermisst wurde. Von irgendwem. Aber das konnte er ja auch von Dennis erfragen.

»Du hast doch Eltern. Wo wohnst du denn?«

»Habe ich gesagt. Wittelsbacher Brücke. Meine Eltern wollen mich nicht mehr sehen. Sie haben mich rausgeworfen. Wegen zu viel Scheiße gebaut.«

Dennis zog die Nase hoch. Er sprach seltsam gedehnt und mühsam, als müsse er sich enorm konzentrieren. Entweder er nahm Drogen, oder er war entwicklungsverzögert. Vielleicht beides, jedenfalls sprach er nicht wie ein normaler Junge. So einer ging neben ihm her und musterte ihn von der Seite. Niko sagte: »Gehst du nicht zur Schule?«

»Schule. Ich, nö.«

»Oder zur Arbeit?«

»Arbeit, nee, ich kann ja nichts.«

Niko wurde ärgerlich. »Jeder kann was. Irgendwas kann jeder. Du auch. Du musst es nur herausfinden.«

Sie liefen Richtung Marienplatz, dann links zum H&M. Nach einer ganzen Weile sagte Dennis mit einer Bestimmtheit, die vorher nicht in seiner Stimme gelegen hatte: »Nein. Ich kann gar nichts.«

»Du musst zum Arzt. Du brauchst eine Betreuung. Wo wohnen deine Eltern?«, fragte Kühn.

»Weiß ich nicht mehr.«

»Wie lange bist du schon auf der Straße?«

»Den Sommer schon.«

»Wie heißt du mit Nachnamen?«

»Mit Nachnamen heiße ich Dennis Schmitz«, sagte Dennis und zog die Nase hoch. Er wurde nervös. »Ich muss dann wieder zurück an meinem Platz. Am Ende ist mein Platz weg. Es ist ein echt guter Platz.«

»Erst bekommst du eine Jacke, sonst kann ich dich da nicht wieder hinlassen.«

»Okay. Erst eine Jacke.«

Im H&M gab es Daunenjacken für sechzig Euro. Dennis probierte drei Stück an, die er sich von Kühn geben ließ. Beim Ausziehen streckte er beide Arme nach hinten, und Niko zog sie ihm von der Schulter wie einem Kind.

»Blau oder grün?«, fragte Kühn.

»Blau? Oder grün?«

Es war dem Jungen egal. Niko entschied, dass er die blaue Jacke nehmen sollte. Dann raunte er seinem Vater ins Ohr, dass er nicht mehr zu Aberzombie müsse und sich hier, bei H&M, eine Hose aussuchen könne, zumal das Budget gerade um sechzig Euro kleiner werde. Kühn war dafür sehr dankbar, aber er fand, dass Niko nicht darunter leiden sollte, wenn er dem fremden Jungen etwas schenkte.

An der Kasse wurde Dennis wieder unruhig. »Jetzt ist mein Platz weg.«

»Dafür musst du nicht mehr frieren«, sagte Niko, der nicht verstand, dass Dennis seine Prioritäten vollkommen anders setzte als er. An Dennis' Stelle hätte er lieber mit einer warmen Jacke an einer schlechteren Stelle gebettelt als im Sweatshirt vor der Asamkirche.

Kühn bezahlte die Jacke und gab sie Dennis, der sie anzog. Dann traten sie wieder ins Freie.

»Du kannst die Kapuze über den Kopf ziehen, dann zieht es nicht so.«

»Dann zieht's nicht so«, wiederholte Dennis, ohne jedoch die Kapuze überzuziehen. Sie gingen schweigend weiter. Vor dem Laden von Abercrombie & Fitch in der Sendlinger Straße blieben Kühn und Niko stehen. Kühn sagte: »So, jetzt kannst du wieder an deinen Platz gehen.« Sie hätten sich auch noch verabschiedet, aber Dennis lief einfach weiter, ohne ein Wort.

»Der hätte sich ja auch mal bedanken können«, sagte Niko. Dann gingen sie in den Laden, und Niko probierte zwölf sehr schmale Hosen an. Kühn weigerte sich, eine bereits an mehreren Stellen aufgerissene Jeans zu kaufen, weil es sich nicht mit der Vorstellung einer neuen Hose vereinbaren ließ. Also probierte Niko weiter, und Kühn ging mit seinem Handy vor die Tür, um in der Dienststelle zu erfragen, ob irgendwo ein Dennis Schmitz abgängig war.

Niemand kannte den Namen. Der Kollege am Telefon sagte, dass es sich womöglich auch um einen geflüchteten Jungen aus einer Drückerkolonne handeln konnte. Vielleicht war er auch ganz woanders als vermisst gemeldet, in Erfurt oder Bremen. Wahrscheinlich hieße der auch ganz anders. Wenn man ihn jetzt aufgriff, war er morgen wieder da. Aber man werde später einmal an der Kirche vorbeisehen.

Nachdem Kühn einhundert Euro für eine Super-Slim-Jeans, Modell Felix, ausgegeben hatte, die laut seinem Sohn nur leichte Distressed-Merkmale aufwies und eine Zwölfeinhalb-Beinöffnung, was immer das bedeuten mochte, gingen sie zurück in Richtung Sendlinger Tor.

Vor der Kirche kniete Dennis an seinem Platz von zuvor. Niemand hatte ihn ihm streitig gemacht. Er blickte nach unten und streckte die Arme nach vorne, seine Hände formten eine Schale. Er zitterte am ganzen Leib, denn er trug keine Jacke.

Kühn und sein Sohn gingen langsam an Dennis vorbei, ohne dass dieser aufblickte. Vielleicht hatte er die Begegnung bereits vergessen.

»Was ist das nur für ein Leben«, sagte Niko nach einer Weile.

»Es ist jedenfalls eins. Und es geht immer weiter. Das Leben geht einfach immer weiter«, sagte Kühn.